■はじめに

この本を手にとっていただきありがとうございます。

私は長年現場でジャズ・ピアノを指導してきました。全く初めて鍵盤に触れる方からプロを目指している方々まで年齢層も幅広く指導しております。また、初心者の方でもジャズを弾きたいという方はいますし、音楽大学でクラシックを学んできたけれど、ジャズ・ピアノも弾けるようになりたいという方も多く習っています。そして、すでにプロとして活躍していて、ジャズ・ピアノの理論を学ぶために習っている方もいます。嬉しいことに、プロで活躍するレベルまで成長した生徒もいます。そんな生徒達から「弾けるジャズ・コードのヴォイシングのパターンが乏しくいつも同じ」、「ヴォイシングがわからない」、「ヴォイシング専門の本があまり出版されていない」等の疑問の声から、この本はスタートしました。

本書は、ジャズを学ぶ上で欠かすことのできないテンション・ノートを含めたヴォイシングの例を多く載せています。単に構成音やテンションを配置するのではなく「ピアノ」という楽器の持つ音域、響きを生かして「プロ」が使っているジャズ・コードというものを実践で織り交ぜながら活用してください。

主に頻度の高いドミナント・セブンス、メジャー・トライアド、マイアナー・トライアド、メジャー・セブンス、マイナー・セブンス、マイナー・セブンス♭5th、ディミニッシュ、そしてポリコードのヴォイシングを取り上げています。

本書の前半はレフトハンド・ヴォイシングを載せており、メロディやアドリブを弾くときのヴォイシングになっています。後半はトゥ・ハンド・ヴォイシングで、ソロ・ピアノ・スタイルや伴奏（コンピング）をするとき等に用いるべきヴォイシングを載せております。

使用例等は簡単に述べておりますが、少しでも多くのジャズ・コードを学んでいただき、ジャズ・ピアノを楽しんでいただければと思います。

遠藤尚美

ULTIMATE CORD BOOK TO PLAY THE JAZZ PIANO

レフトハンド／トゥ・ハンド・ヴォイシングを網羅！

ジャズ・ピアノを弾くための 究極のコード・ブック

基本的な Open（オープン）、Close（クローズ）ヴォイシングについて …… 4

STEP1 Left Hand Voicing

Left Hand Voicing（レフトハンド・ヴォイシング）とは？… 8
Left Hand Voicing のポイント …… 8
2Notes Dominant 7th（ルート +♭7th） …… 10
2Notes Dominant 7th（3rd+♭7th、Tritone） …… 11
2Notes Diminished 7th（ルート +♭♭7th［6th］） …… 12
2Notes Major Chord（root+7th） …… 13
テンションとは？…… 14
ナチュラル・テンションとオルタード・テンション…… 14
各コードタイプで使えるテンション…… 15
3Notes Major Chord（3rd+6th+9th） …… 16
3Notes Minor Chord（♭3rd+5th+9th） …… 17
3Notes Minor 7th Chord（♭3rd+♭7th+9th） …… 18
3Notes Diminished 7th（♭3rd+♭♭7th［6th］+9th） …… 19
3Notes Diminished（root+♭5th+7th）…… 20
3Notes Dominant 7th ①（3rd+♭7th+13th） …… 21
3Notes Dominant 7th ②（3rd+♭7th+9th）…… 22
4Notes Major Chord ①（3rd+5th+6th+9th） …… 23
4Notes Major Chord ②（3rd+5th+7th+9th） …… 24
4Notes Minor Chord（♭3rd+5th+6th+9th） …… 25
4Notes Minor7th（♭3rd+5th+♭7th+9th）…… 26
4Notes Minor7th♭5th（♭3rd+♭5th+♭7th+9th） …… 27
4Notes Diminished 7th（♭3rd+♭5th+♭♭7th［6th］+9th）…… 28
4Notes Dominant 7th（3rd+♭7th+9th+13th） …… 29
Left Hand Voicing を練習しよう！ …… 30
♪ Some Day My Prince Will Come …… 32

STEP2 Two Hand Voicing

Two Hand Voicing（トゥ・ハンド・ヴォイシング）とは？… 34
4th Interval Build（フォース・インターヴァル・ビルド）… 35
Avoid Note（アヴォイド・ノート） …… 35
Polychord（ポリコード）…… 35
Cluster（クラスター） …… 36
Low Interval Limit（ロー・インターヴァル・リミット）…… 36
Two Hand Voicing の使い方 1
リズミカルにメロディの間を埋める …… 37
Two Hand Voicing の使い方 2　コンピングで使う …… 37
Two Hand Voicing の使い方 3
右手のメロディにコードを付ける…… 38
コードの覚え方 1　コード進行で覚える …… 39
コードの覚え方 2　有名曲のコード進行を利用して覚える…… 40
コードの覚え方 3　コード・トーンからテンションへ…… 40
Two Hand Voicing の使用例 …… 42
Two Hand Voicing 表（P.44 〜）のポイント …… 43

C C7 Dominant 7th Chord …… 44
C Tonic Major Chord（C Ionian,C Lydian） …… 46
Cm Tonic Minor Chord（C Melodic Minor Scale） …… 47
Cm7 Minor 7th Chord（C Dorian）…… 48
Cm7(♭5th) Minor 7th Flatted 5th Chord
（C Altered Dorian） …… 49

D♭ D♭7 Dominant 7th Chord …… 50
D♭ Tonic Major Chord（D♭ Ionian,D♭ Lydian）…… 52
D♭m Tonic Minor Chord（D♭ Melodic Minor Scale）…… 53
D♭m7 Minor 7th Chord（D♭ Dorian） …… 54
D♭m7(♭5th) Minor 7th Flatted 5th Chord
（D♭ Altered Dorian） …… 55

D D7 Dominant 7th Chord …… 56
D Tonic Major Chord（D Ionian,D Lydian） …… 58
Dm Tonic Minor Chord（D Melodic Minor Scale） …… 59
Dm7 Minor 7th Chord（D Dorian）…… 60
Dm7(♭5th) Minor 7th Flatted 5th Chord
（D Altered Dorian）…… 61

E♭ E♭7 Dominant 7th Chord …… 62
E♭ Tonic Major Chord（E♭ Ionian,E♭ Lydian） …… 64
E♭m Tonic Minor Chord（E♭ Melodic Minor Scale） …… 65
E♭m7 Minor 7th Chord（E♭ Dorian） …… 66
E♭m7(♭5th) Minor 7th Flatted 5th Chord
（E♭ Altered Dorian） …… 67

E E7 Dominant 7th Chord 68
E Tonic Major Chord（E Ionian,E Lydian） 70
Em Tonic Minor Chord（E Melodic Minor Scale） 71
Em7 Minor 7th Chord（E Dorian） 72
Em7(♭5th) Minor 7th Flatted 5th Chord
（E Altered Dorian） 73
F F7 Dominant 7th Chord 74
F Tonic Major Chord（F Ionian,F Lydian） 76
Fm Tonic Minor Chord（F Melodic Minor Scale） 77
Fm7 Minor 7th Chord（F Dorian） 78
Fm7(♭5th) Minor 7th Flatted 5th Chord
（F Altered Dorian） 79
F♯ F♯7 Dominant 7th Chord 80
F♯ Tonic Major Chord（F♯ Ionian,F♯ Lydian） 82
F♯m Tonic Minor Chord（F♯ Melodic Minor Scale） 83
F♯m7 Minor 7th Chord（F♯ Dorian） 84
F♯m7(♭5th) Minor 7th Flatted 5th Chord
（F♯ Altered Dorian） 85
G G7 Dominant 7th Chord 86
G Tonic Major Chord（G Ionian,G Lydian） 88
Gm Tonic Minor Chord（G Melodic Minor Scale） 89
Gm7 Minor 7th Chord（G Dorian） 90
Gm7(♭5th) Minor 7th Flatted 5th Chord
（G Altered Dorian） 91
A♭ A♭7 Dominant 7th Chord 92
A♭ Tonic Major Chord（A♭ Ionian,A♭ Lydian） 94
A♭m Tonic Minor Chord（A♭ Melodic Minor Scale） 95
A♭m7 Minor 7th Chord（A♭ Dorian） 96
A♭m7(♭5th) Minor 7th Flatted 5th Chord
（A♭ Altered Dorian） 97
A A7 Dominant 7th Chord 98
A Tonic Major Chord（A Ionian,A Lydian） 100
Am Tonic Minor Chord（A Melodic Minor Scale） 101
Am7 Minor 7th Chord（A Dorian） 102
Am7(♭5th) Minor 7th Flatted 5th Chord
（A Altered Dorian） 103
B♭ B♭7 Dominant 7th Chord 104
B♭ Tonic Major Chord（B♭ Ionian,B♭ Lydian） 106
B♭m Tonic Minor Chord（B♭ Melodic Minor Scale） 107
B♭m7 Minor 7th Chord（B♭ Dorian） 108
B♭m7(♭5th) Minor 7th Flatted 5th Chord
（B♭ Altered Dorian） 109
B B7 Dominant 7th Chord 110
B Tonic Major Chord（B Ionian,B Lydian） 112
Bm Tonic Minor Chord（B Melodic Minor Scale） 113
Bm7 Minor 7th Chord（B Dorian） 114
Bm7(♭5th) Minor 7th Flatted 5th Chord
（B Altered Dorian） 115

Drop Voicing（ドロップ・ヴォイシング） 116
Basic Chord Voicing
（ベーシック・コード・ヴォイシング） 117
Spread Voicing（スプレッド・ヴォイシング） 118
Passing Diminished Chord
（パッシング・ディミニッシュ・コード） 119
Block chord（ブロック・コード） 121
Upper Structure Triad
（アッパー・ストラクチャー・トライアド） 123
♪ Blue Bossa ／ Kenny Dorham 124
♪ Speak Low ／ Kurt Weill 126

●本文中に記載されている音楽用語

アドリブ（ad lib） .... インプロビゼイションともいい、即興演奏のこと。
ノート（note） .... 音符。
コード・トーン（chord tone） .... 1、3、5、7度のことをいう。
テンション（tension） .... 1、3、5、7度のコード・トーンよりも上の9、11、13度をいう。
オルタード .... テンションの9th、11th、13thが♭9th、♯9th、♯11th、♭13thに変化したもの。
ヴォイシング（voicing） .... コードの指定に基づいて、ソロや伴奏をするときに和　声付けをすること。
ハーモナイズ（harmonize） .... メロディにハーモニーをつ ナること。
デッド・スポット（Dead spot） .... メロディ・ラインが全音符等で長く伸びている部分。アレンジや演奏するとき等、この部分にフィル・インを入れる。
フィル・イン .... メロディが長く伸びいている部分に、オカズと言われる様々なパターンを入れ、穴埋め演奏すること。
トライ・トーン .... 「**三全音**」ともいう。ドミナント・セブンス・コードの3度と7度の間の音程。不安定な響きが特徴。本文中、レフト・ハンド・ヴォイシングの項、P.9を参照。

● Two Hand Voicing 表（P.44 〜）記載のマークについて

各マークの意味は次の通りになります。詳しくはP.35 〜 36を参照してください。

❹=フォース・インターヴァル・ビルド　A.N.=アヴォイド・ノート　Ⓟ=ポリコード　Ⓒ=クラスター

○基本的な Open（オープン）、Close（クローズ）ヴォイシングについて

ジャズに限らず、コードの勉強をするときにオープン・ヴォイシング（開離）、クローズ・ヴォイシング（密集）というコードの配置について勉強する必要があります。

次の譜例は「**右手がクローズ・ヴォイシング**」になっていて、左手は「**コードのルート**」を押さえています。右手のメロディ（トップ・ノート〈**一番高い音**〉）の下にクローズでヴォイシングしてありますが、これを「**4Way Close ヴォイシング**」といいます。ここからは、「All The Things You Are」を課題にヴォイシングを解説していきましょう。

譜例1 ‖ All The Things You Are ／ Jerome Kern （クローズ・ヴォイシング）

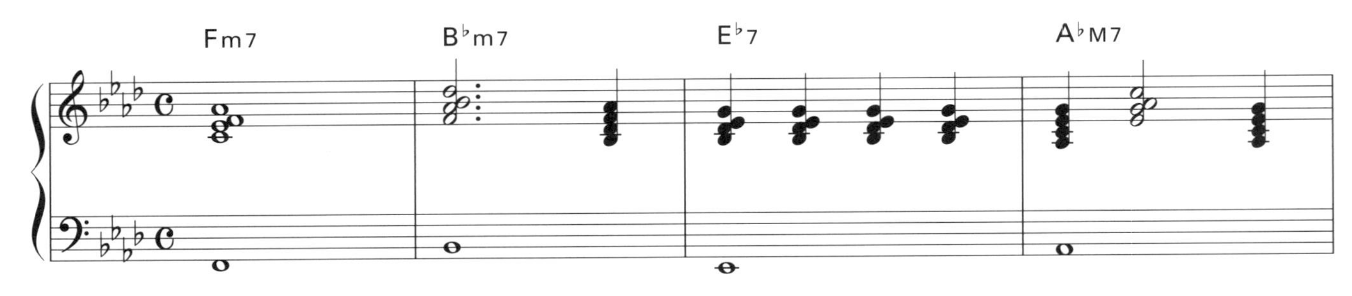

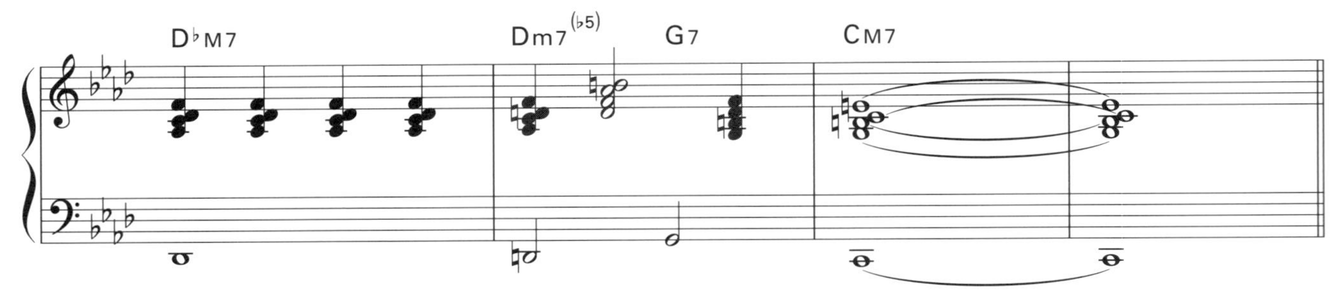

このように、1オクターブ内にまとまるようにコードの構成音（コード・トーン）を配置することを「**クローズ・ヴォイシング**」といいます。クローズ・ヴォイシングは弾きやすくハーモニーもクッキリと出てきて、1オクターブ内にまとめて弾くために、力強く聴こえます。

譜例2 ‖ クローズ・ヴォイシング

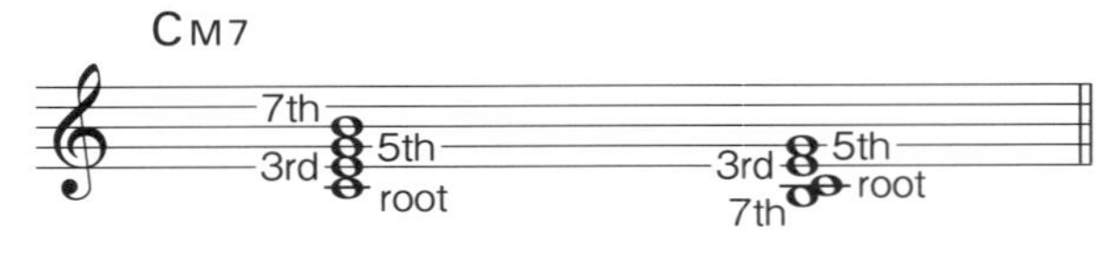

コード･トーンが1オクターブ内にある

クローズ・ヴォイシングに対し、オープン・ヴォイシングは構成音を「**1オクターブ以上にばらして配置したもの**」で、次の譜例のように左手で「**ルート +5 度**」、または「**ルート +7 度**」を配置し、上に左手で省いた構成音を配置するのがほとんどです。

譜例3 ‖ オープン・ヴォイシング

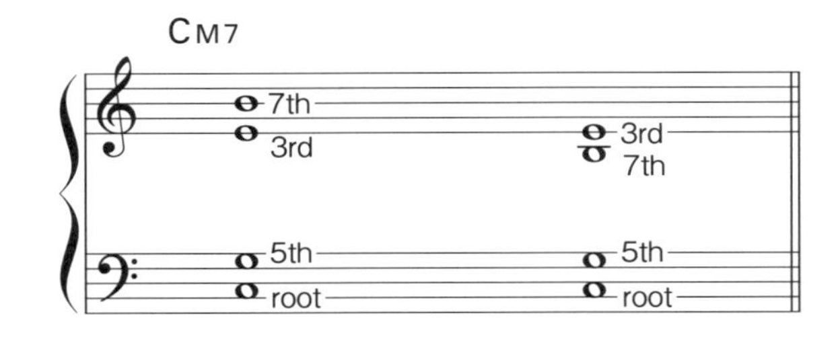

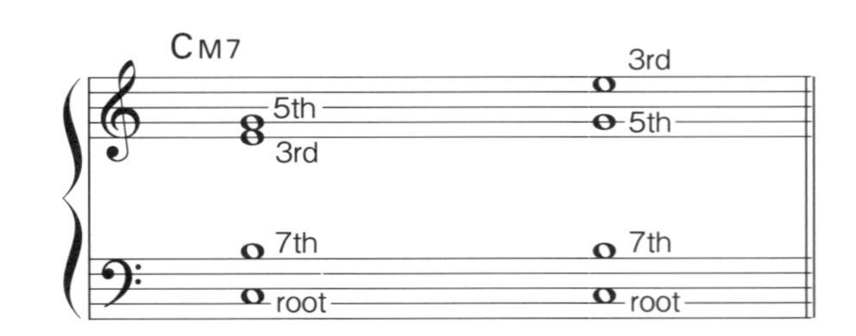

オープン・ヴォイシングは混声合唱のように各音域に散らばって配置されているため、オーケストレーションや異なる楽器のアレンジ等にも使われます。また、音域が広くなるため、厚みのあるサウンドになります。

次の譜例は、オープン・ヴォイシングを使用してメロディにハーモナイズしたものです。左手は「**ルートと5度**」で統一してあり、メロディのすぐ下に「**3度か7度**」を配置してあります。メロディの音がコードの構成音にならない場合（ノン・コード・トーンという）、3度か7度を下に配置します。

譜例4 ‖ All The Things You Are ／ Jerome Kern （オープン・ヴォイシング1）

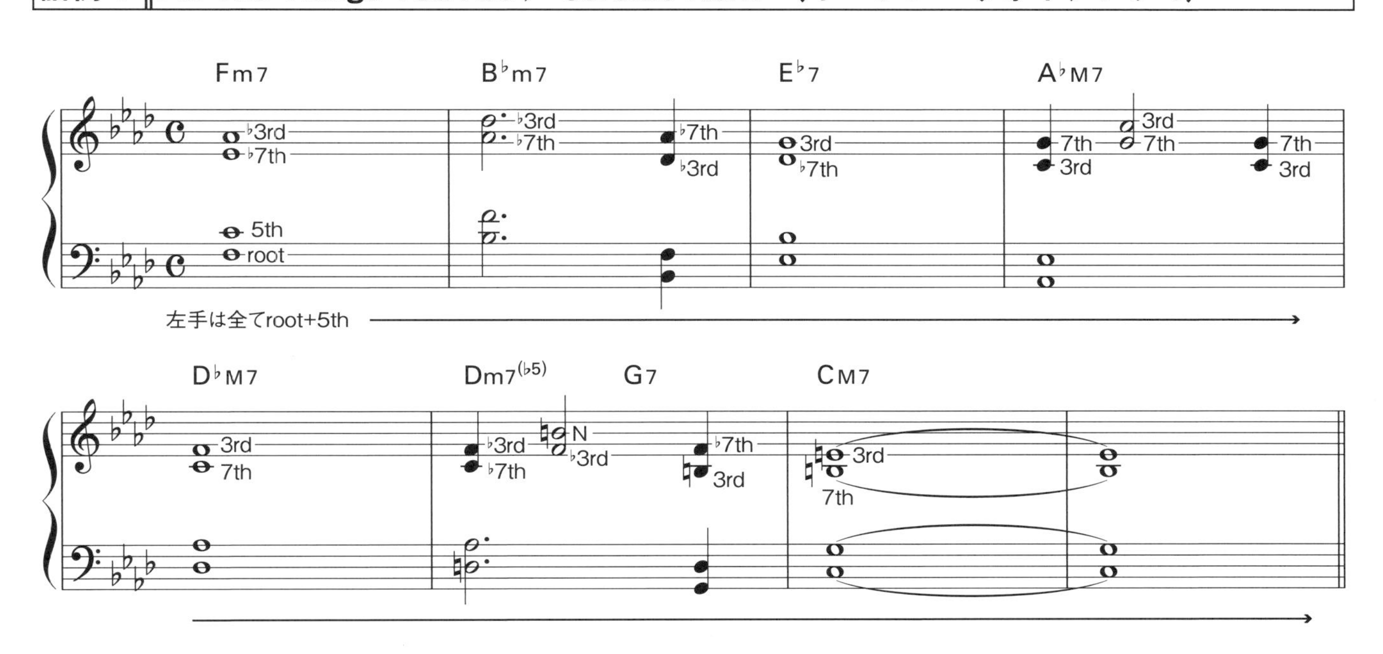

次の譜例もオープン・ヴォイシングをハーモナイズしてありますが、左手はルートと7度で統一してあります。

譜例5 ‖ All The Things You Are ／ Jerome Kern （オープン・ヴォイシング2）

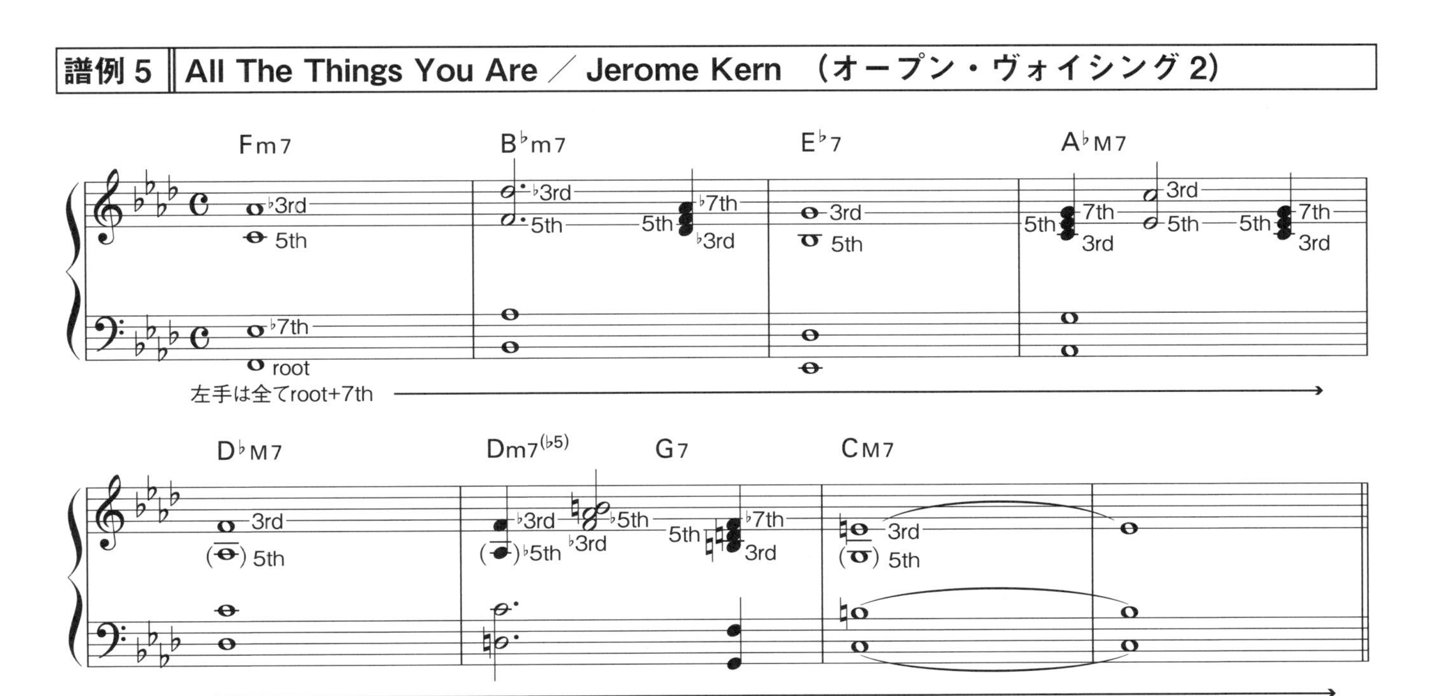

次の譜例はメロディとハーモニーのバランスを考えながら、左手を「ルート +5 度」、または「ルート +7 度」で押さえ、メロディの下に左手で省いた構成音を配置してあります。

譜例 6 ‖ All The Things You Are ／ Jerome Kern　（オープン・ヴォイシング 3）

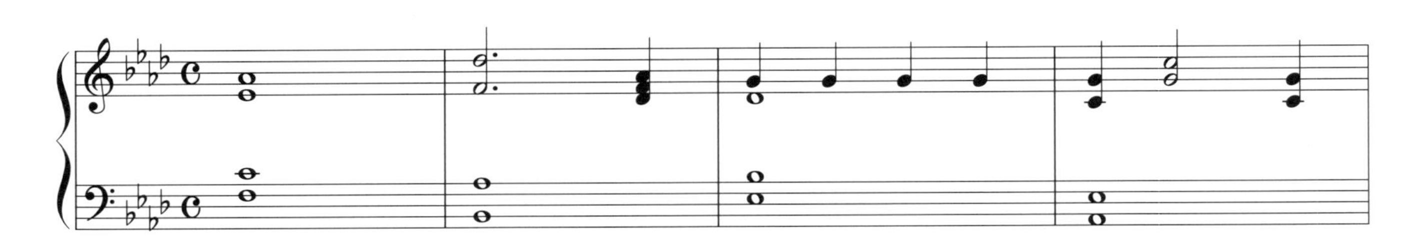

以上、ここまでに説明したものは複雑なジャズ・コード・ヴォイシングが弾ける人でもシンプルながらできない人が多いです。ジャズ独特のサウンドを生み出すテンション・ノートを含んだヴォイシングを習得する前に、メロディにコードの構成音を付けただけのハーモナイズを様々な曲で実践してみてください。

STEP1
Left Hand Voicing

❍ Left Hand Voicing（レフトハンド・ヴォイシング）とは？

レフトハンド・ヴォイシングとは、右手がメロデイやアドリブを弾くときの「**左手のコードの弾き方**」です。本書では、2notes、3notes、4notesがありますが、曲の雰囲気や内容によって、奏者が自由に使い分けることができます。

レフトハンドの構成音は、3notesの**C**コードを例にとると、「ド、ミ、ソ」の基本形にはなっておらず、「ミ、ラ、レ」としてあります。これは、ルートのドは「**ベースが弾く**」ので、ピアノでは省略し「ラ、レ」のテンション（P.14参照）を含めた形になっています。プロが使っている**C**は、当然、テンションが含まれているので、「ド、ミ、ソ、ラ、レ」、これがJAZZの**C**コードになります。テンションを含むことによって、JAZZらしいハーモニーが出るわけです。

譜例1 ルート音を省略してテンションを加えたコード

❍ Left Hand Voicingのポイント

- メロディやアドリブに対して、ハーモニー的に補ったりする。
- メロディやアドリブのデッド・スポットを埋めたり、フィル・イン的な効果を生み出すことにも使用する。
- アドリブラインと一緒にスウィングさせたり、アドリブをより一層、活発化するために加えたりする。
  ※上記のようなLeft Handのタイミングの取り方は、プロが演奏しているCD等を良く聴いて掴むことが大切です。「耳」を養う良い訓練にもなります。
- テンション音が含まれている場合には、(11/9)(13/9)等のようにカッコ書きで記載します。

譜例2 rootと7thで構成されるセブンス・コード

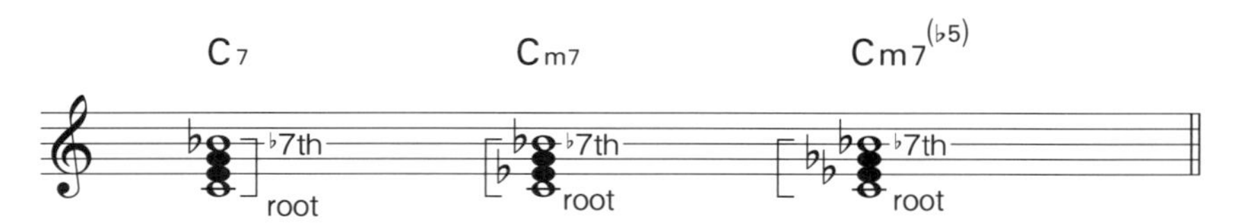

- 2 Notesのrootと7thで構成されているセブンス・コードは、次のように3種類のコードが使えます。

2notes のトライ・トーンを使ったドミナント・セブンス・コードは、多くのジャズ・ピアニストが使っています。トライ・トーンとは、「**属 7 の和音の 3 度と 7 度**」でできる減 5 度と、増 4 度の音程で、不安定な感じが強く、ドミナント・セブンス・コードの特徴といえます。

譜例 3 トライ・トーン

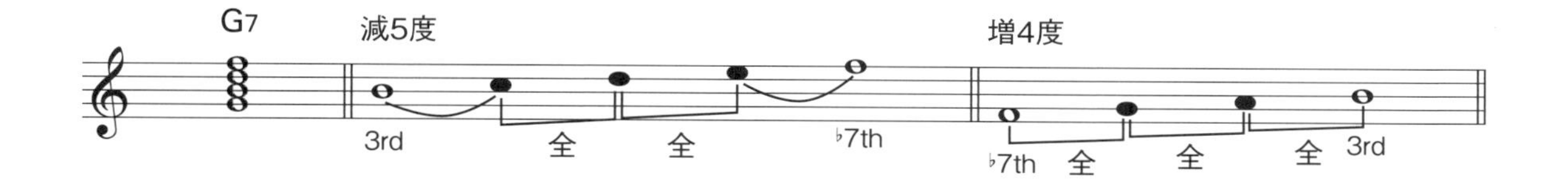

譜例 4 マイナー・コードの 5 度を省略

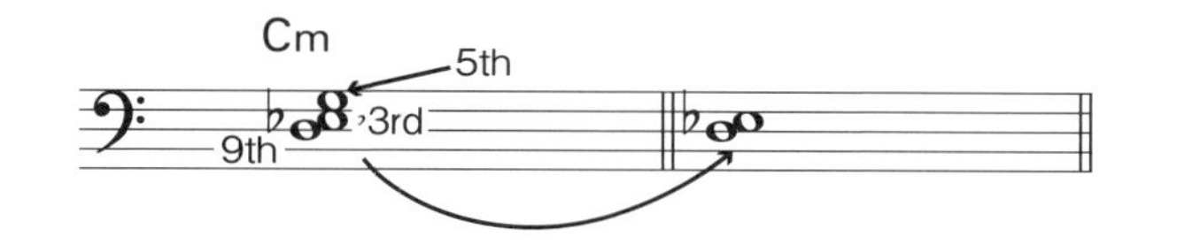

3notes のマイナー・コードは、「**5 度**」を省略して 2Notes として使うこともできます。

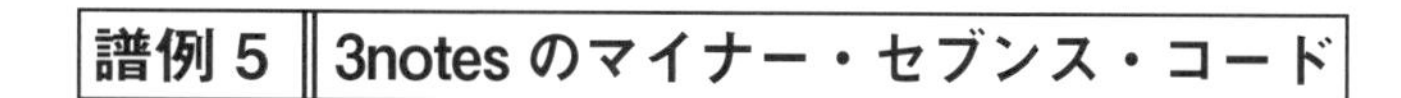

譜例 5 3notes のマイナー・セブンス・コード

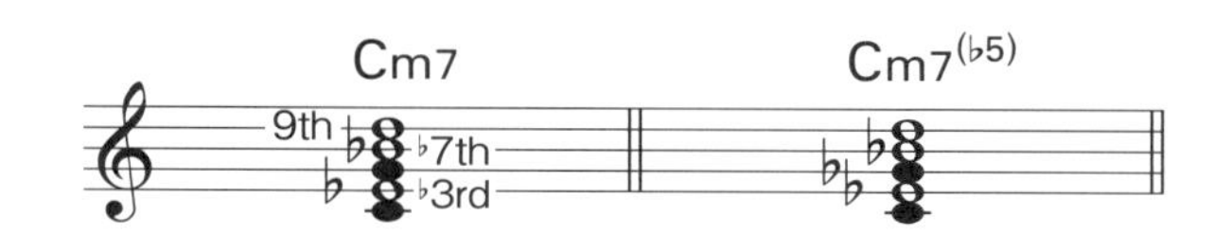

3notes のマイナー・セブンス・コードは 3、7、9 度で構成されているので、マイナー・セブンス ♭5th に使うこともできます。

譜例 6 3notes ドミナント・セブンスの ♭13th

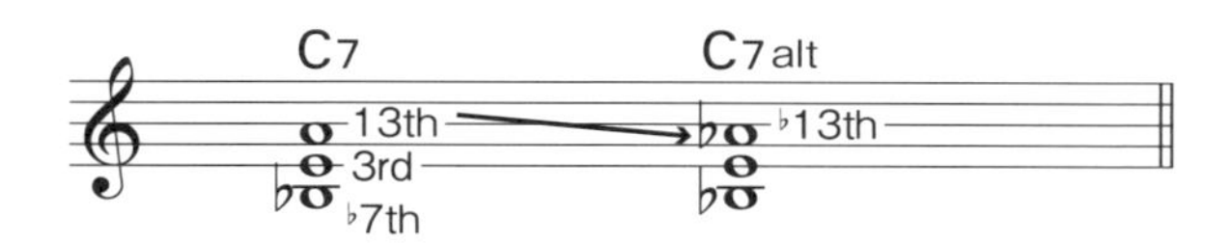

3notes のドミナント・セブンス・コードの 13th は、「**♭13th**」に変化させることができます。

譜例 7 4notes ドミナント・セブンス

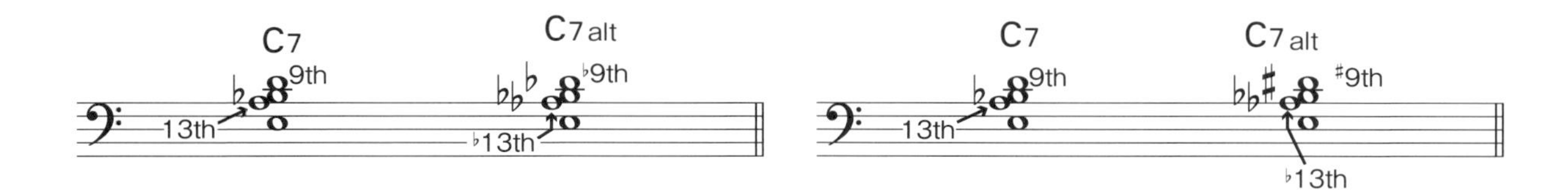

4notes のドミナント・セブンスも上記の譜例と同じように、13th は ♭13th、9th は ♭9th、♯9th に変化することができます。このように、ドミナント・セブンス・コードの 13th と 9th を変化させてできるコードを「**Altered（オルタード）ドミナント・セブンス・コード**」といいます。

❑ 2 Notes　Dominant 7th（ルート＋♭7th）

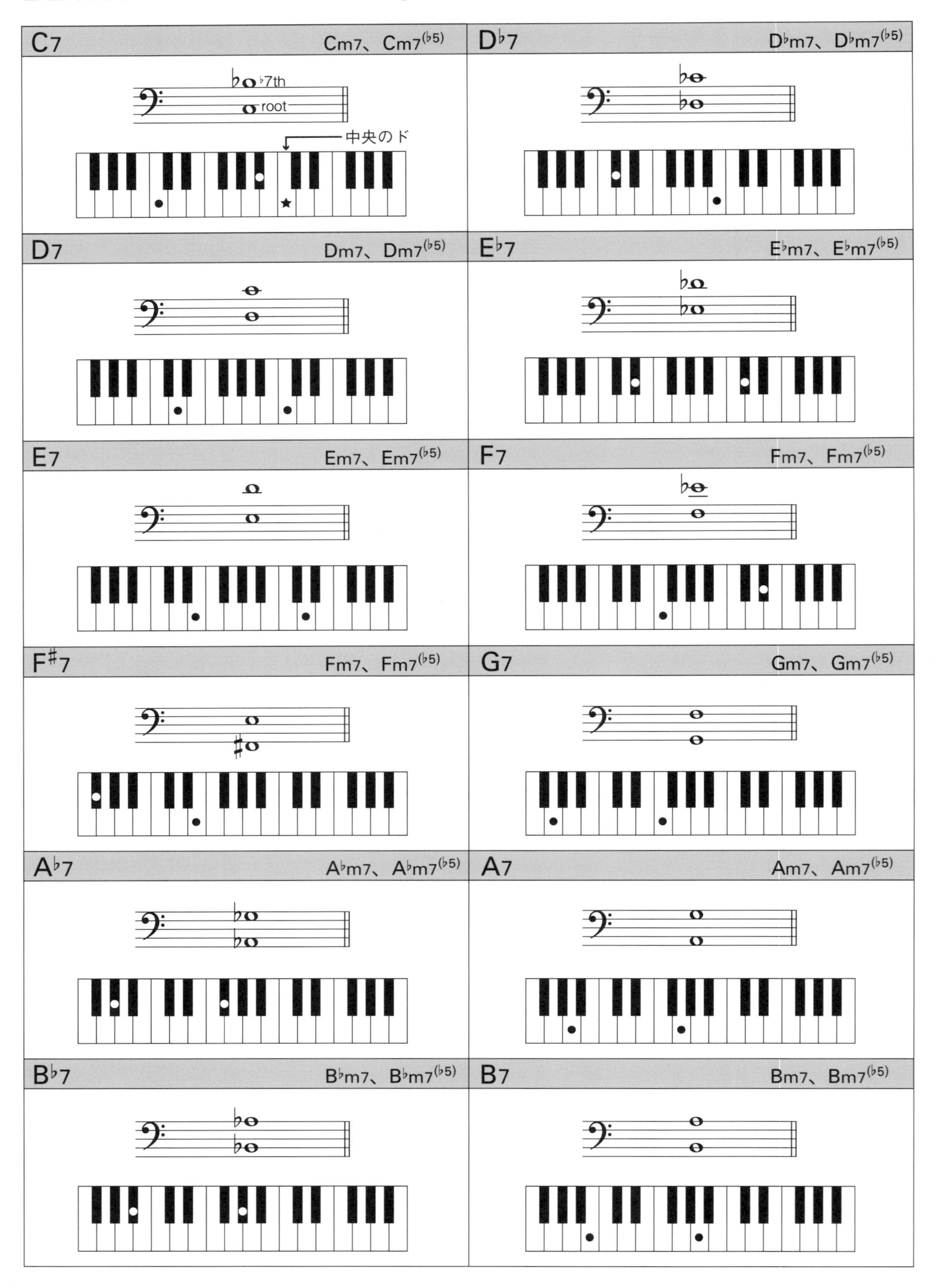

❑ 2 Notes Dominant 7th（3rd+♭7th、Tritone）

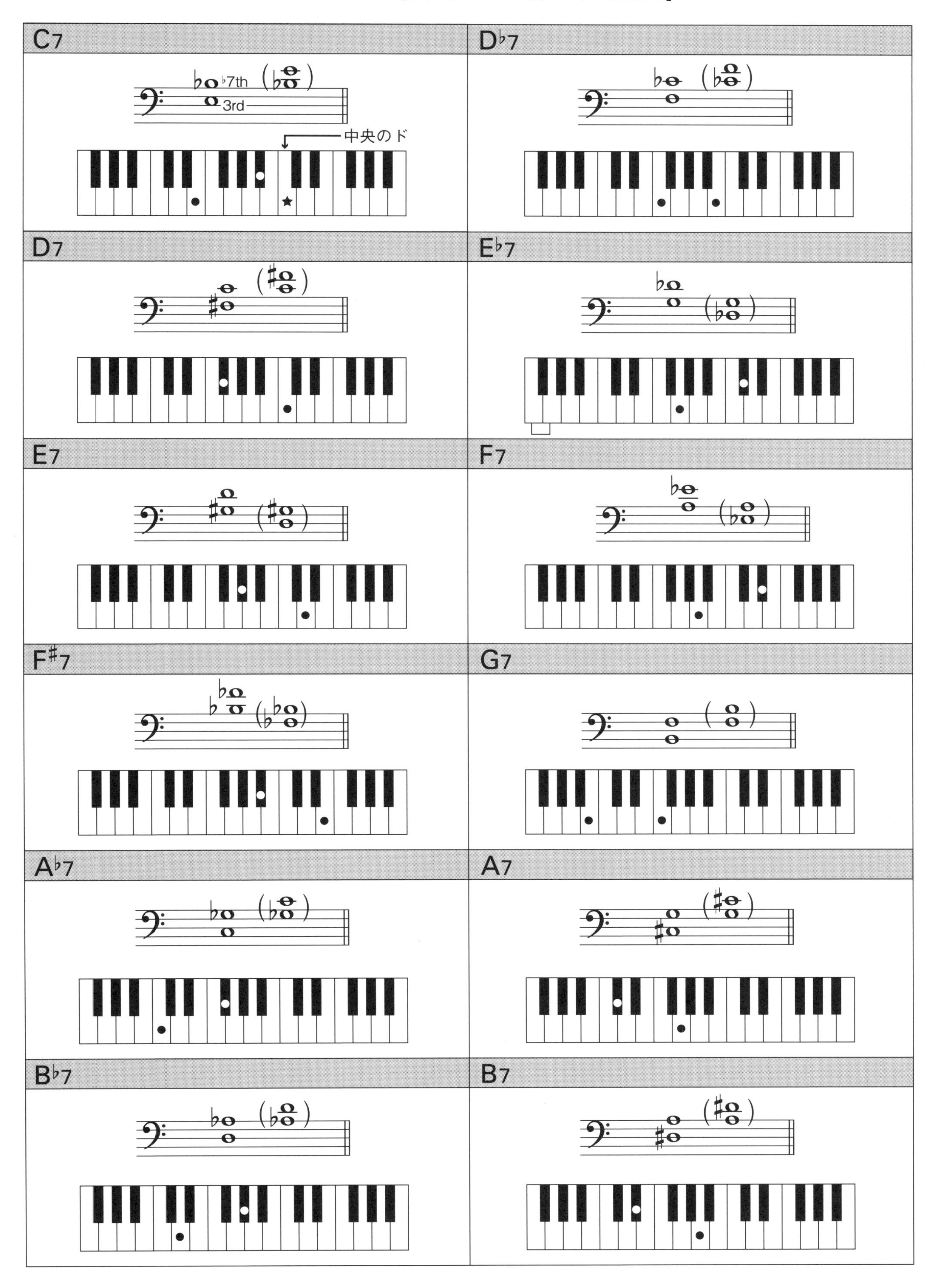

❑ 2 Notes　Diminished 7th（ルート＋♭♭7th［6th］）

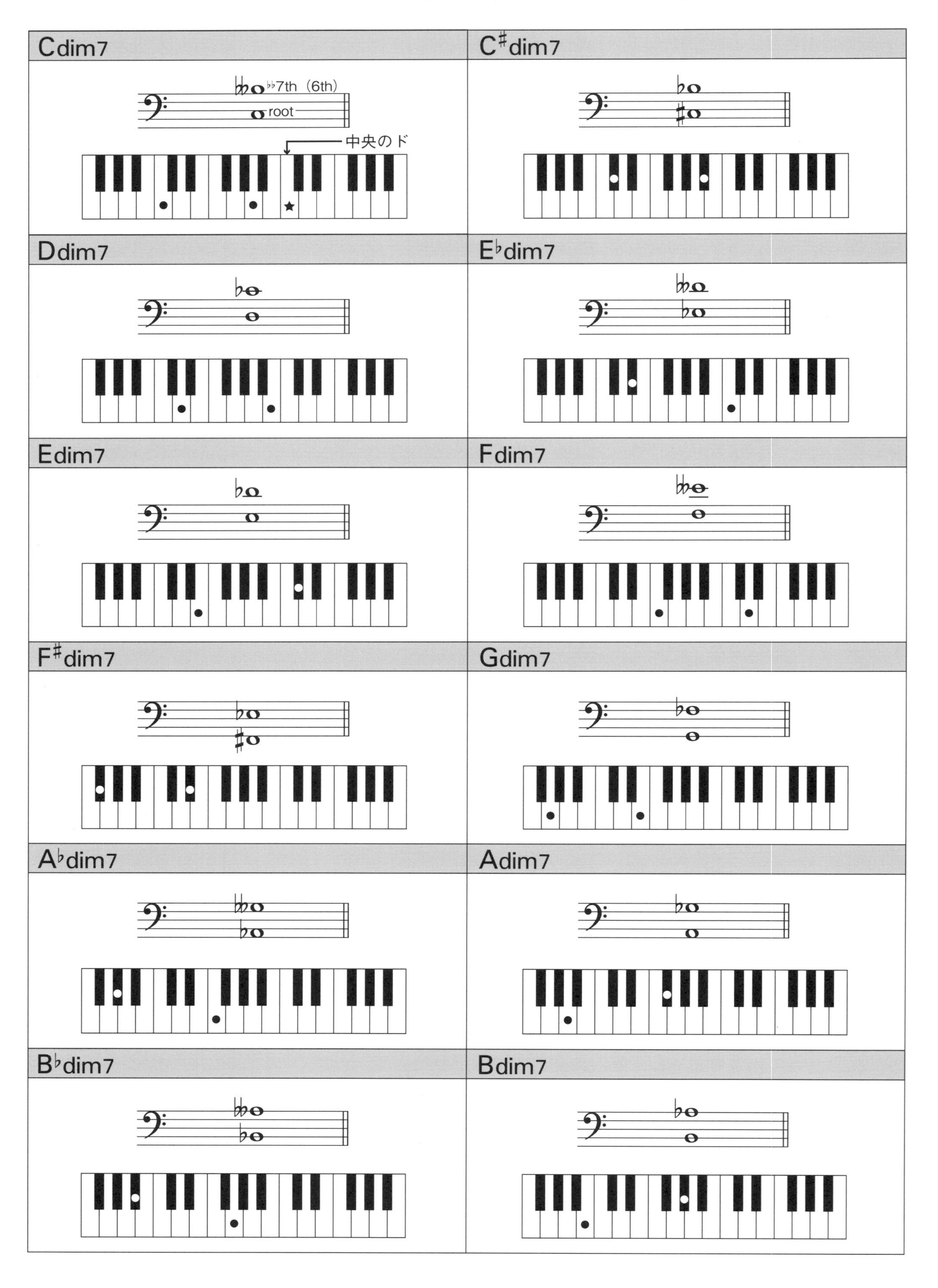

❑ 2 Notes　Major Chord（ルート+7th）

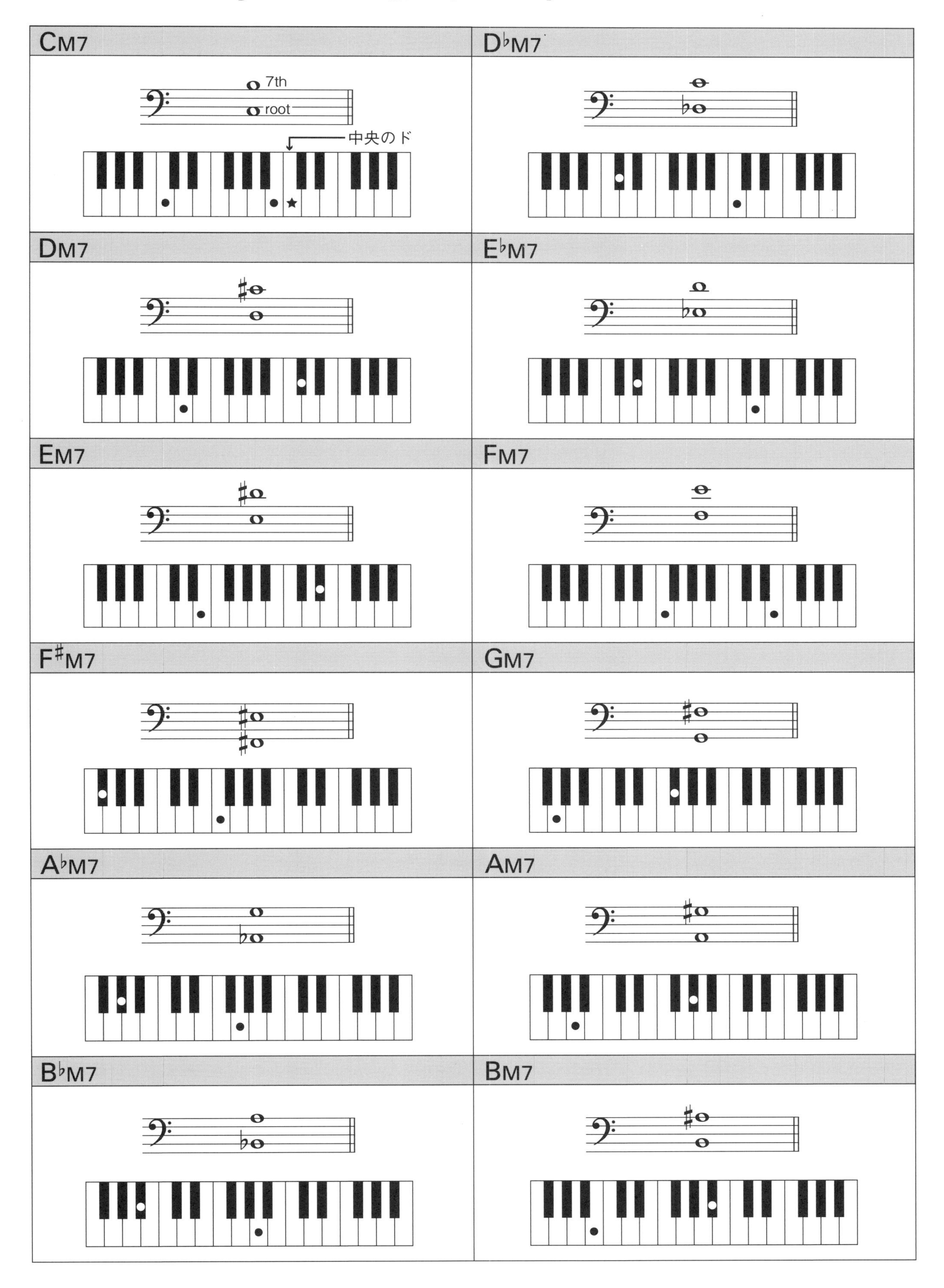

❍ テンションとは？

P.16 以降はテンションを含んだコードが登場しますので、ここで一度テンションについて確認をしておきましょう。

セブンスまでを構成する 1、3、5、7 度は「**コード・トーン**」といい、それ以上積み重ねた 9、11、13 度を「**テンション**」といいます。

譜例 1 ‖ コード・トーンとテンション

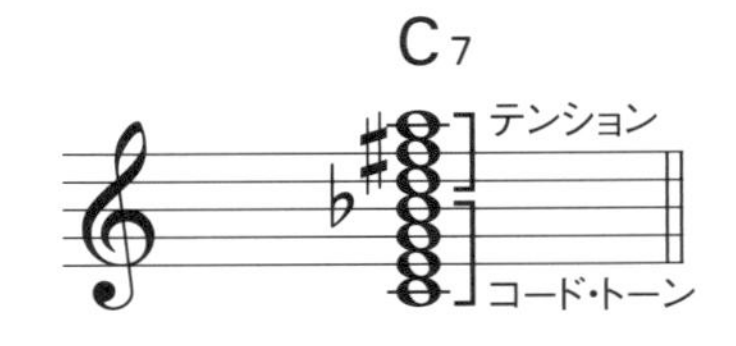

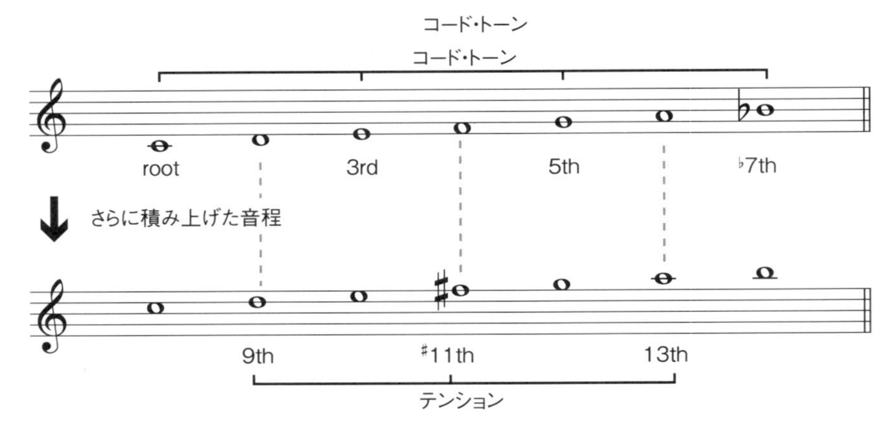

実際の演奏では、必ずしもコード・トーンの上にテンションがあるわけではなく、コード・トーンの間に入ることもあります（P.17等多数）。また、さらに積み重ねたといっても音自体は変わりませんので、2nd、4th、6thのオクターブ違い（表記違い）と覚えておいても良いでしょう。

❍ ナチュラル・テンションとオルタード・テンション

テンションは、「9、11、13 度」の他に、調号が付いたテンションもあります。調号が付いていない「9、11、13」のテンションを「**ナチュラル・テンション**」、調号が付いたテンション「♭9、♯9、♯11、♭13」を、「**オルタード・テンション**」といいます。この中で、♭11th と ♯13th はありませんが、♭11th は 3rd と同音、♯13th は ♭7th と同音でコード・トーンになるので、コード・トーンで表記します。

- ナチュラル・テンション　　**9th、11th、13th**
- オルタード・テンション　　**♭9th、♯9th、♯11th、♭13th**

○各コードタイプで使えるテンション

ベースを含めた 2notes ではテンションを押さえることはほとんどありませんが、ベースを省略したときの 3notes や 4notes で使うことが多いです。テンションはどの種類のコードでも自由に使えるものではなく、決まりがありますので、ここで種類別に使えるテンションを確認しておきましょう。

譜例 2 メジャー・コードのテンション

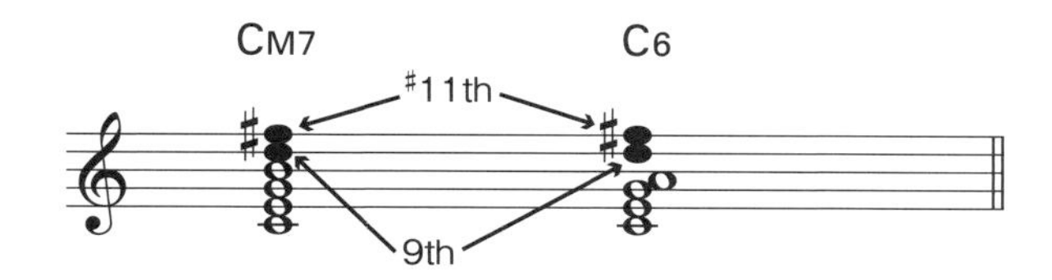

メジャー・セブンス、シックス・コードのテンションは、「**9th と ♯11th**」です。

譜例 3 マイナー・コードのテンション

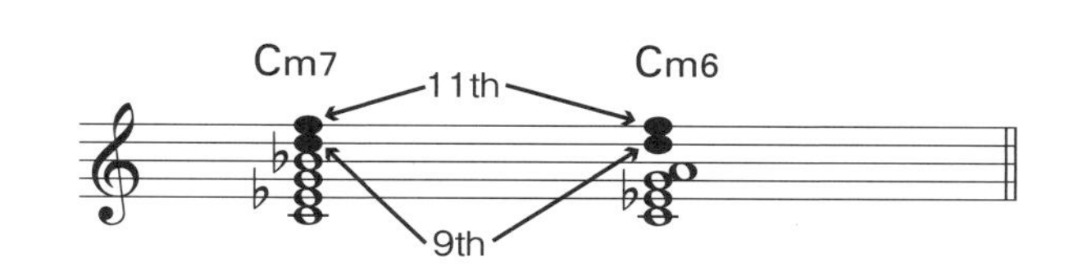

マイナー・セブンス、マイナー・シックス・コードのテンションは、「**9th と 11th**」です。

譜例 4 ドミナント・セブンス・コードのテンション

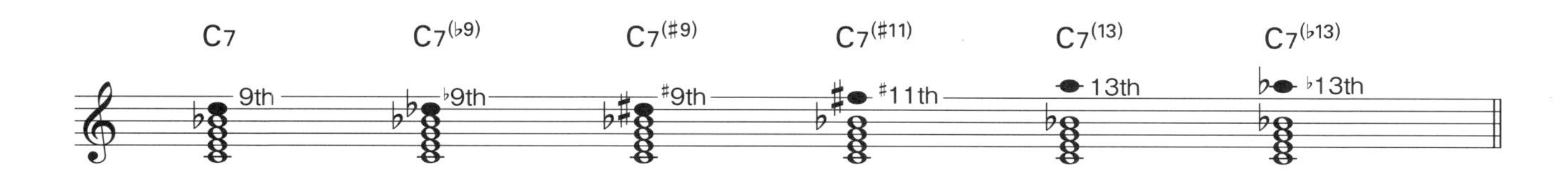

ドミナント・セブンス・コードのテンションは、「**9th、♭9th、♯9th、♯11th、13th、♭13th**」です。

譜例 5 マイナー・セブンス ♭5th（ハーフディミニッシュ）のテンション

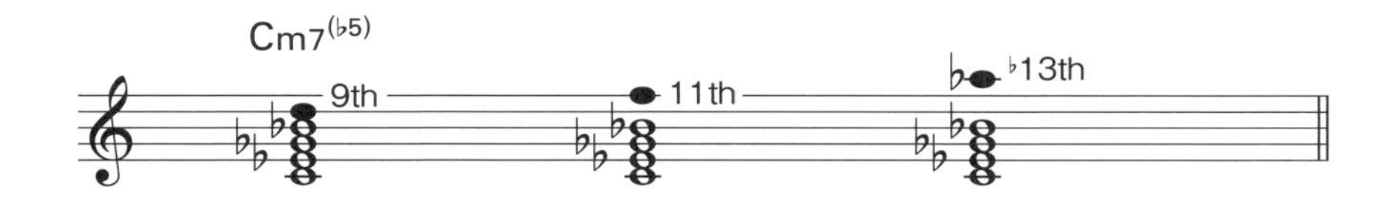

マイナー・セブン ♭5th のテンションは、「**9th、11th、♭13th**」です。

譜例 6 ディミニッシュ・コードのテンション

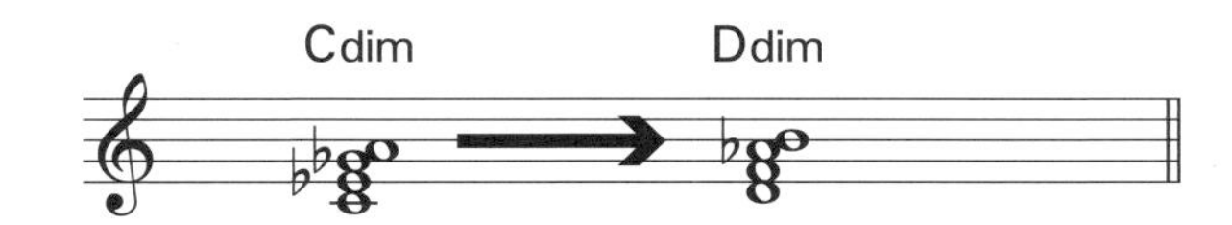

ディミニッシュ・コードのテンションは、「**構成音の全音上のディミニッシュ・コード**」になります。

❑ 3 Notes　Major Chord（3rd+6th+9th）

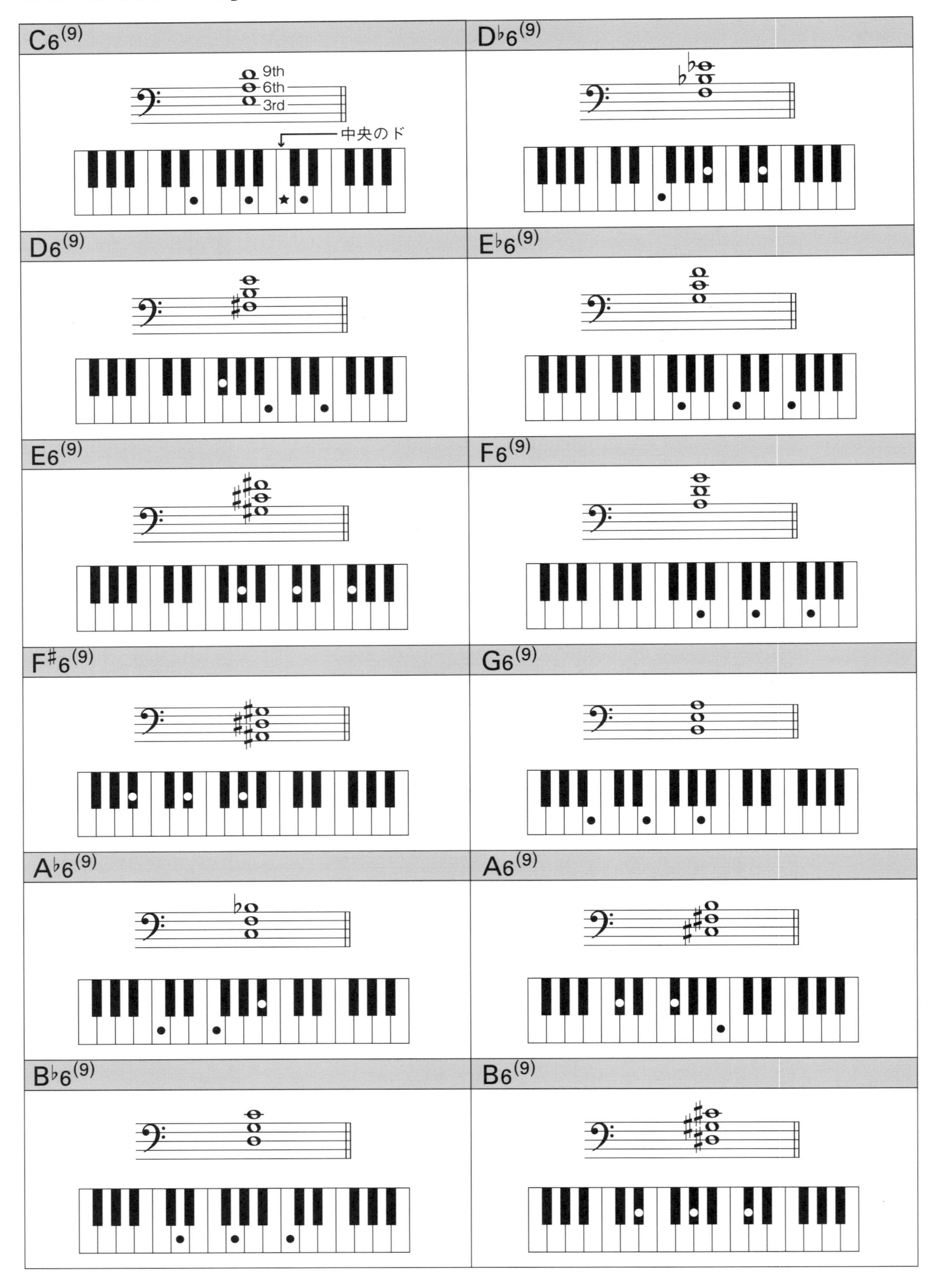

❑ 3 Notes　Minor Chord（♭3rd+5th+9th）

5th を省略すれば、2Note として使うこともできます。

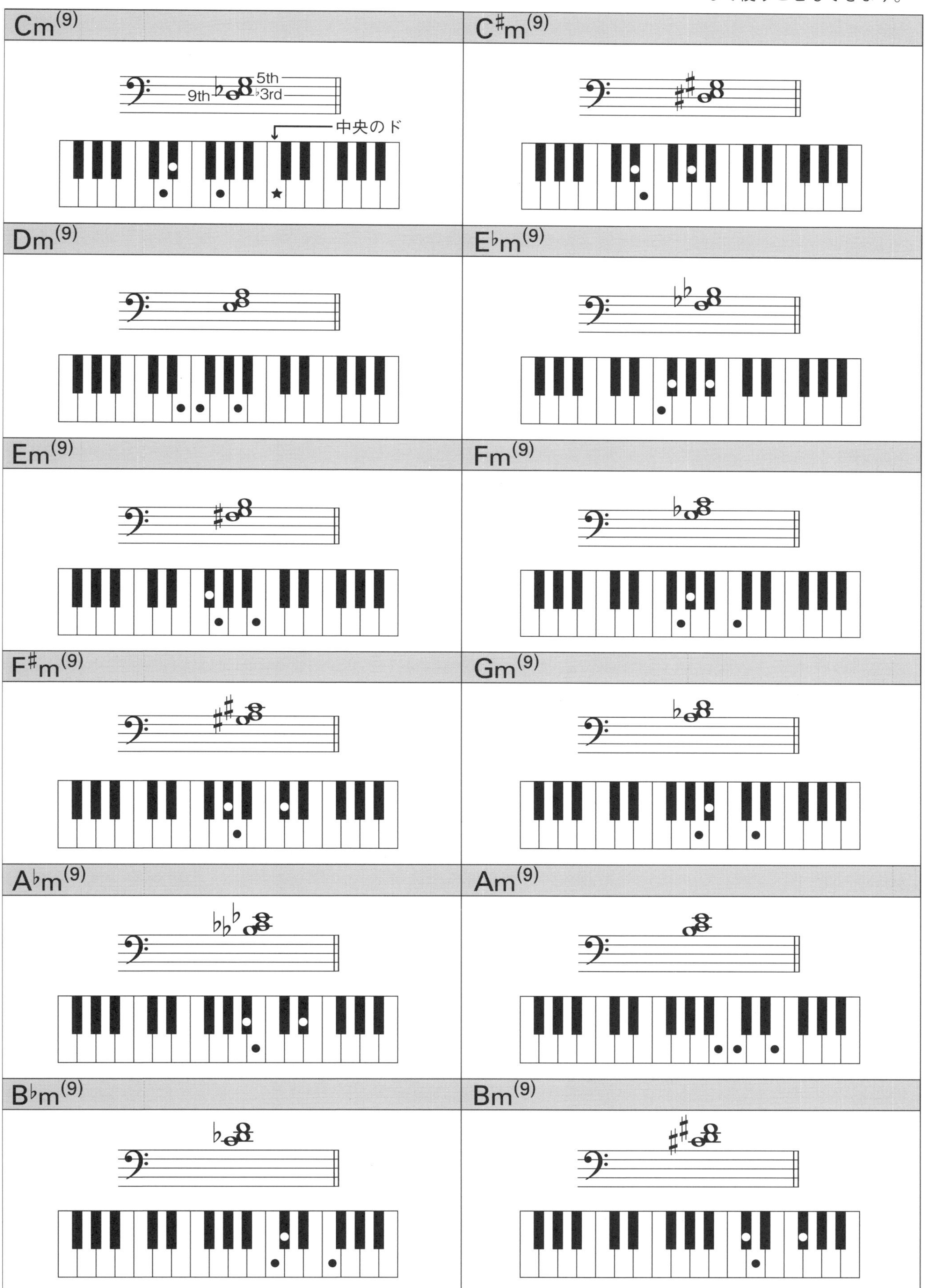

❑ 3 Notes　Minor 7th Chord (♭3rd+♭7th+9th)

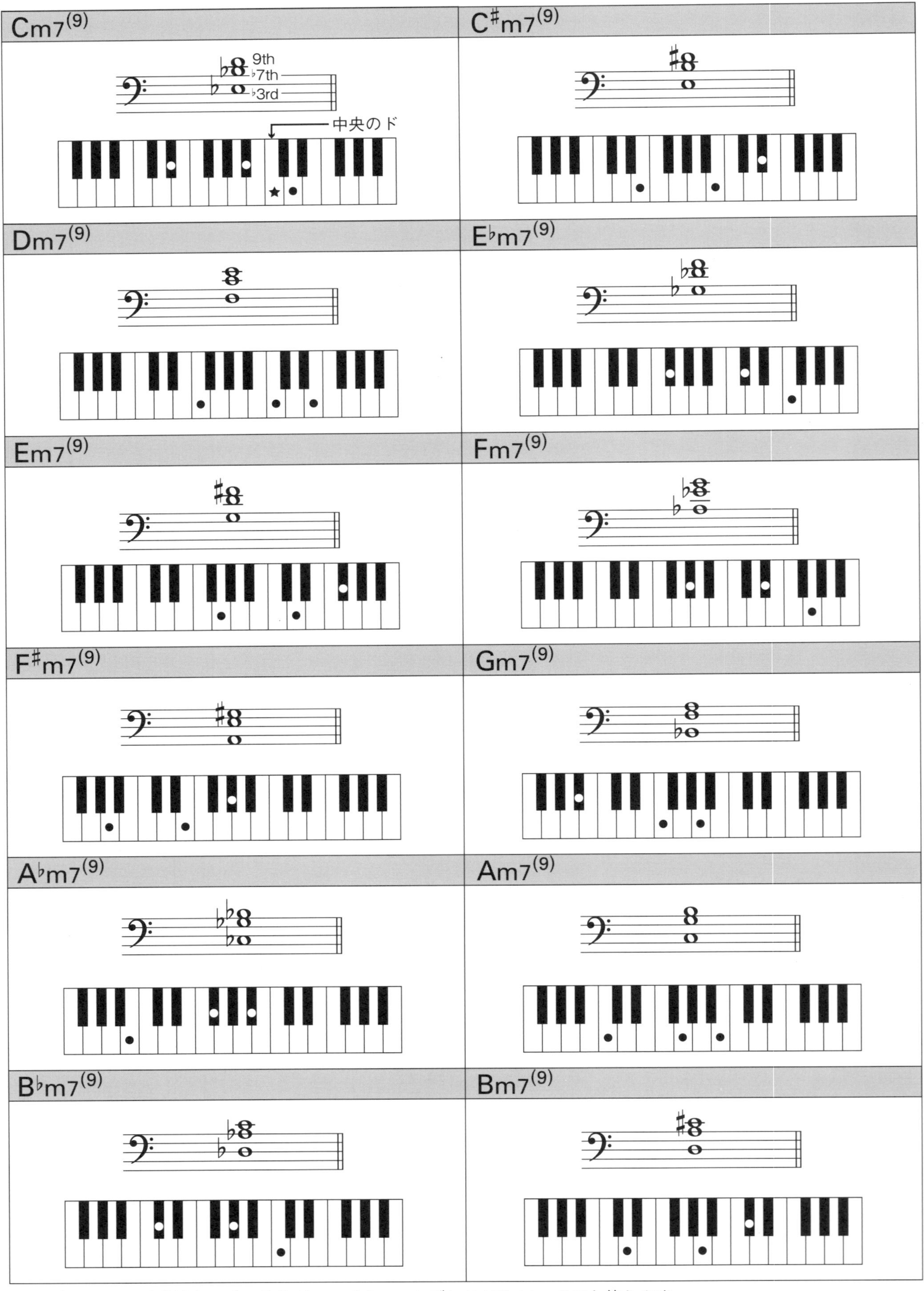

♭3rd、♭7th、9th で成り立っているので、マイナー・セブンス♭5th コードにも使えます。

❑ 3 Notes　Diminished 7th (♭3rd+♭♭7th [6th] +9th)

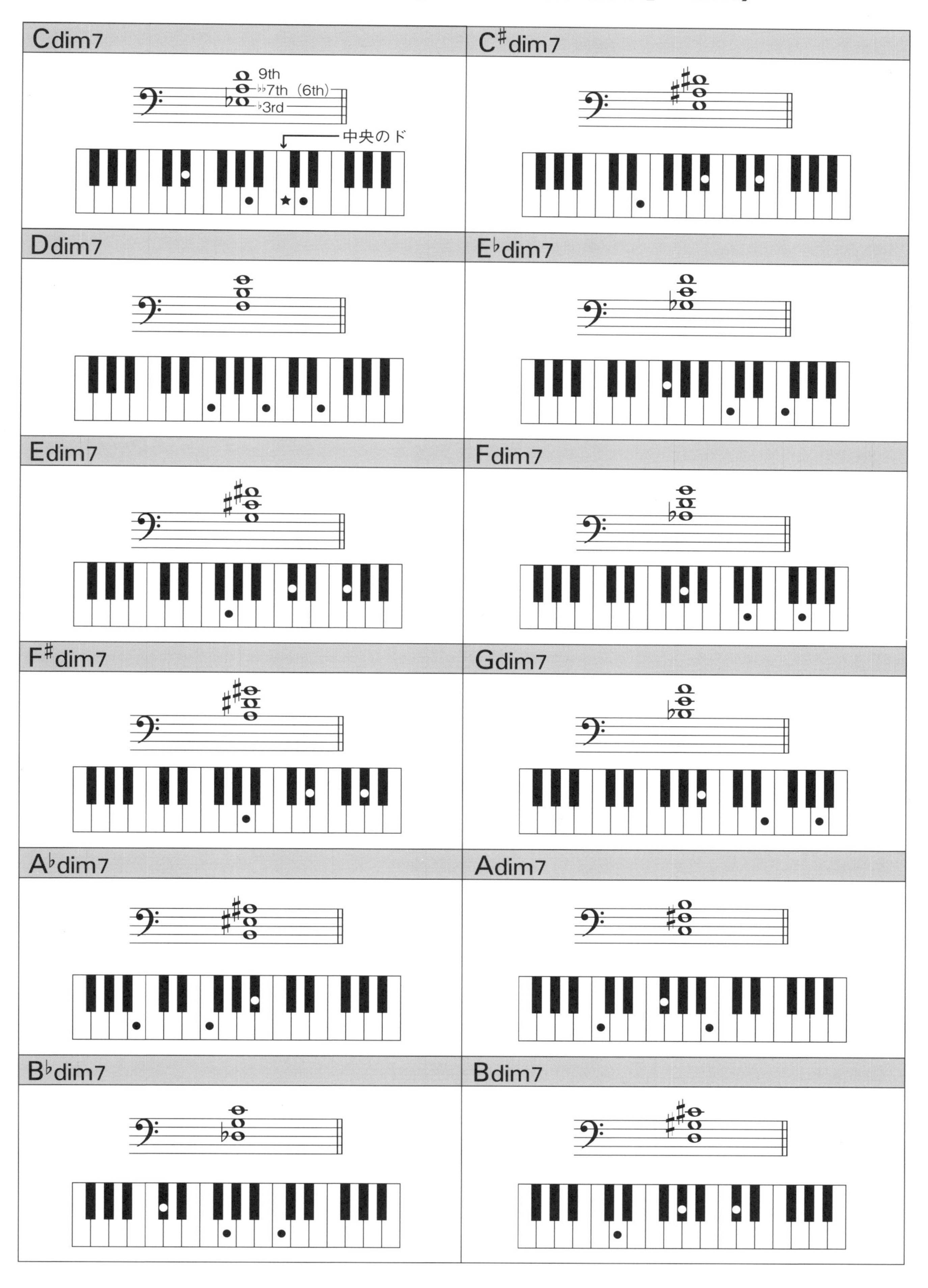

❑ 3 Notes　Diminished (root+♭5th+7th)

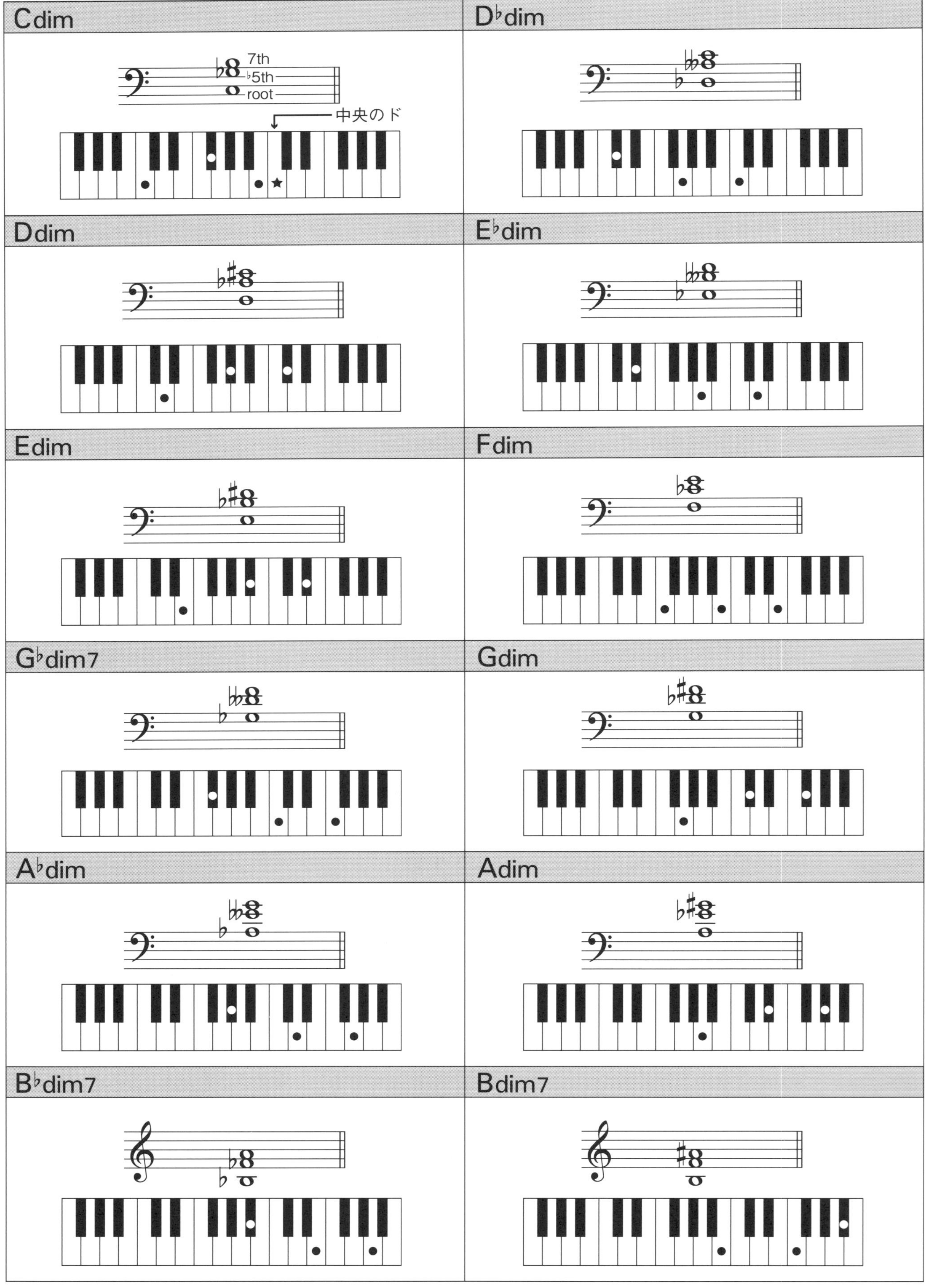

ここでの 7th は、テンションとして扱います（P.15 ディミニッシュ・コードのテンション参照）。

❏ 3 Notes Dominant 7th ① (3rd+♭7th+13th)

13th は、半音下げて ♭13th にできます。

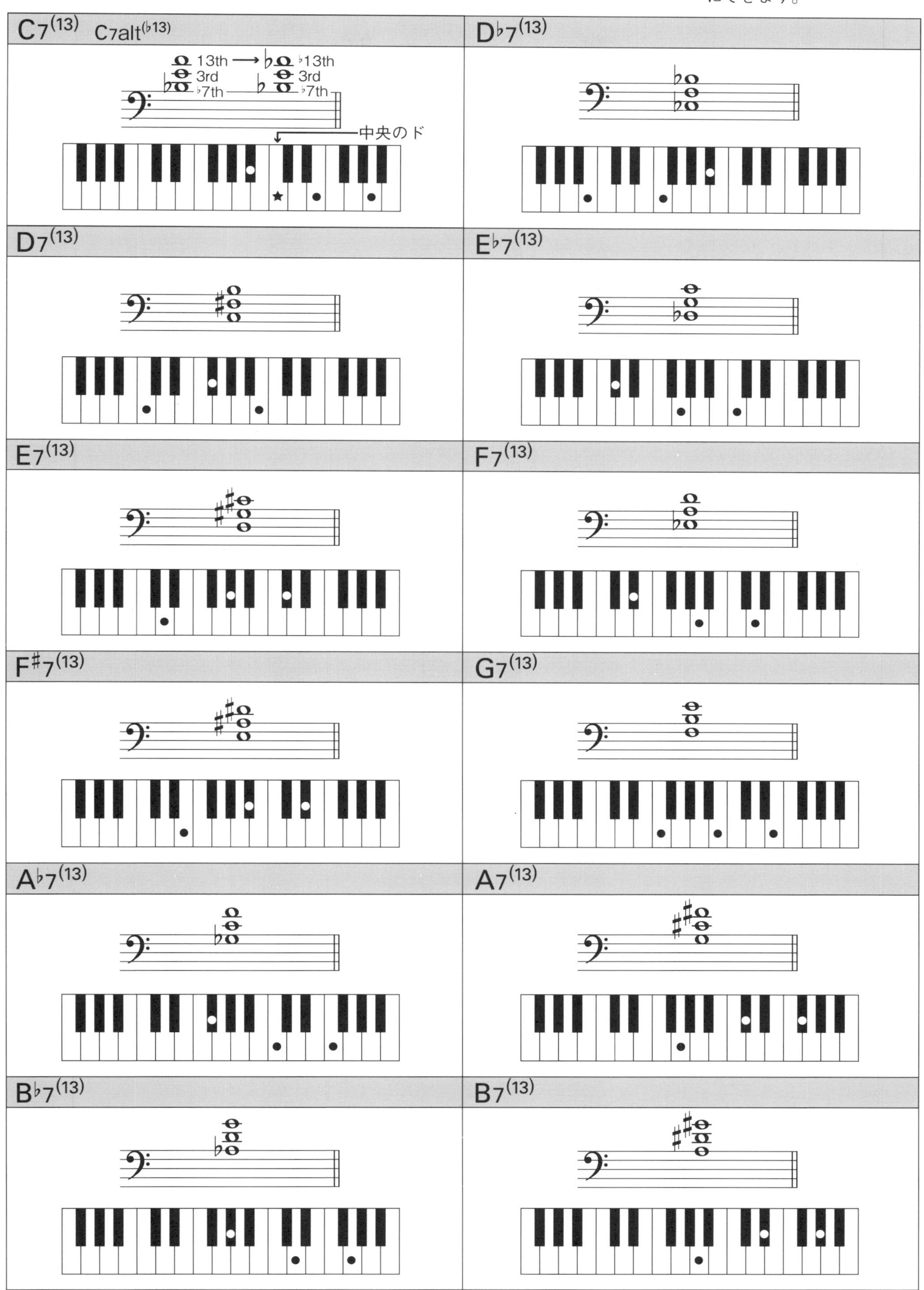

❏ 3 Notes　Dominant 7th ②（3rd+♭7th+9th）

9th は、半音上げて ♯9th にできます。

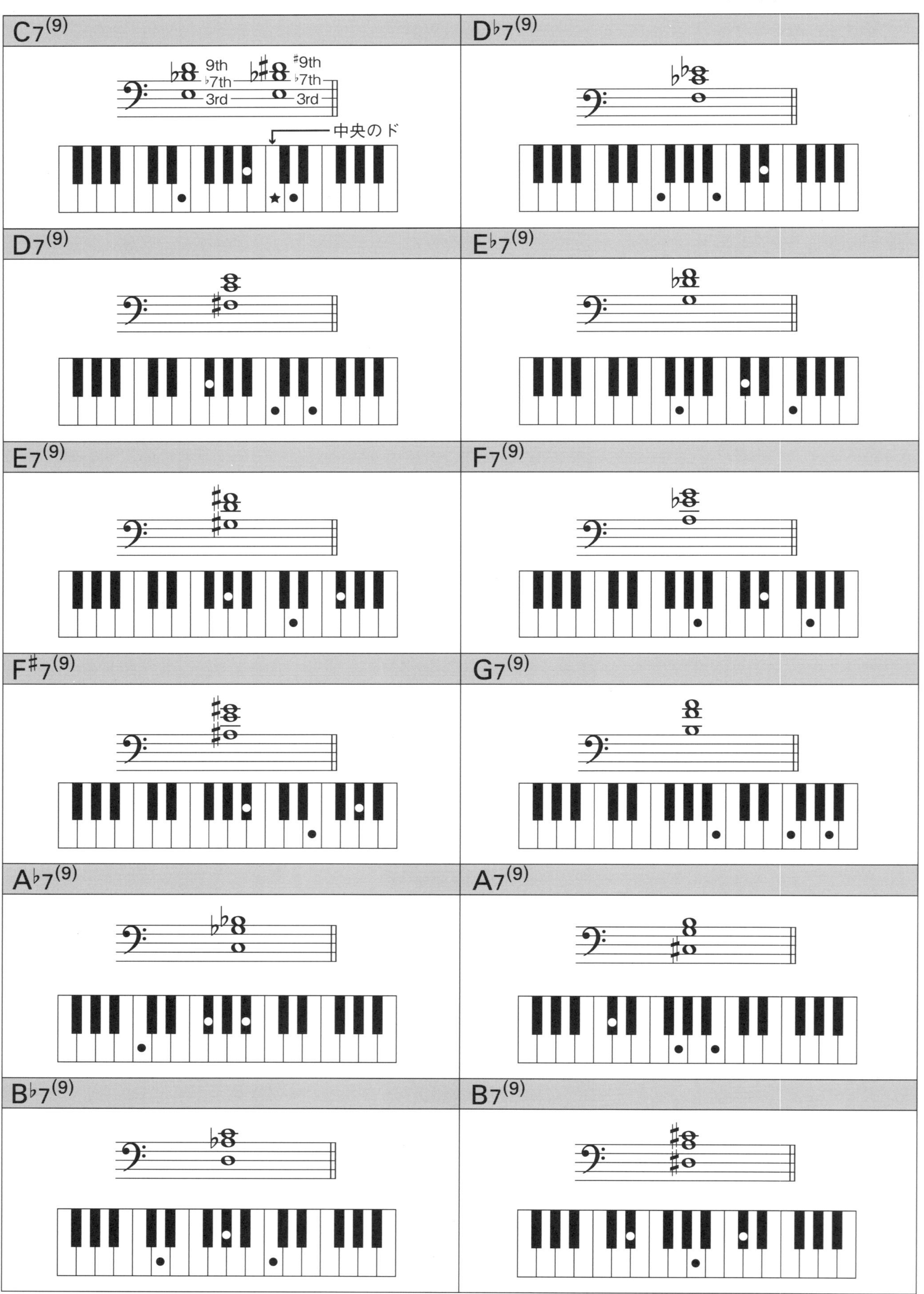

❑ 4 Notes Major Chord ① (3rd+5th+6th+9th)

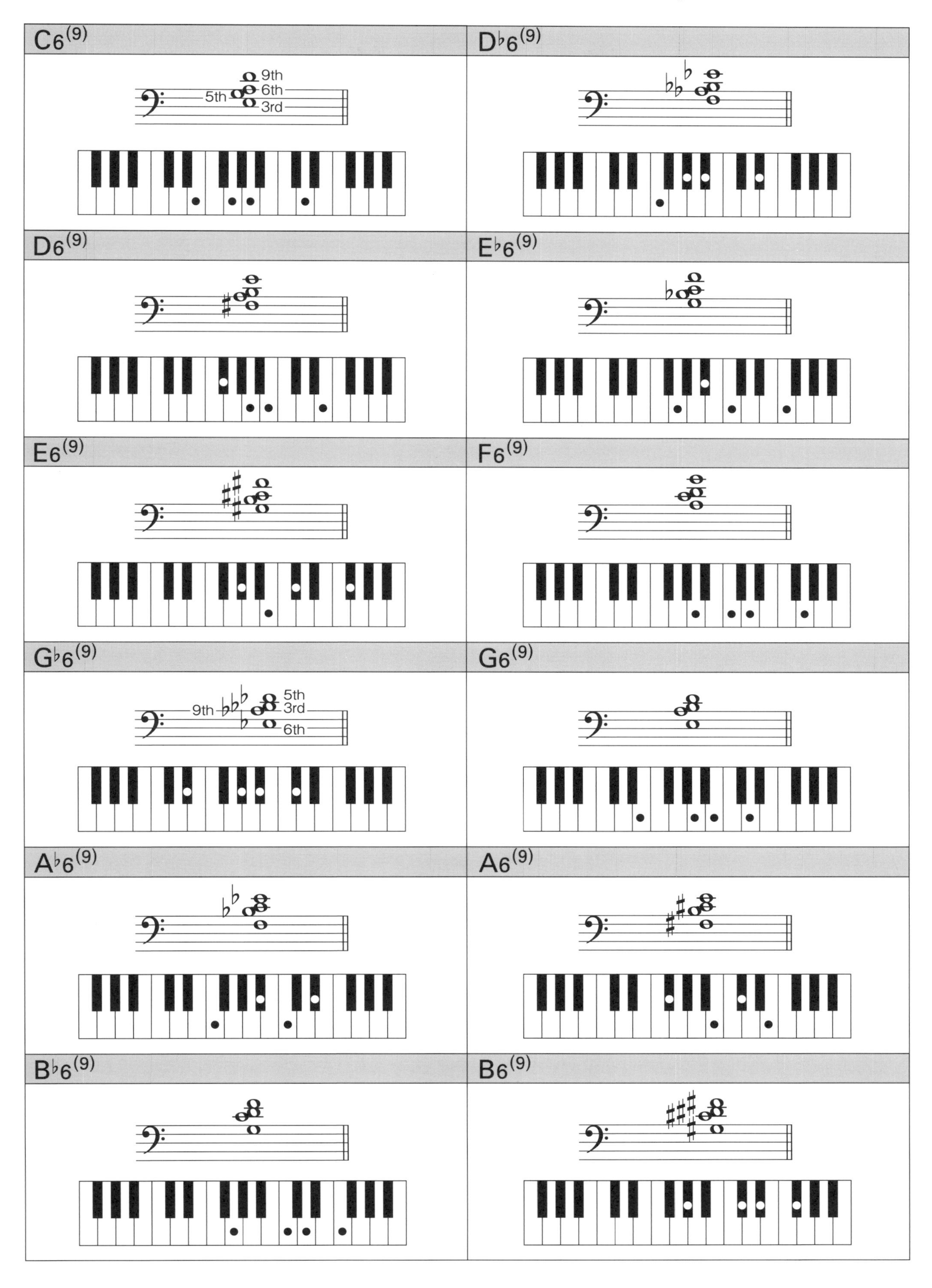

❑ 4 Notes　Major Chord ② (3rd+5th+7th+9th)

5th を省略して、3note としても使えます。

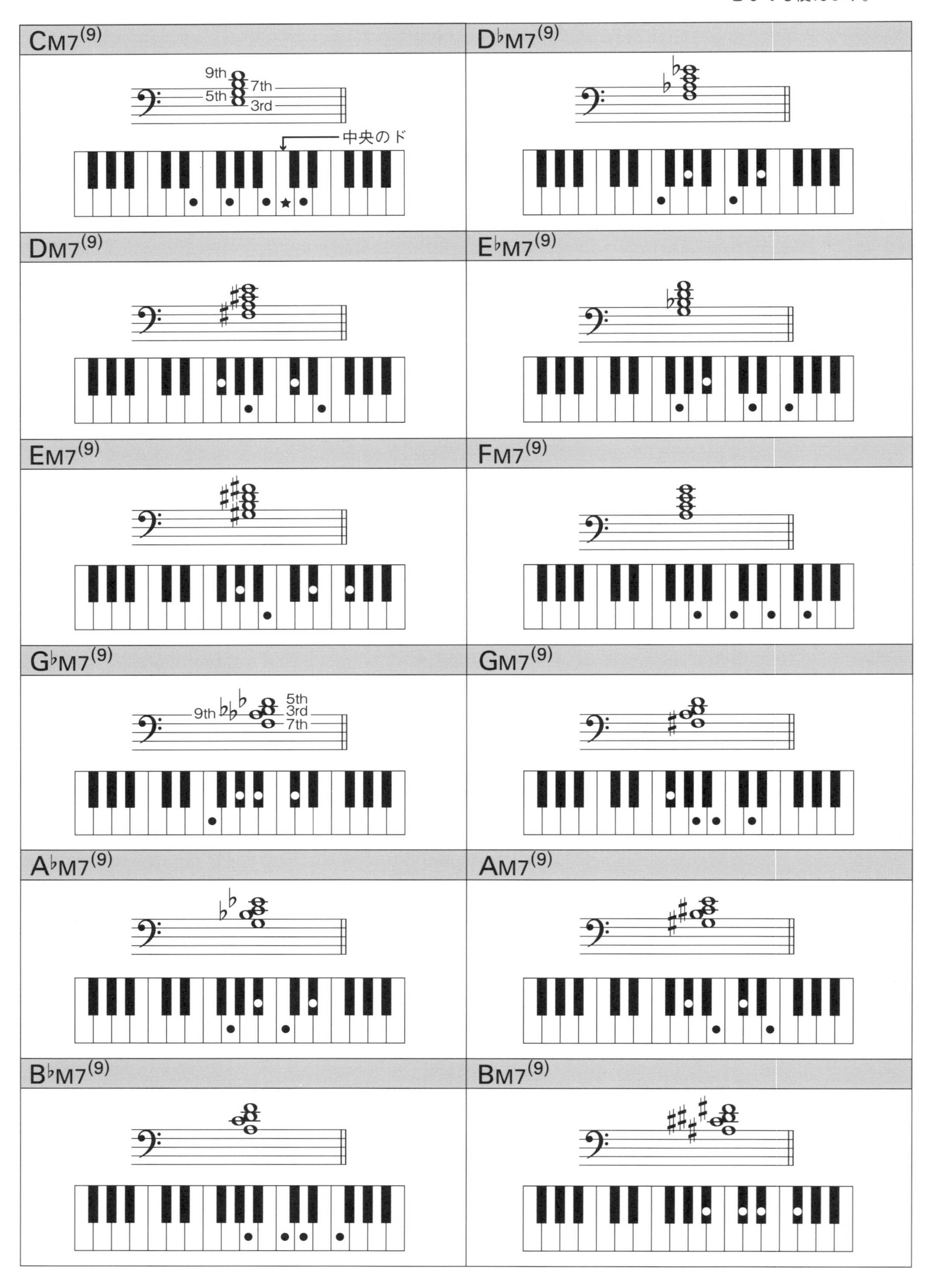

❏ 4 Notes　Minor Chord（♭3rd+5th+6th+9th）

5th を省略して、3note としても使えます。

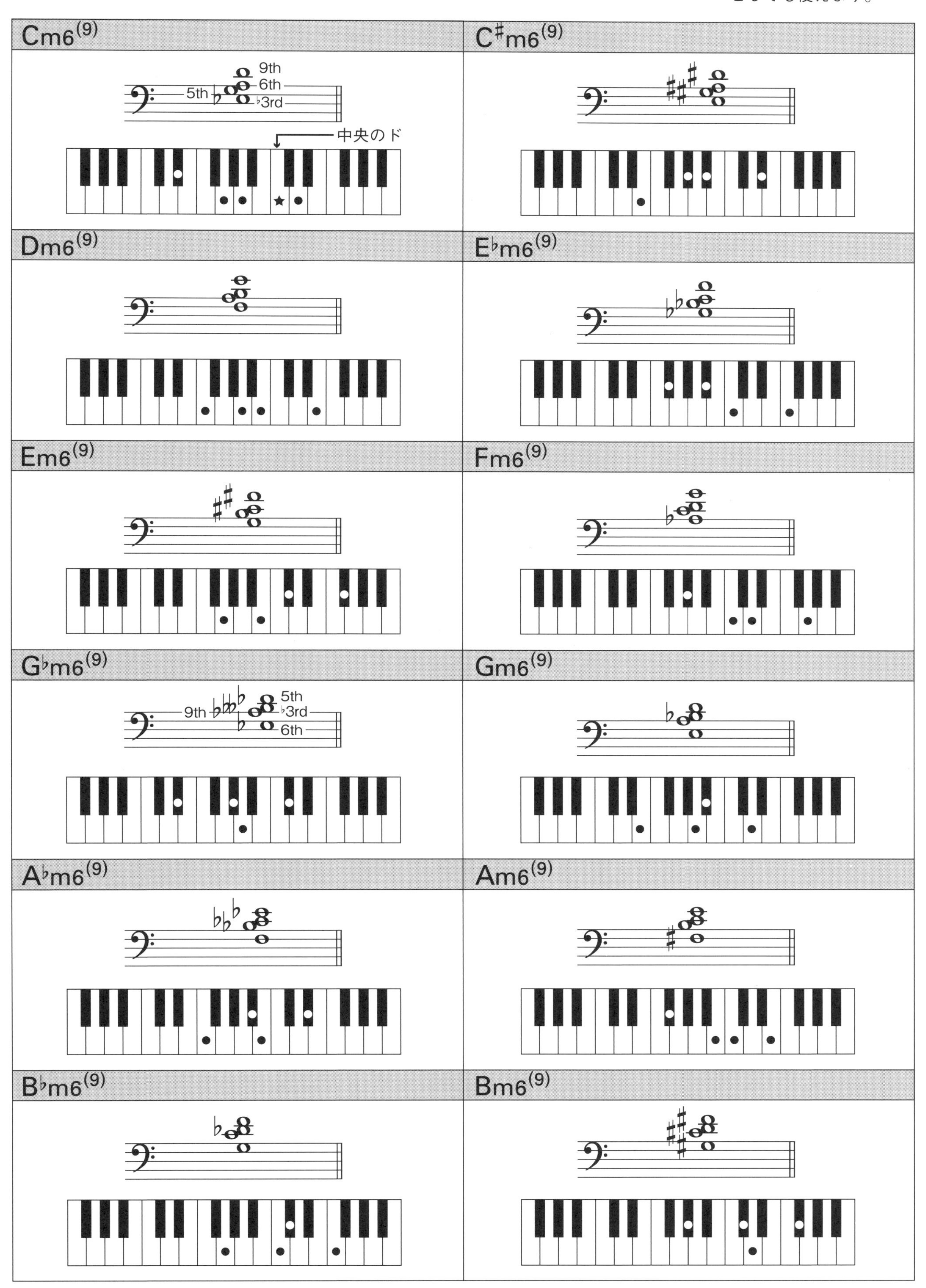

❏ 4 Notes　Minor 7th（♭3rd+5th+♭7th+9th）

Cm7(9)

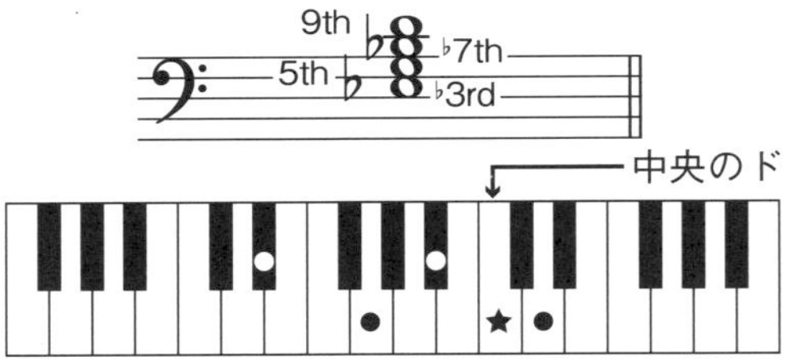

9th
♭7th
5th
♭3rd
中央のド

C♯m7(9)

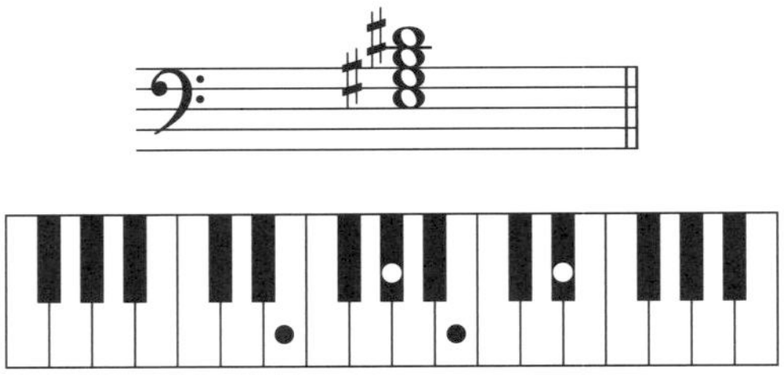

Dm7(9)

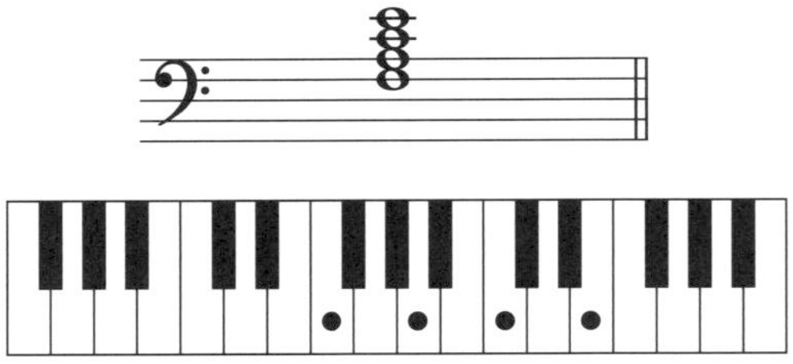

E♭m7(9)

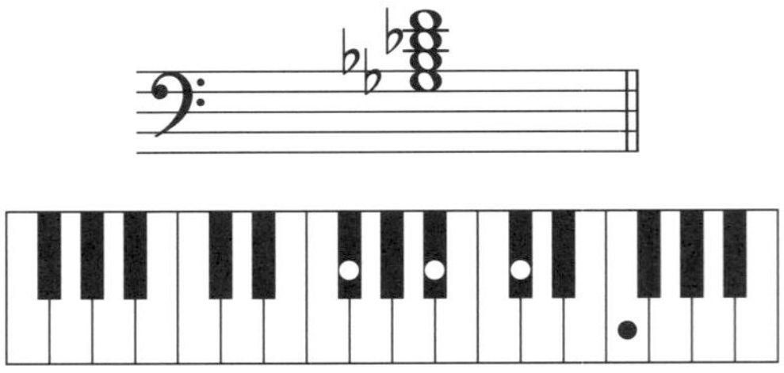

Em7(9)

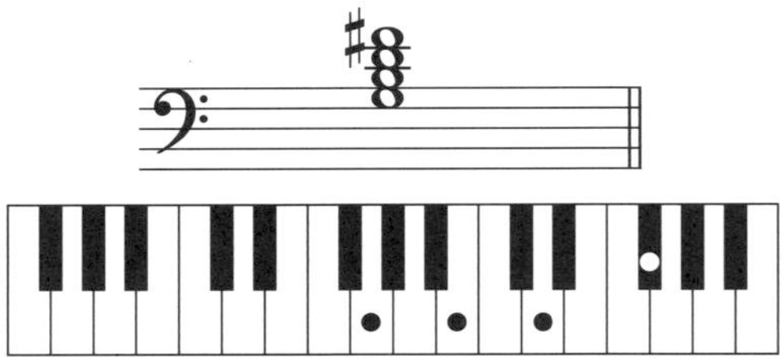

Fm7(9)

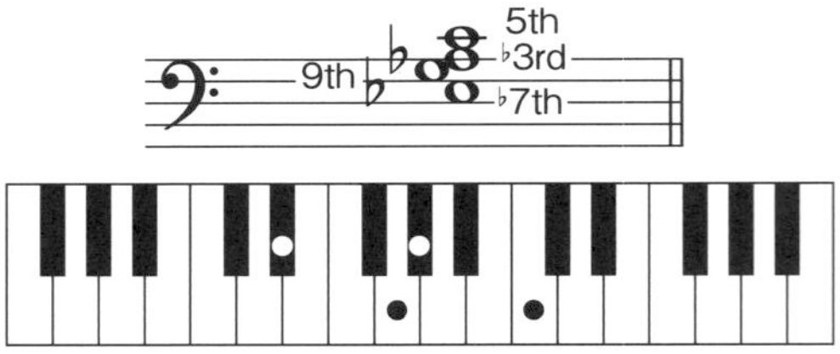

5th
♭3rd
9th
♭7th

F♯m7(9)

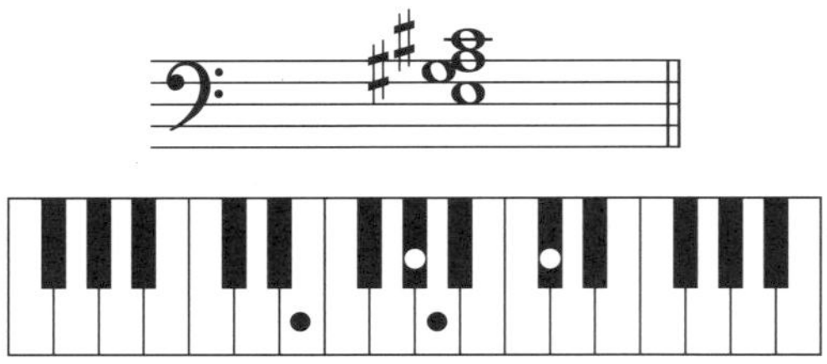

Gm7(9)

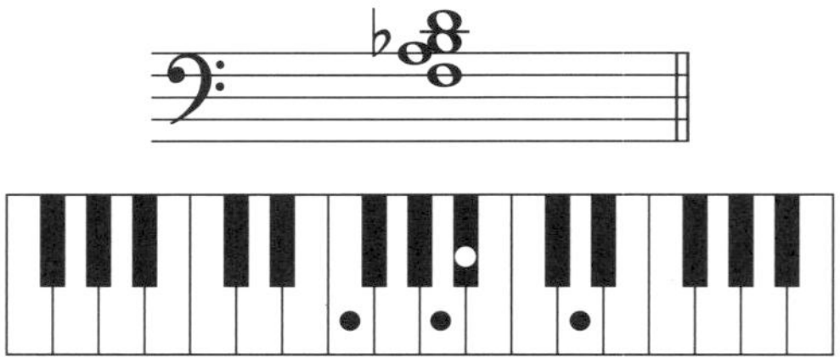

A♭m7(9)

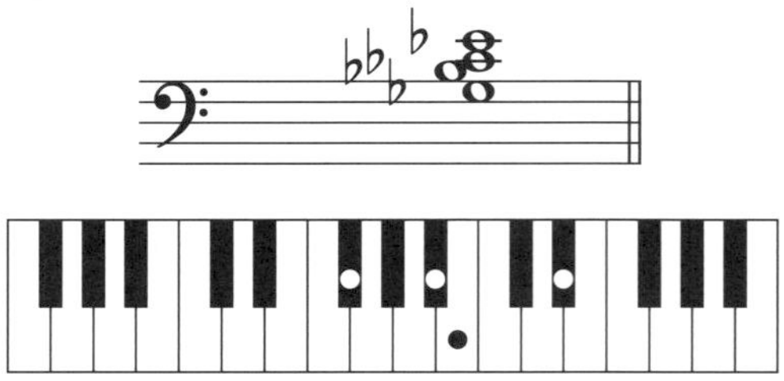

Am7(9)

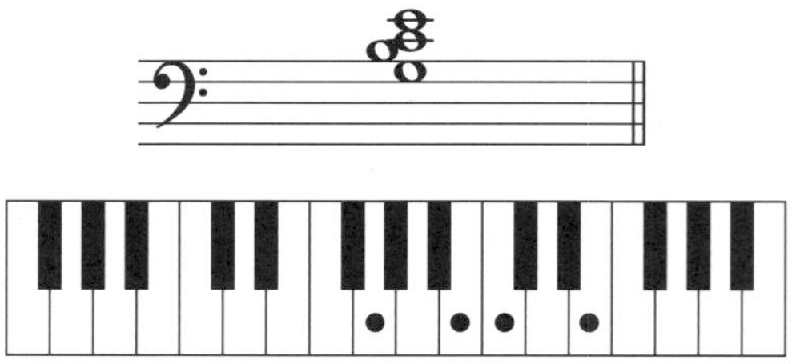

B♭m7(9)

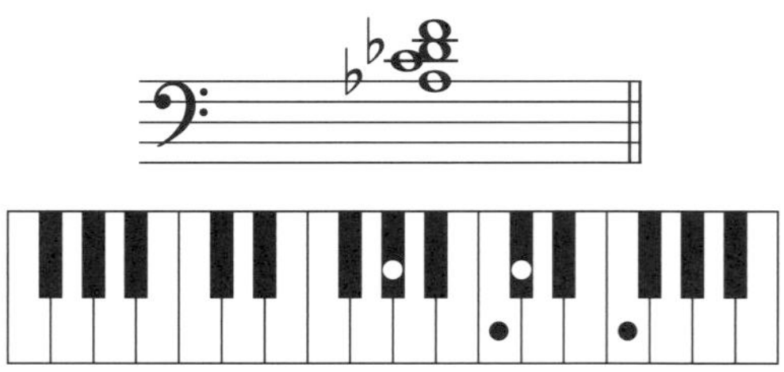

Bm7(9)

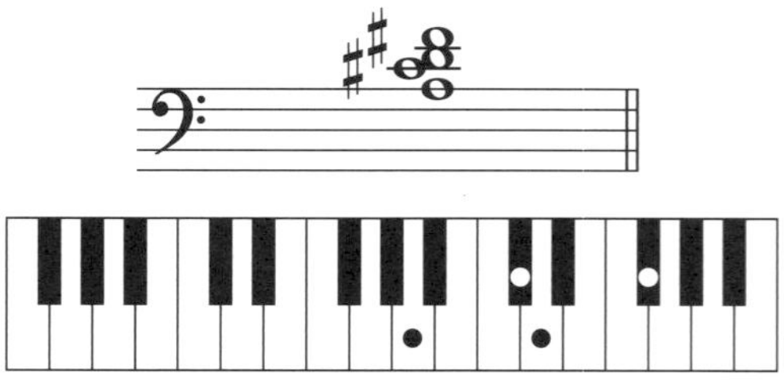

❑ 4 Notes Minor 7th ♭5th (♭3rd+♭5th+♭7th+9th)

Cm7(♭5,9)

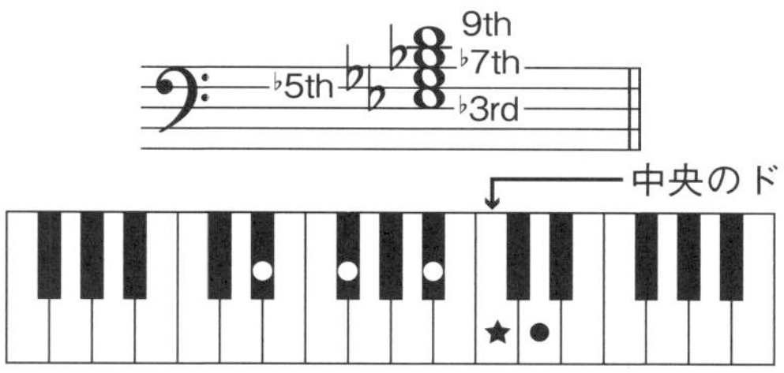

9th
♭7th
♭5th
♭3rd
中央のド

C♯m7(♭5,9)

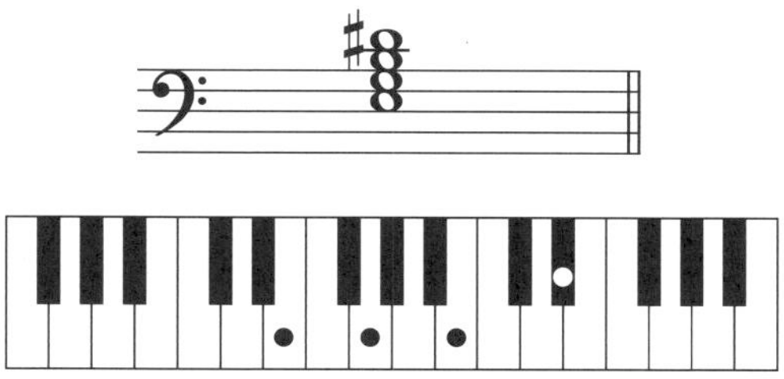

Dm7(♭5,9)

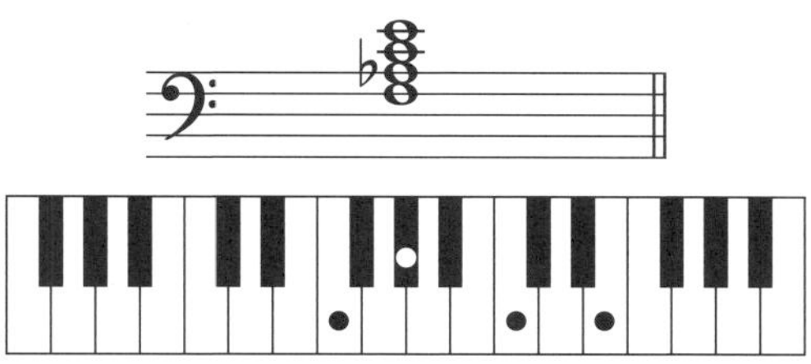

E♭m7(♭5,9)

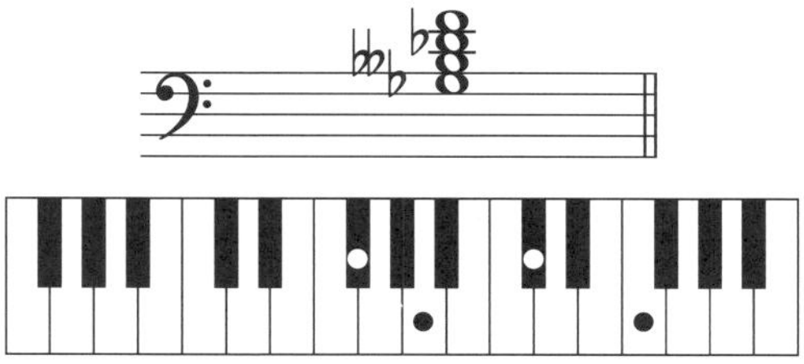

Em7(♭5,9)

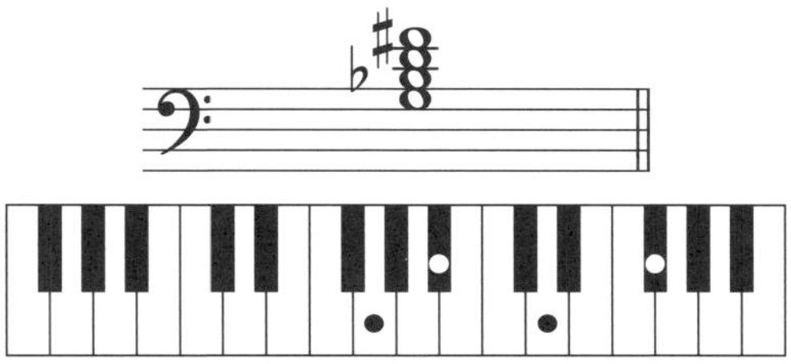

Fm7(♭5,9)

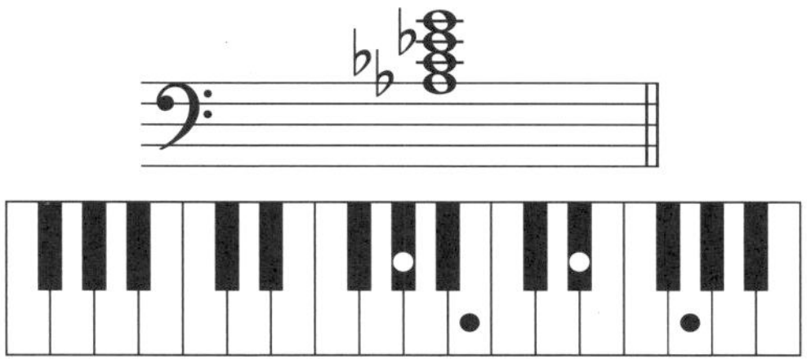

F♯m7(♭5,9)

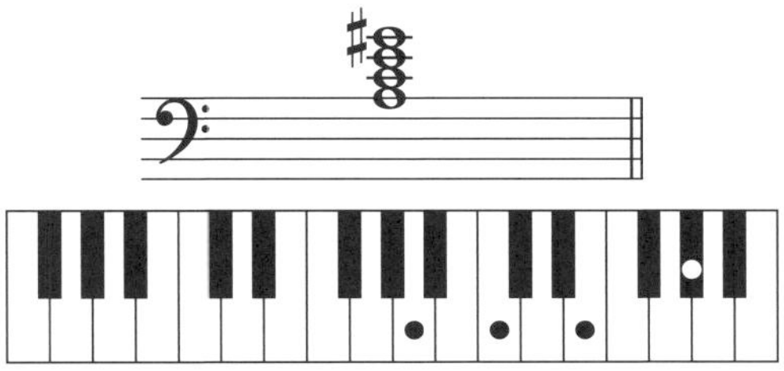

Gm7(♭5,9)

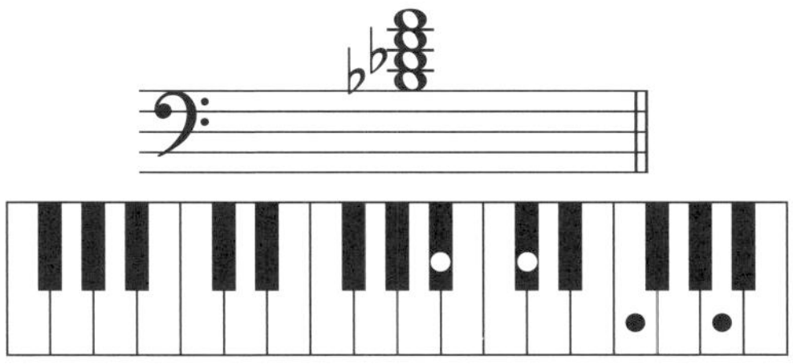

A♭m7(♭5,9)

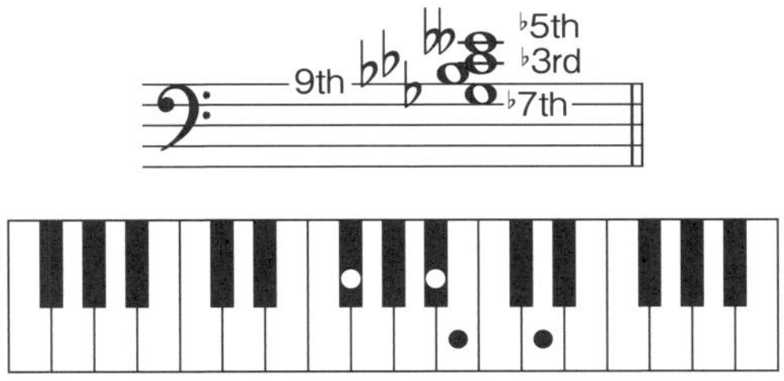

♭5th
♭3rd
9th
♭7th

Am7(♭5,9)

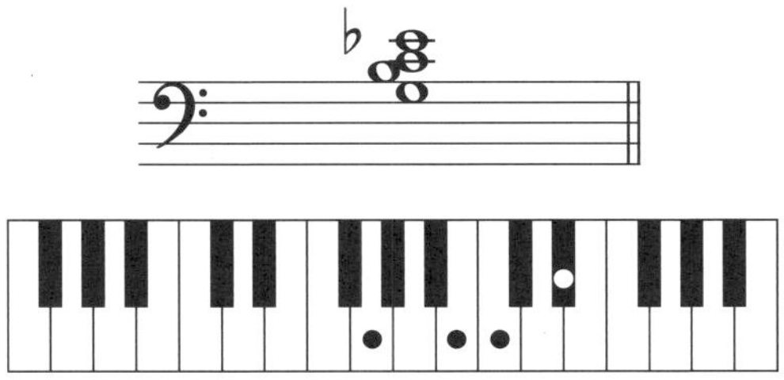

B♭m7(♭5,9)

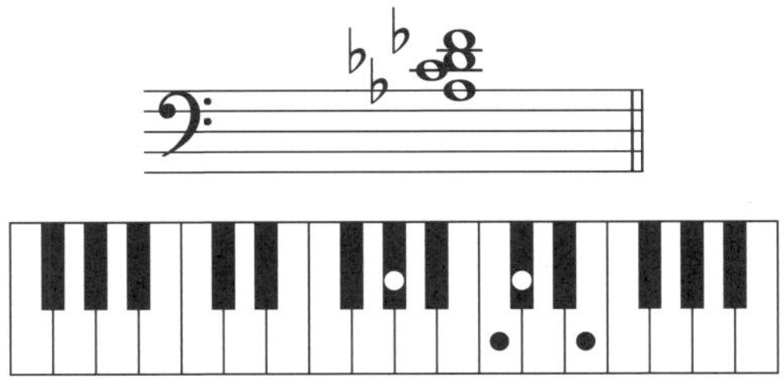

Bm7(♭5,9)

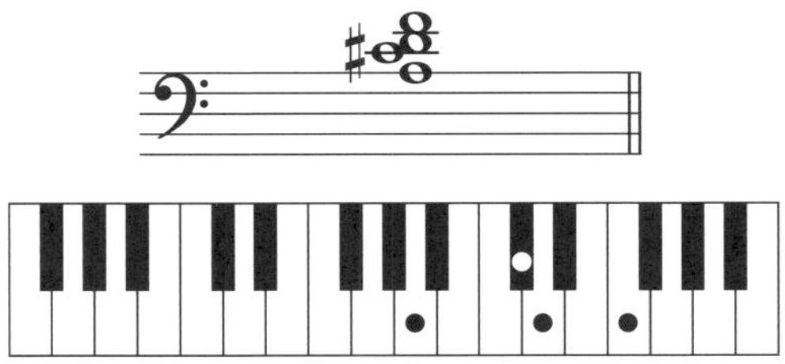

❏ 4 Notes Diminished 7th (♭3rd+♭5th+♭♭7th [6th] +9th)

Cdim7

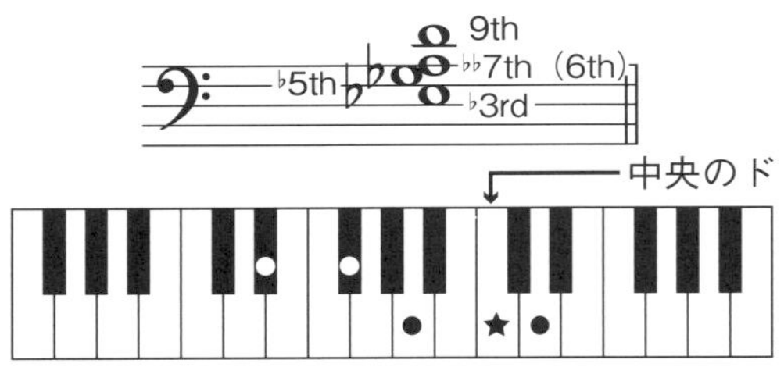

9th
♭5th
♭♭7th (6th)
♭3rd
中央のド

C♯dim7

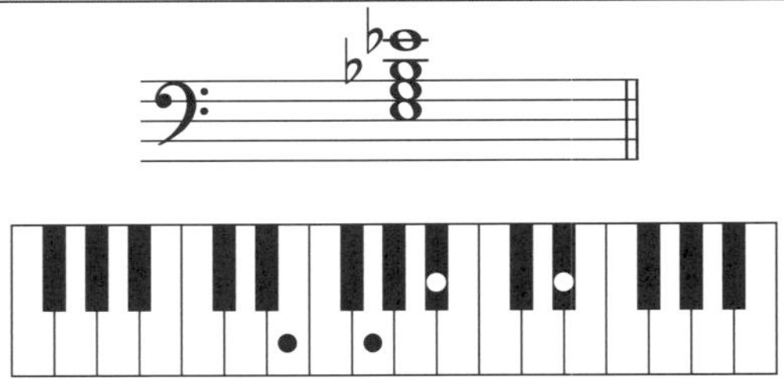

Ddim7

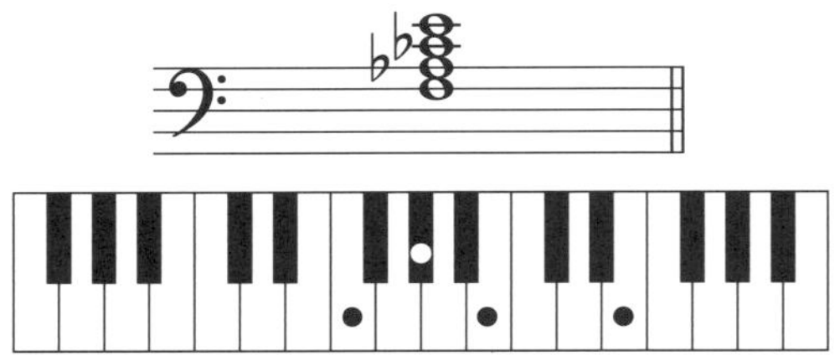

E♭dim7

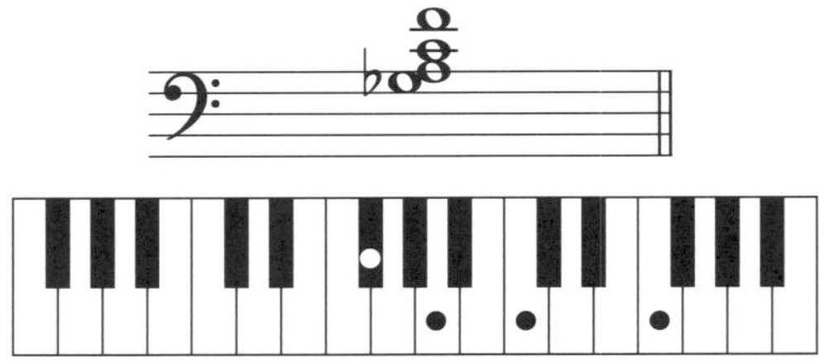

Edim7

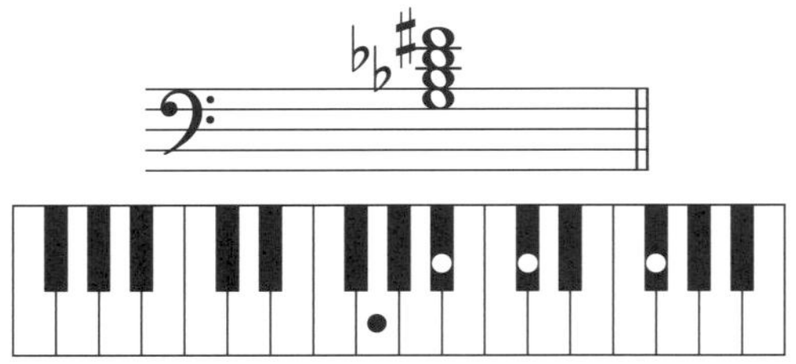

Fdim7

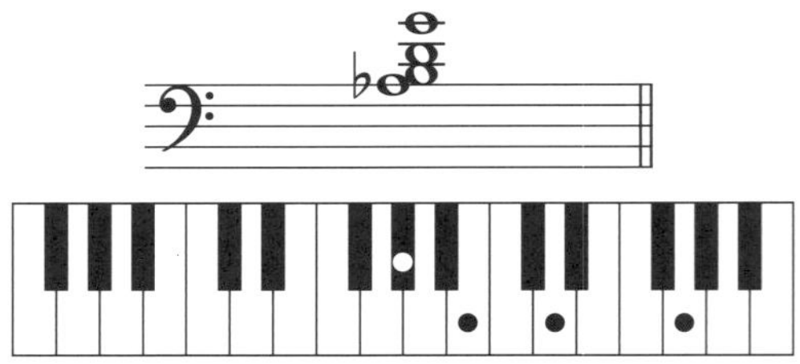

F♯dim7

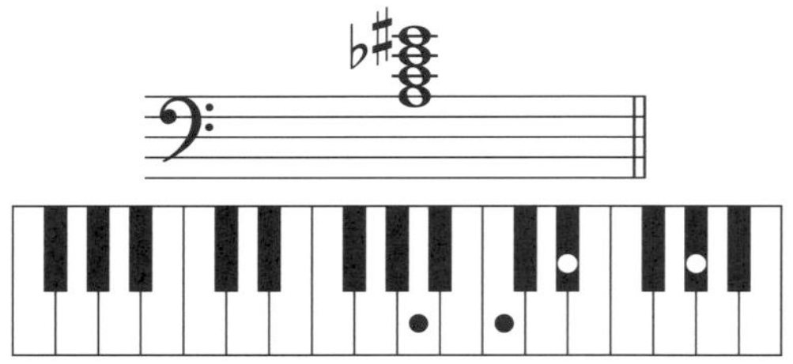

Gdim7

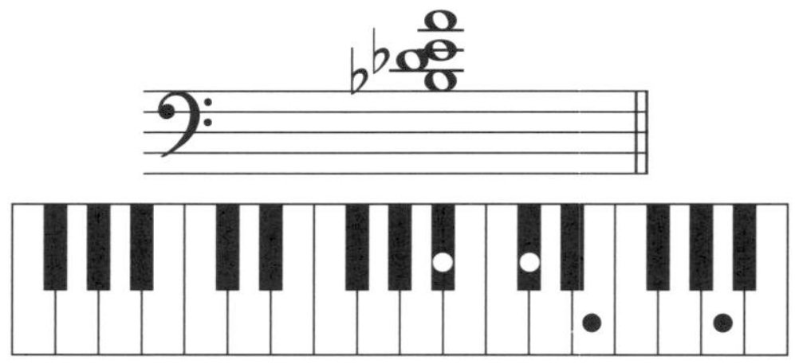

A♭dim7

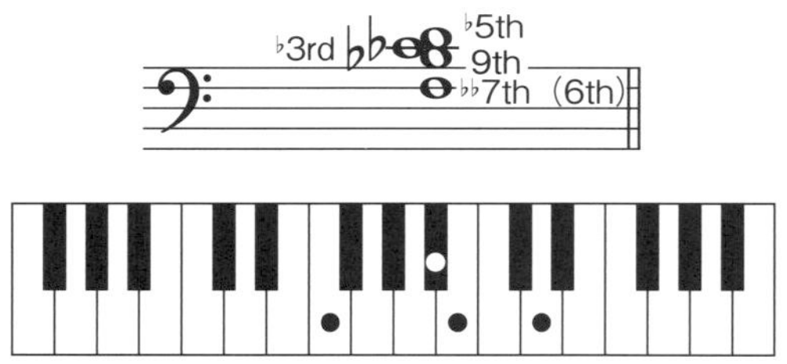

♭3rd
♭5th
9th
♭♭7th (6th)

Adim7

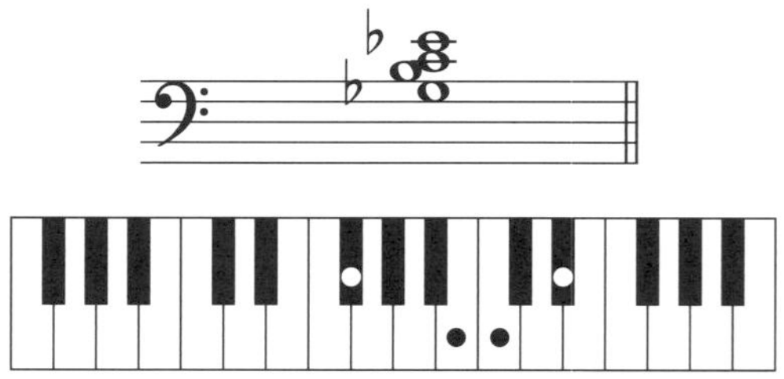

B♭dim7

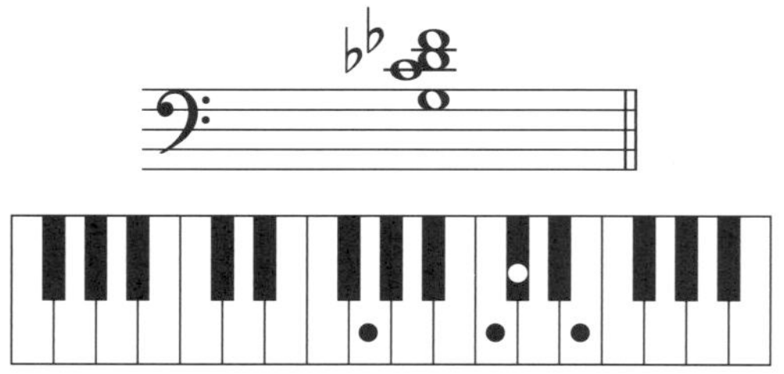

Bdim7

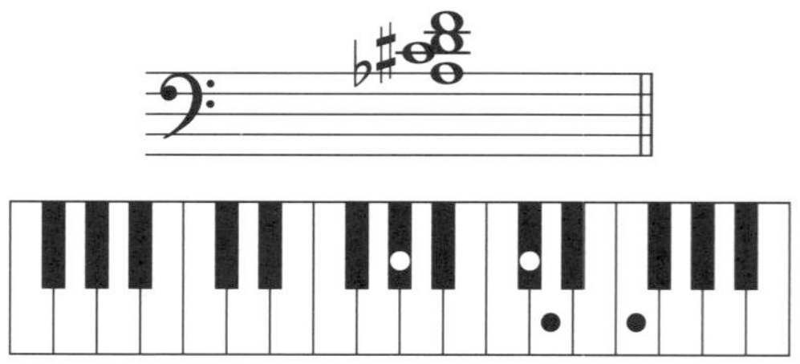

❑ 4 Notes Dominant 7th (3rd+♭7th+9th+13th)

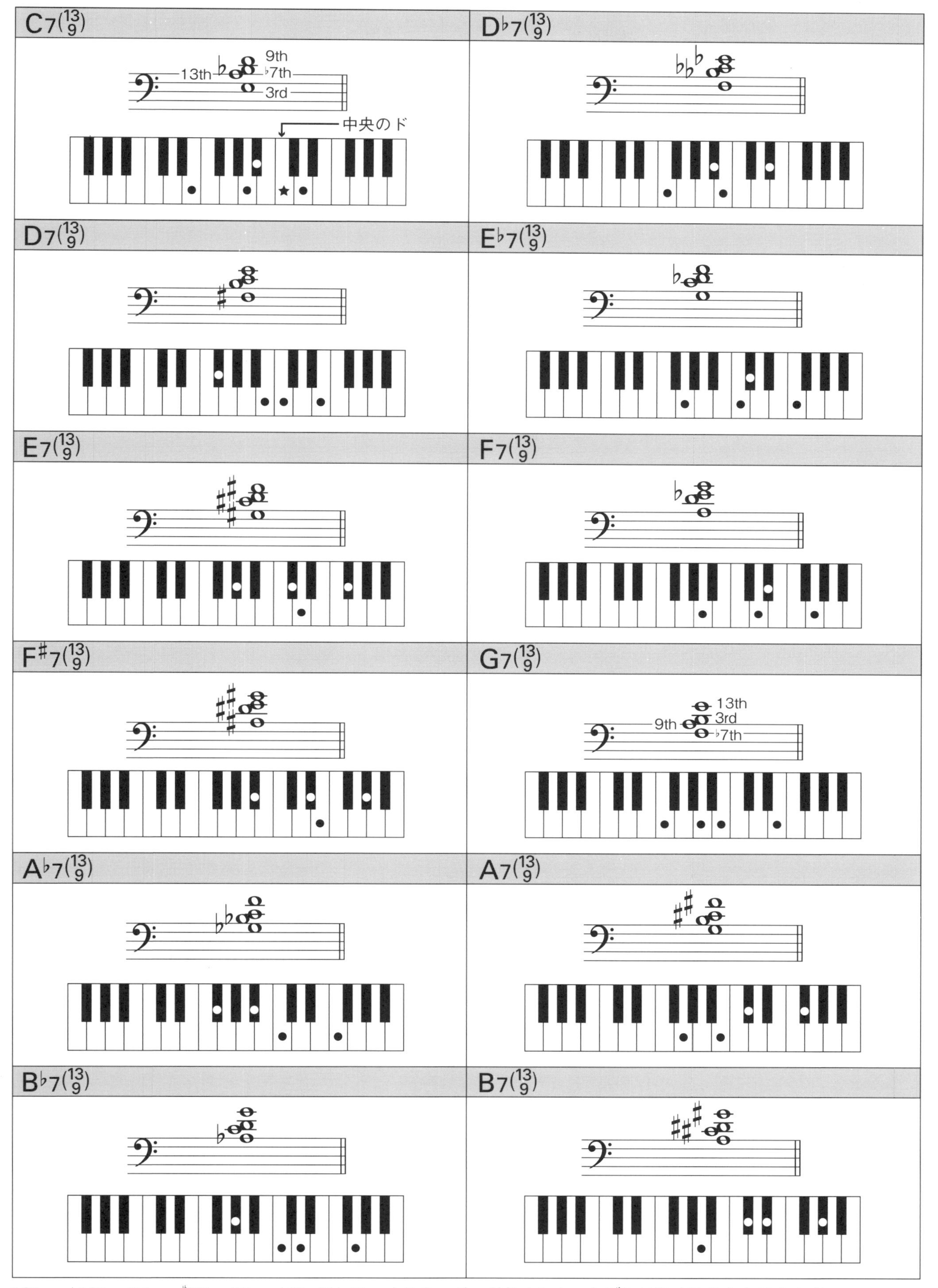

13th→♭13th、9th→♯9th、9th→♭9thにして、オルタード・ドミナント・セブンスにすることもできます。

❍ Left Hand Voicing を練習しよう！

次の練習はレフトハンドでスムーズに演奏するためのコード進行です。Cのキーで掲載していますが、12キー全てで弾けるように練習しましょう。また、ベースを記載していますが、実際は上の4notesを弾きます。

譜例1 IIm7 ー V7 ー I6

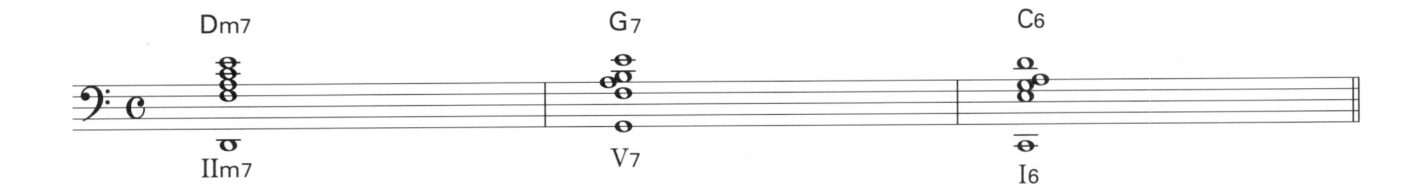

譜例2 IIm7 ー V7 ー I6（譜例1とは別のポジション）

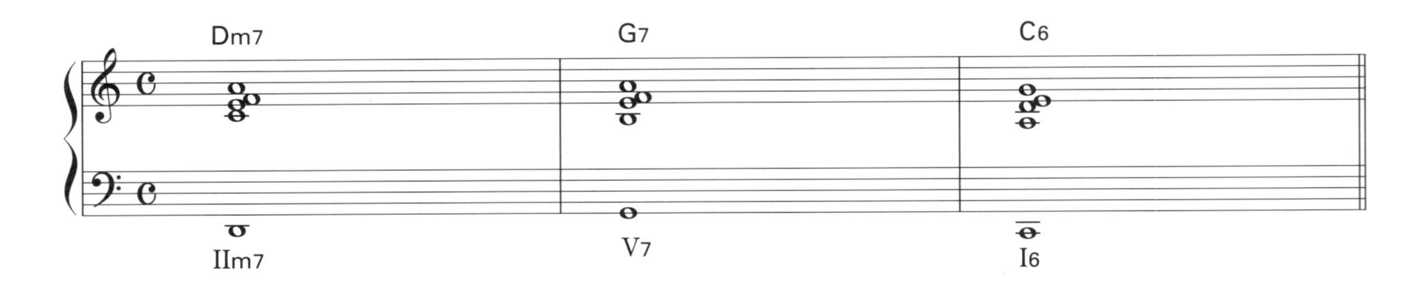

譜例3 IIm7 ー ♭II7 ー I6

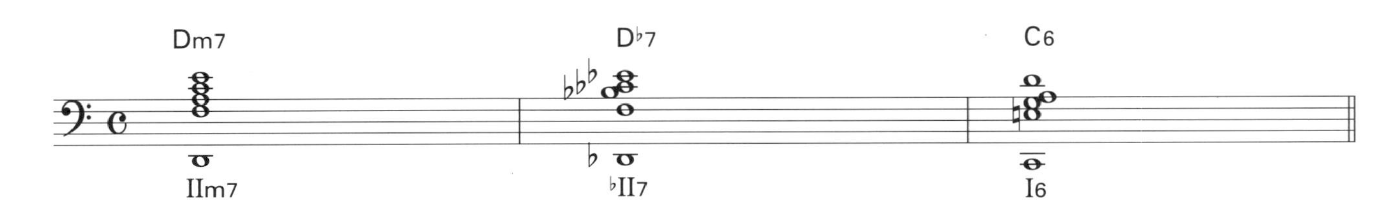

譜例4 I6 ー VIm7 ー IIm7 ー V7 ー I6

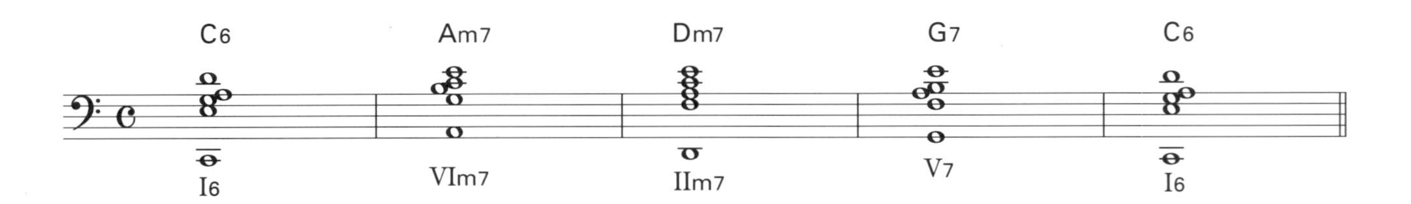

譜例 5 IIIm7 ー ♭III7 ー IIm7 ー ♭II7 ー I6

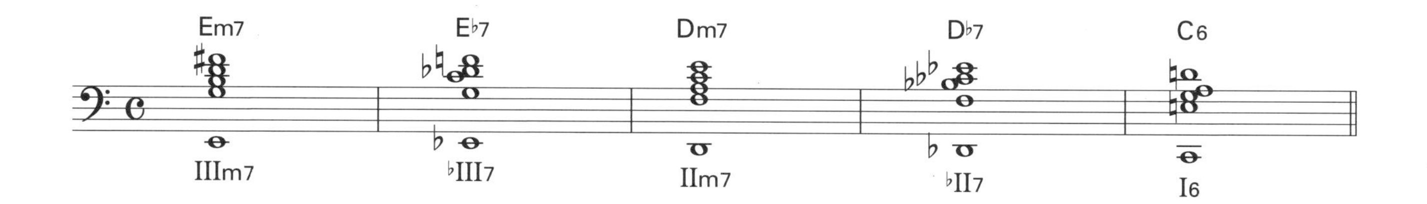

譜例 6 VIIm7 ー III7 ー VIm7 ー II7 ー V7 ー I6

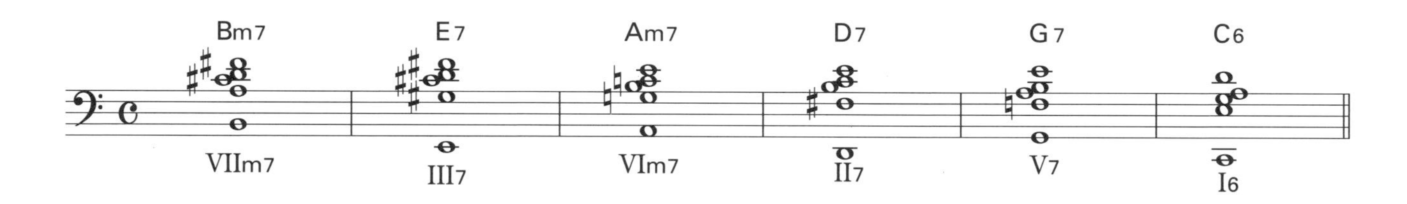

コード進行をある程度練習したら、次はディズニーの白雪姫で有名な「Some Day My Prince Will Come（いつか王子様が）」でレフトハンド・ヴォイシングを練習してみましょう。

♪ Some Day My Prince Will Come ／ Frank Churchill

STEP2

Two Hand Voicing

○ Two Hand Voicing（トゥ・ハンド・ヴォイシング）とは？

トゥ・ハンド・ヴォイシングとは、ソロ演奏や伴奏をするときに、コードの指定に基づいてハーモニーを作ることをいいます。JAZZ の場合は、コード・トーンとテンションを組み合わせて作ります。

譜例 1 基本的な Voicing

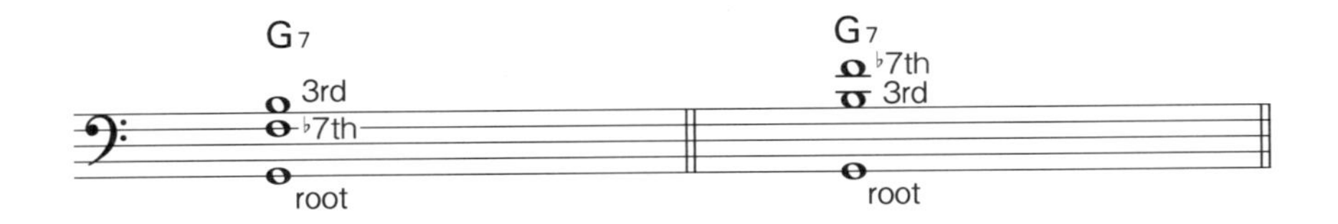

上記のように、2 通りの基本ヴォイシングがあり、左は「**root、♭7th、3rd**」、右は「**root、3rd、♭7th**」の構成になっています。この 2 つのコードが低位置の構成音になり、コードの音色を保持します。高位置の構成音には「**テンションと 5th**」を使います。

譜例 2 トゥ・ハンド・ヴォイシングの例

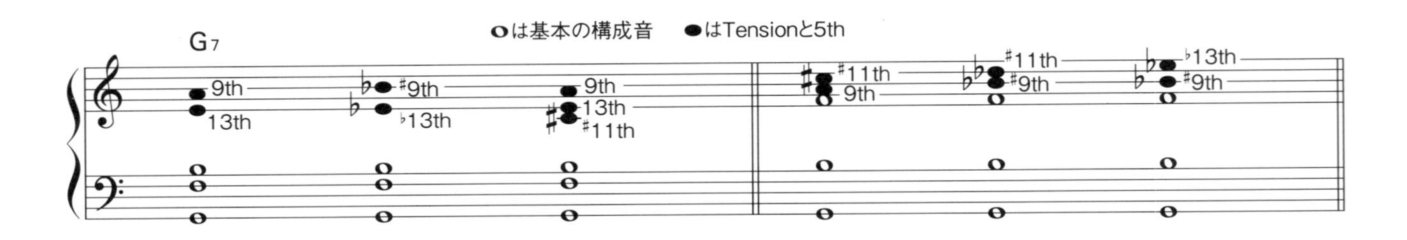

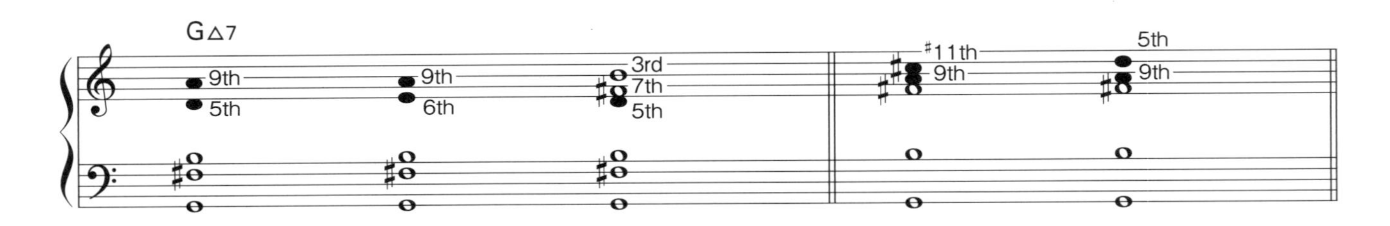

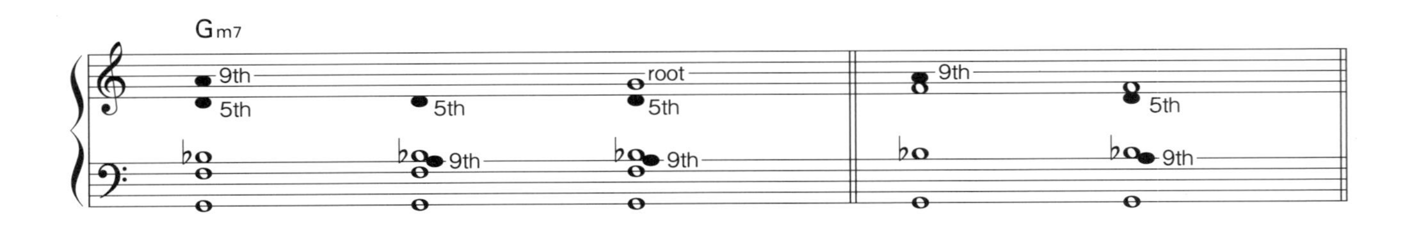

G7 には 5th が省略されていますが、ドミナント・セブンス・コードの場合は豊富なサウンドを得るため 5th が ♯11th、13th、♭13th のテンションに変わり、使われることがほとんどです。

反対に、トニック・メジャー・コードやマイナー・セブンス・コードには、コード全体の安定感やコードの性格を失ってしまわないように 5th を変化させずに用いることが多いです。

❍ 4th Interval Build（フォース・インターヴァル・ビルド）

フォース・インターヴァル・ビルドとは、次の譜例のように「**4 度音程を積み重ねて作ったコード**」のことをいいます。本書では、「❹」で記載してあります（P.44 以降）。

譜例 3 フォース・インターヴァル・ビルド例

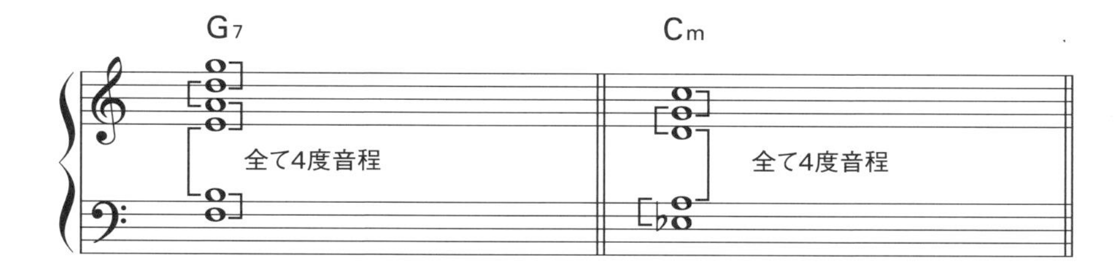

❍ Avoid Note（アヴォイド・ノート）

アヴォイド・ノートとは、コードの機能を損なうので、避けるために「**コードに入れない音**」のことをいいます。本書では「**A.N**」と記載してあります。

❍ Polychord（ポリコード）

ポリコードとは、異なったコードを「**同時に 2 つ使用する**」ことをいいます。JAZZ では、**Upper structure triad（アッパー・ストラクチャー・トライアド）**といって、テンションとコード・トーンを組み合わせてできる 3 和音だけ使用するのがほとんどです。それに対してポリコードは、全ての 3 和音を使うことができます。

譜例 4 ポリコードの例

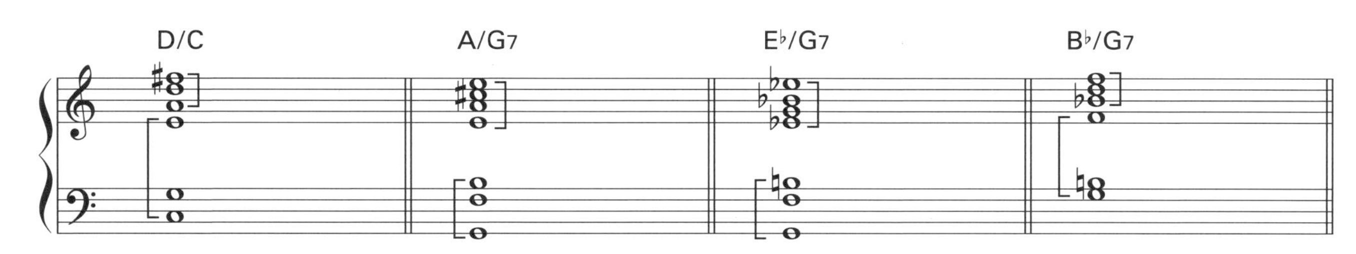

ポリコードは非常に響きが良いので、ジャズでは良く多用されます。本書では「Ⓟ」で記載してあります（P.44 以降）。

❍ Cluster（クラスター）

クラスターは「**音のかたまり**」のことをいい、主に「**2 度音程**」の組み合わせで構成されています。奏法としては手のひら等で鍵盤を掴むようにして弾きます。音楽の中で効果的に使うには、かなり慣れていないと難しいです。本書では「🅒」と記載しています。

譜例 5 クラスターの例

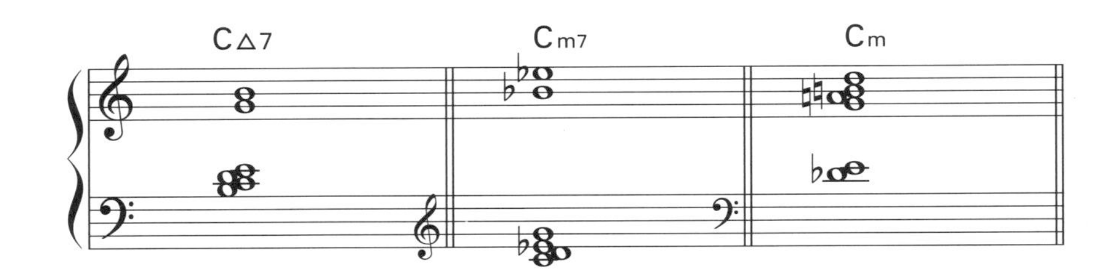

❍ Low Interval Limit（ロー・インターヴァル・リミット）

ロー・インターヴァル・リミットとは、2 音間の音程で「**最も低い限界の音程**」のことをいいます。ピアノの場合、以下の例に示した通りで、コードの下 2 声がこれよりも低い音になるとサウンドが濁ってしまい、コード感が弱くなってしまいます。

ロー・インターヴァル・リミットは「必ず守らなくてはならない」、というものではありません。コードづけやアレンジのときに参考にするぐらいが良いかと思います。自分の耳で実際に聴いて、善し悪しを判断しましょう。

譜例 6 ロー・インターヴァル・リミット

短2度　長2度　短3度　長3度　完全4度

減5度　完全5度　短6度　長6度　短7度　長7度

譜例 7 ロー・インターヴァル・リミットを目安にしたコードの位置と不適当な位置

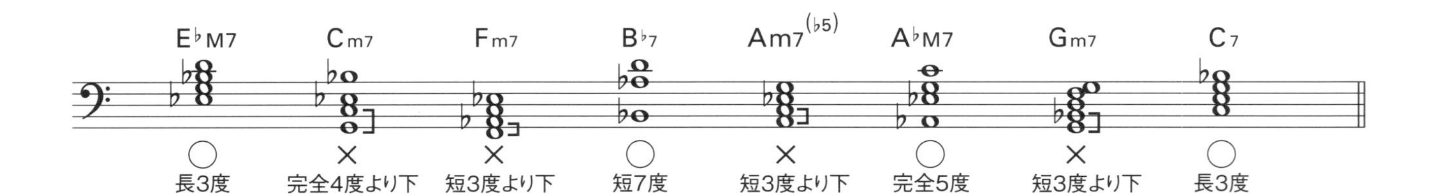

○ Two Hand Voicing の使い方 1　リズミカルにメロディの間を埋める

トゥ・ハンド・ヴォイシングは様々なシーンで用いられます。メロディに対し、「**どのように刻んだら良いか**」をイメージしてコードのトップ・ノートを決めましょう。

譜例 8 ‖ Beautiful Love ／ Victor Young

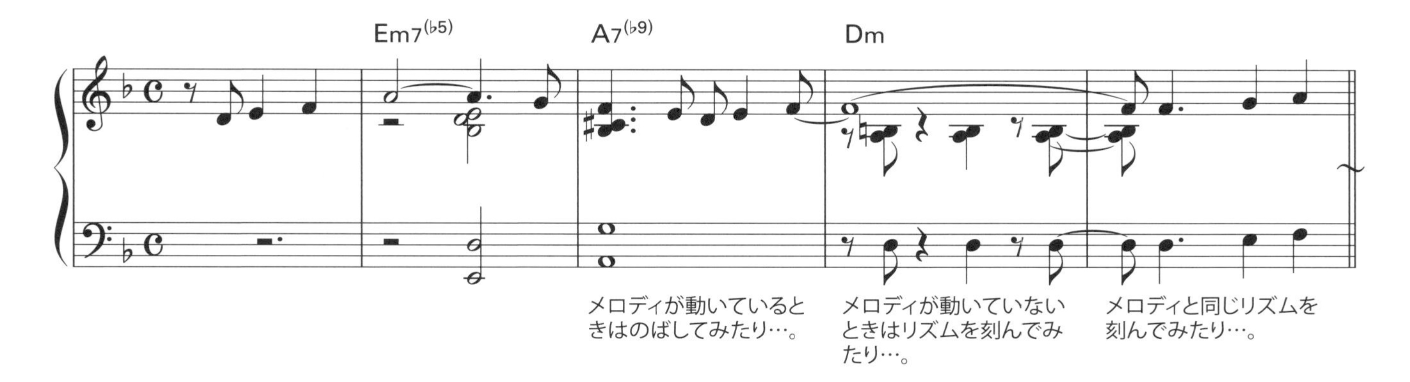

○ Two Hand Voicing の使い方 2　コンピングで使う

トゥ・ハンド・ヴォイシングがもっとも使われるのがコンピングです。コンピングとは、「**他の演奏者がテーマやアドリブを演奏しているときにリズムを刻むこと**」をいいます。

コンピングの方法は奥が深く、本書では掘り下げて理論やコードアレンジまで及ばないのでスタンダードなコンピングのみ記載してあります。そして、コンピングのリズムに関しては、多くのプロの演奏を聴いてフィーリングを掴むことが大事です。スウィングかラテンかにもよりますが、「**リズムにあった刻み**」や「**雰囲気に合わせて音色や高さ**」を調整できることが重要です。コード進行として脈絡のある流れにしましょう。

譜例 9 ‖ All The Things You Are ／ Jerome Kern

❍ Two Hand Voicing の使い方 3　右手のメロディにコードを付ける

右手のメロディにコードを付けたい場合は、まず、メロディについているコードを表（P.44 〜）から探します。次に、ヴォイシングをしたいメロディの音が「**トップ・ノート**」になるようにコード表の中から探します。必ず弾いて聴きながら確認をしましょう。

譜例 10 ‖ Danny Boy ／アイルランド民謡

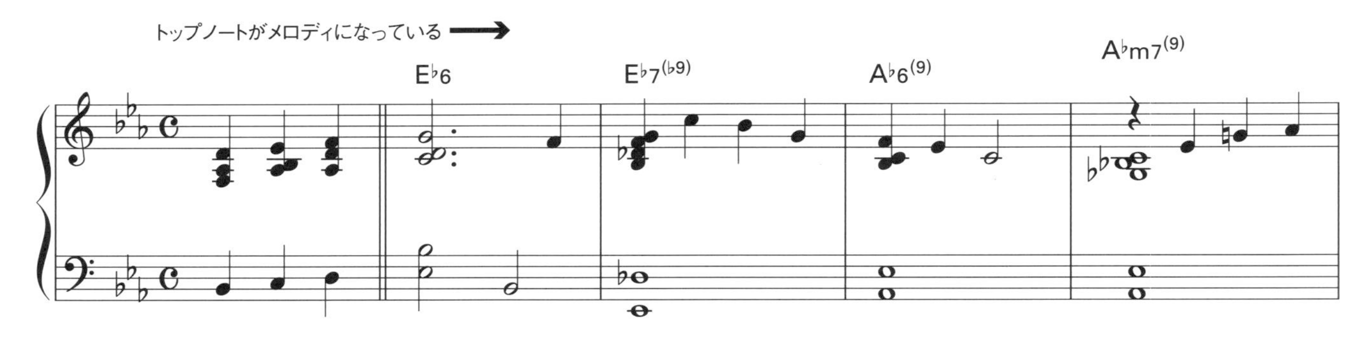

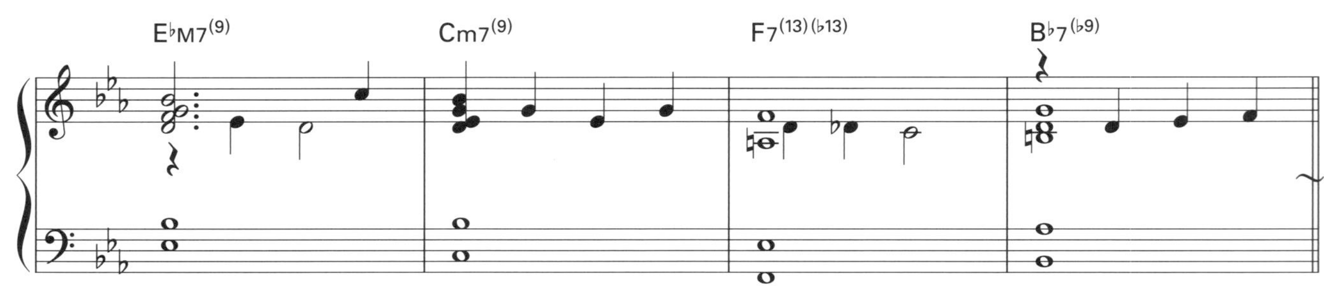

次の【**譜例 11、12**】は「**ブロック奏法**」といい、右手のメロディにコードを付けた演奏法です。【**譜例 10**】と違って、ほとんど単音がありませんね。ソロピアノの演奏等で左手がベースラインを取っているときに、右手のメロディ下にコード・トーンやテンションを配置して弾きます。

譜例 11 ‖ Someday My Prince Will Come ／ Frank Churchill

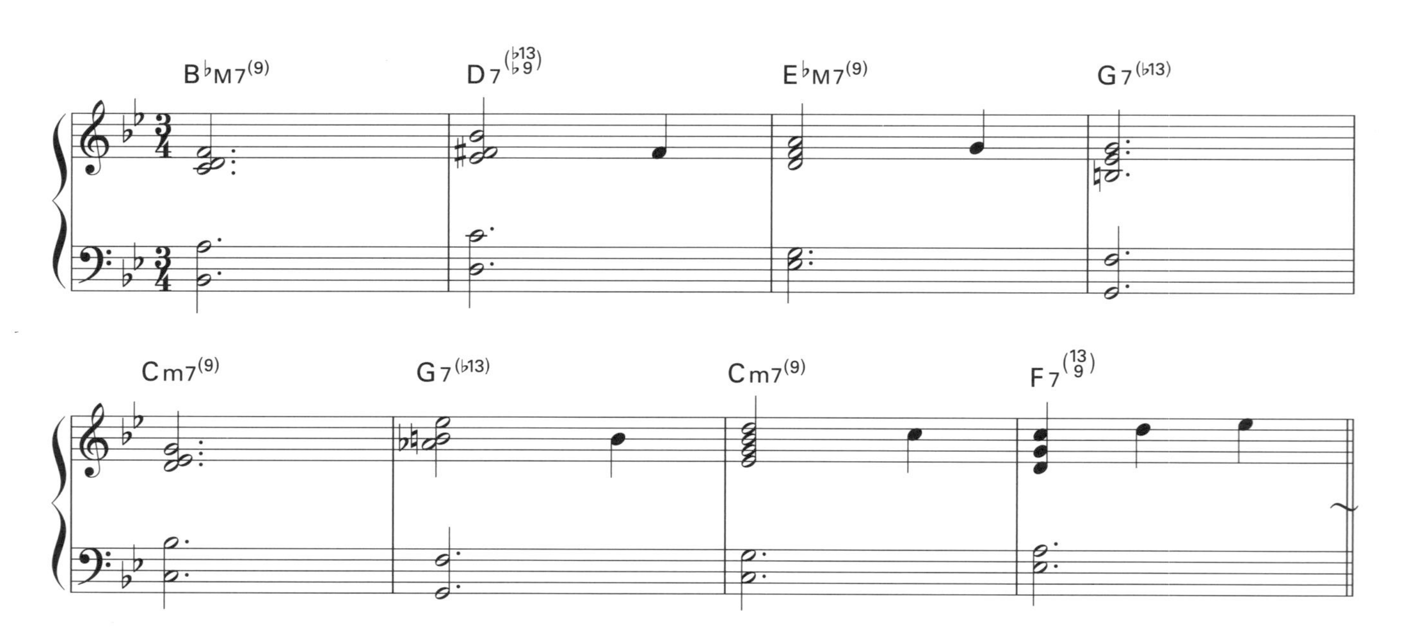

譜例 12 **All The Things You Are ／ Jerome Kern**

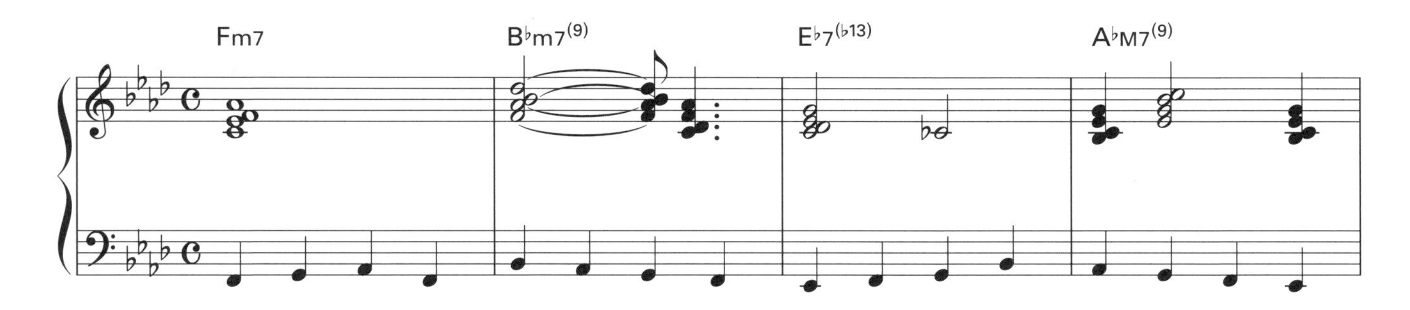

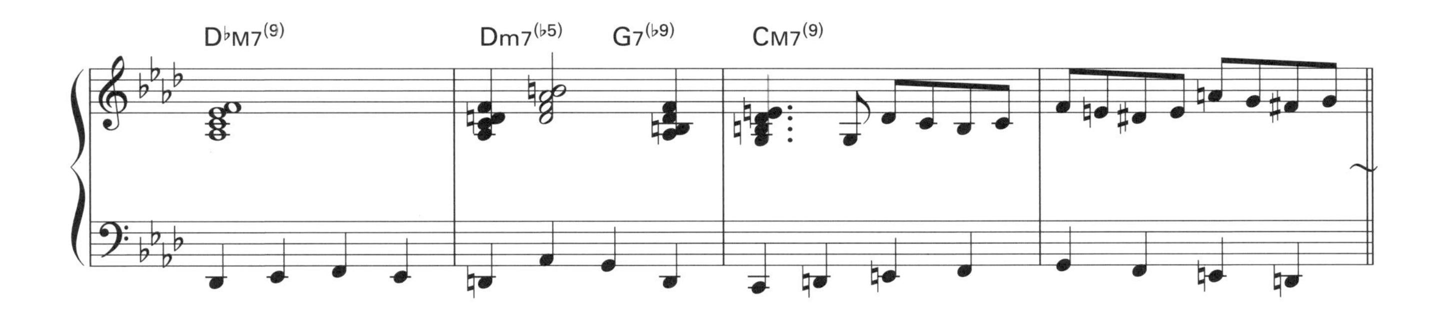

○コードの覚え方 1　コード進行で覚える

12 キーのコードヴォイシングを一つずつ順番に弾いてみたり、頭で覚えてもなかなか身になりません。レフトハンド・ヴォイシングのところでも説明しましたが、「IIm7 − V7 − I6」のように「**コード進行をワンセット**」として覚えた方が効率が良いでしょう。レフトハンド・ヴォイシングの 3notes 以上に関しては、左手だけでなく右手でも押さえられるように練習しましょう。

次はドミナントコード進行の練習の一例です。右手だけでなく、左手でも弾けるように練習してみましょう。

譜例 13 **ドミナントコード進行の練習**

❍ コードの覚え方２　有名曲のコード進行を利用して覚える

有名な曲のコード進行を利用してレフトハンド・ヴォイシング、またはトゥ・ハンド・ヴォイシングで練習しましょう。リズムの刻み方は任意です。

譜例 14 ‖ All The Things You Are ／ Jerome Kern

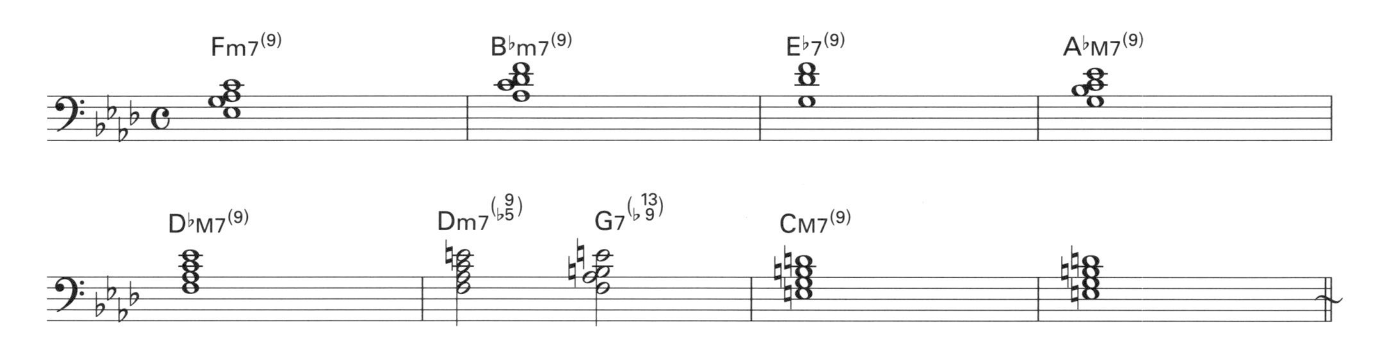

❍ コードの覚え方３　コード・トーンからテンションへ

次は、ひとつひとつヴォイシングを覚えていきたい人のための覚え方のコツです。

まず最低限、コードを見たときにレフトハンド・ヴォイシングの 2notes で、**「ルートと５度や７度」**を押さえられるようにしておきましょう。

譜例 15 ‖ コードのルート、５度、７度

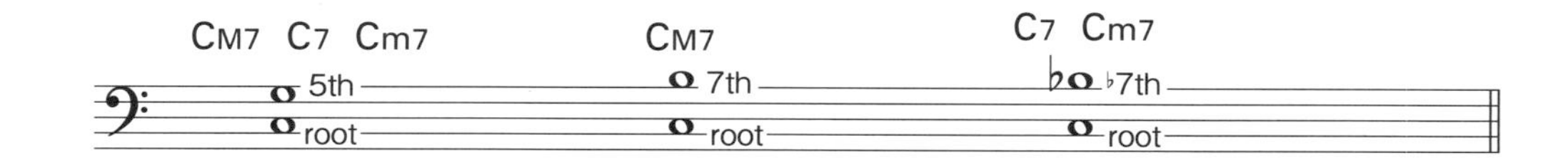

そして次に、コードの「３度、７度、９度」を重ねて弾くことの多い 3notes のコードから覚えていきます。実際に弾かない音域のコードもありますが、全キーで練習しましょう。

譜例 16 ‖ コードの３度、７度、９度

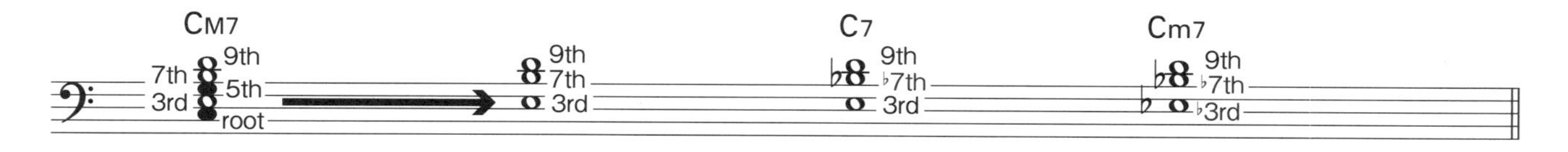

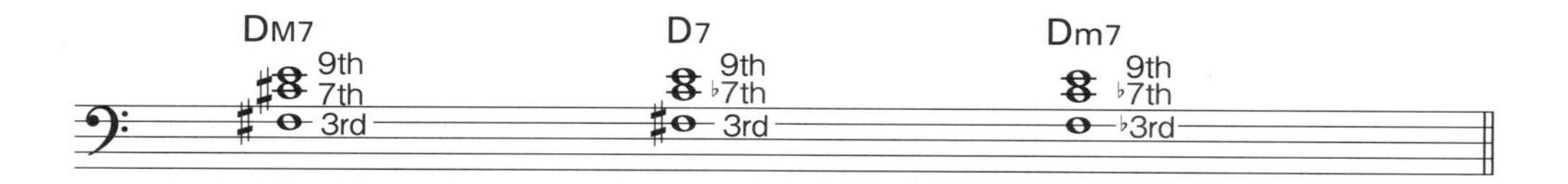

ここまで覚えられたら 13th も織り交ぜたヴォイシングも覚えましょう。「7 度、3 度、13 度」と重ねたドミナントコードで頻繁に使われる 3notes は、「**鍵盤の間隔（4 度）**」を利用して全キーで弾けるようにしましょう。

譜例 17 ドミナント・コードでの「7 度、3 度、13 度」

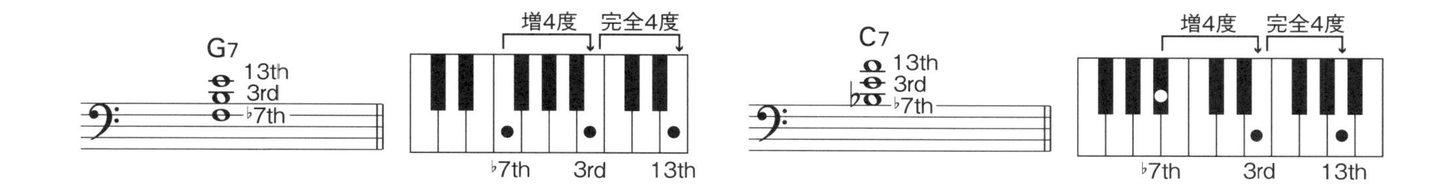

譜例 18 マイナー・コードで「7 度、9 度、3 度、5 度」

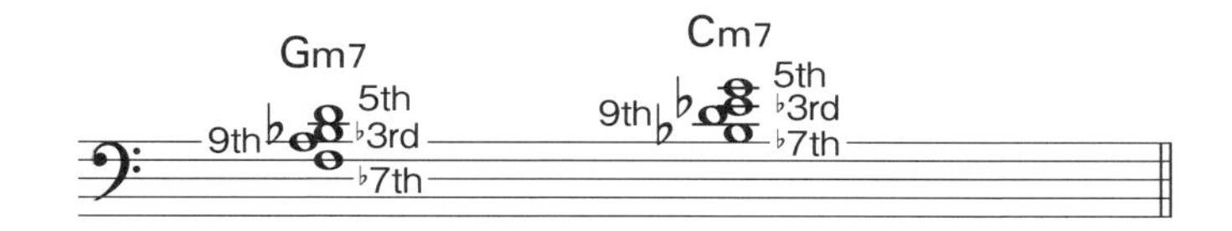

マイナー・コードには、「7 度、9 度、3 度、5 度」を重ねた 4notes を使うと深みのあるサウンドになります。

トゥ・ハンド・ヴォイシングに関しては、レフトハンド・ヴォイシングのほとんどがルートと 5 度を省略してあるので、「**右手にルートと 5 度**」を入れて弾く練習をすると、その後の複雑なコードにも対応できるようになります。「まずレフトハンド・ヴォイシングを押さえ、右手で左手に省略されているルートや 5 度を入れたり、オクターブにして弾いてみる」などのようにすると、ジャズでよく耳にする明瞭なサウンドが出てきます。

譜例 19 右手で root、5 度を弾く

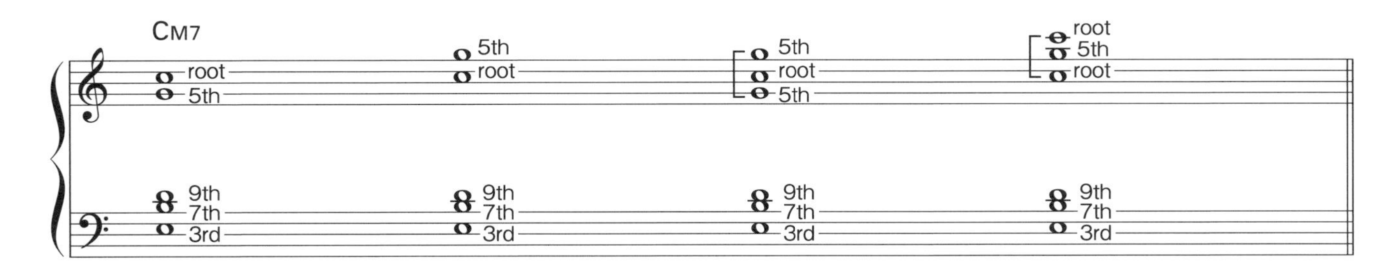

以上のコードを覚えるだけでも M7th、7th、m7th は十分に演奏できるようになります。まずは全キーで弾けること、それができるようになったら他のポジションで記載してある複雑なヴォイシングを勉強すると良いでしょう。

❍ Two Hand Voicing の使用例

次の譜例は、メロディ譜にトゥ・ハンド・ヴォイシングを用いてコード付けをしたものです。これは、ほんの一例にすぎず、演奏者によって、様々なスタイルやヴォイシングが考えられます。

譜例 20 ‖ You'd be so nice to come home to ／ Cole Porter

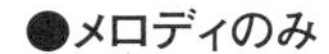

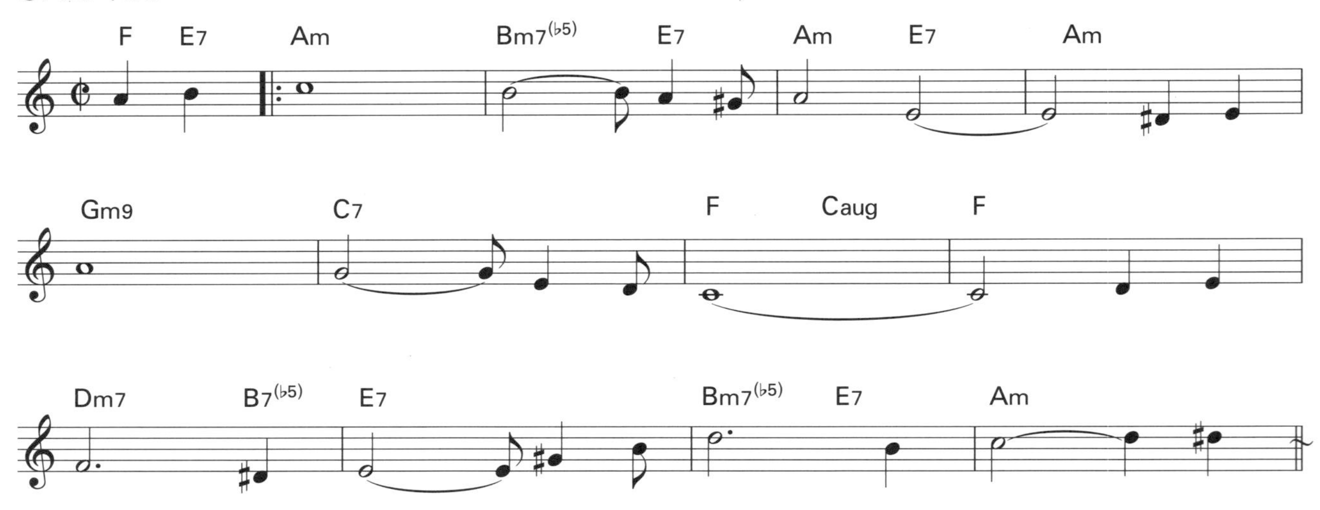

●トゥ・ハンド・ヴォイシング（代理コード等を使用して、アレンジもしてあります）

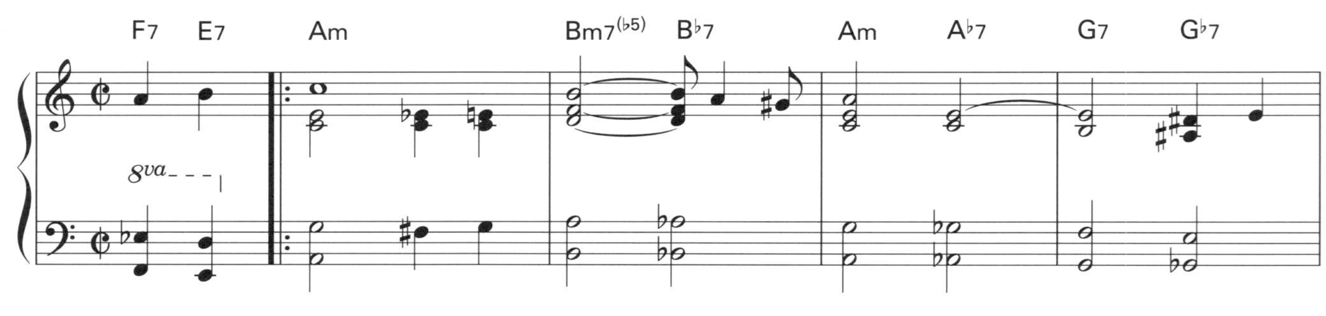

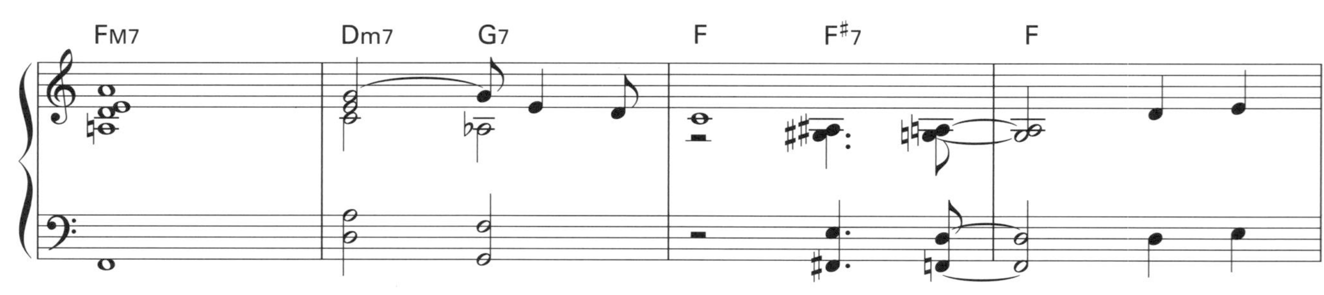

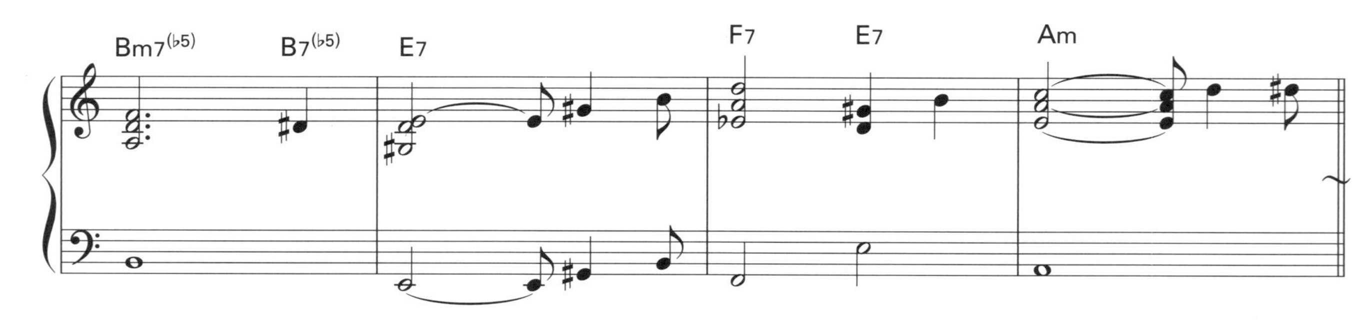

❍ Two Hand Voicing 表（P.44 ～）のポイント

ここでは P.44 からの Two Hand Voicing 表について、C コードを例に説明します。

5 つの種類のコードには、下記のような音階の各音が「**トップ・ノート（一番高い音）**」になるようにハーモナイズしてあります。他の 11 個のコードについても同じです。それぞれの主音を基にした下記のスケールの音がハーモナイズしてあります。

譜例 21 各コードのトップ・ノート

C音より半音階がトップ・ノートになるようにハーモナイズしてあります。

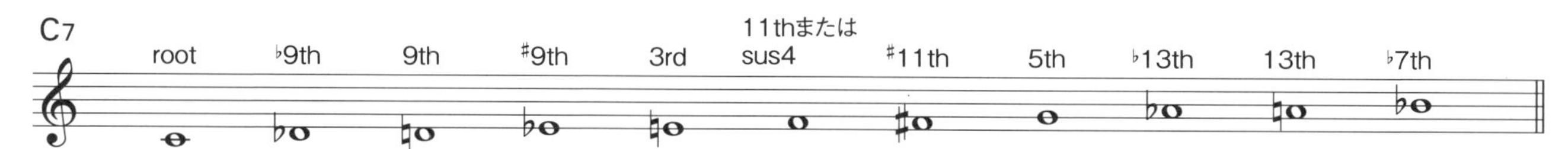

Cメジャー・コードのスケール（Cアイオニアン、Cリディアン）の各音がハーモナイズしてあります。

C
root　9th　3rd　♯4th　5th　6thまたは 13th　7th　8th

Cマイナー・コードのスケール（Cメロディック・マイナーの上行形）の各音がハーモナイズしてあります。

Cm
root　9th　♭3rd　11th　5th　♮6th　♮7th　8th

Cマイナー・セブンス・コードのスケール（Cドリアン）の各音がハーモナイズしてあります。

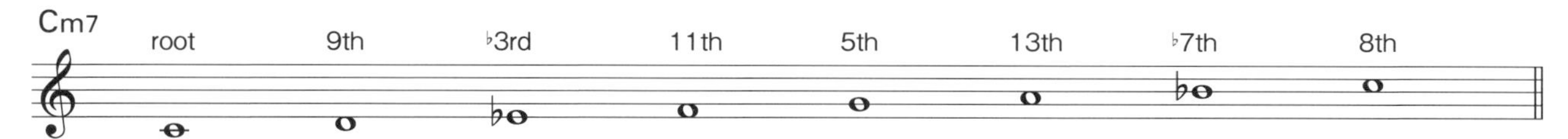

Cマイナー・セブンス・♭5thのコードのスケール（Cオルタード・ドリアン）の各音がハーモナイズしてあります。

$Cm7^{(\flat 5)}$
root　9th　♭3rd　11th　♭5th　13th　♭7th　8th

C7　Dominant 7th Chord

※１つ１つに構成音、テンションを記載すると煩雑になってしまうため、コードネームは割愛してあります。テンションが複数入っているコードやルートを省いているコード等がありますので、響きを確認して使ってください。

※臨時記号は通常、小節内で有効ですが、ここでは「**各コードごと**」の表記どおりに見てください。

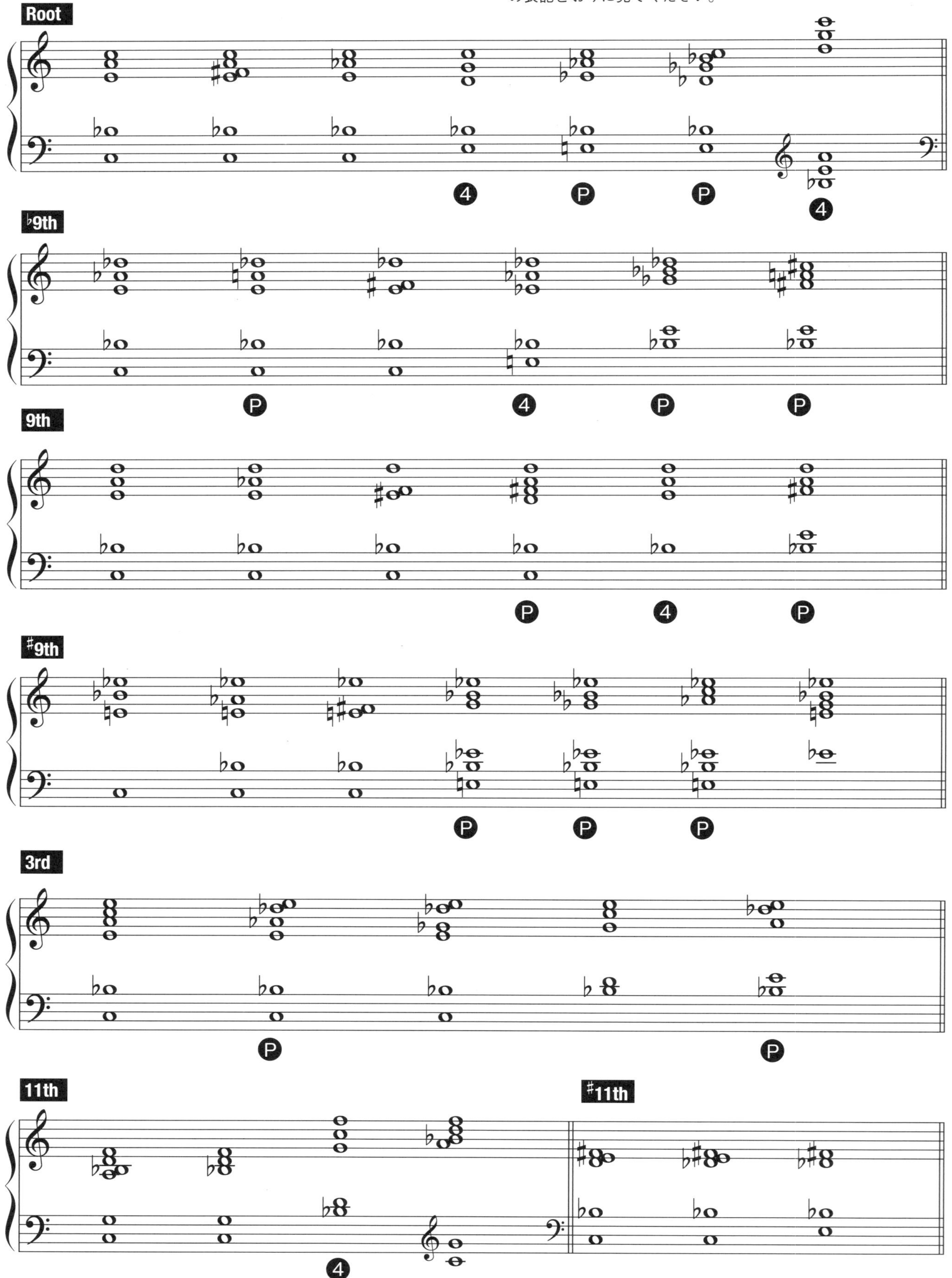

● C をルートとしたときのテンション

♭9th	9th	♯9th	11th	♯11th	♭13th	13th
D♭(C♯)	D	E♭(D♯)	F	F♯(G♭)	A♭(G♯)	A

※セブンス・コード＋♭9th で、ディミニッシュ・コードに代理できる様々なヴォイシングです（P.119 参照）。

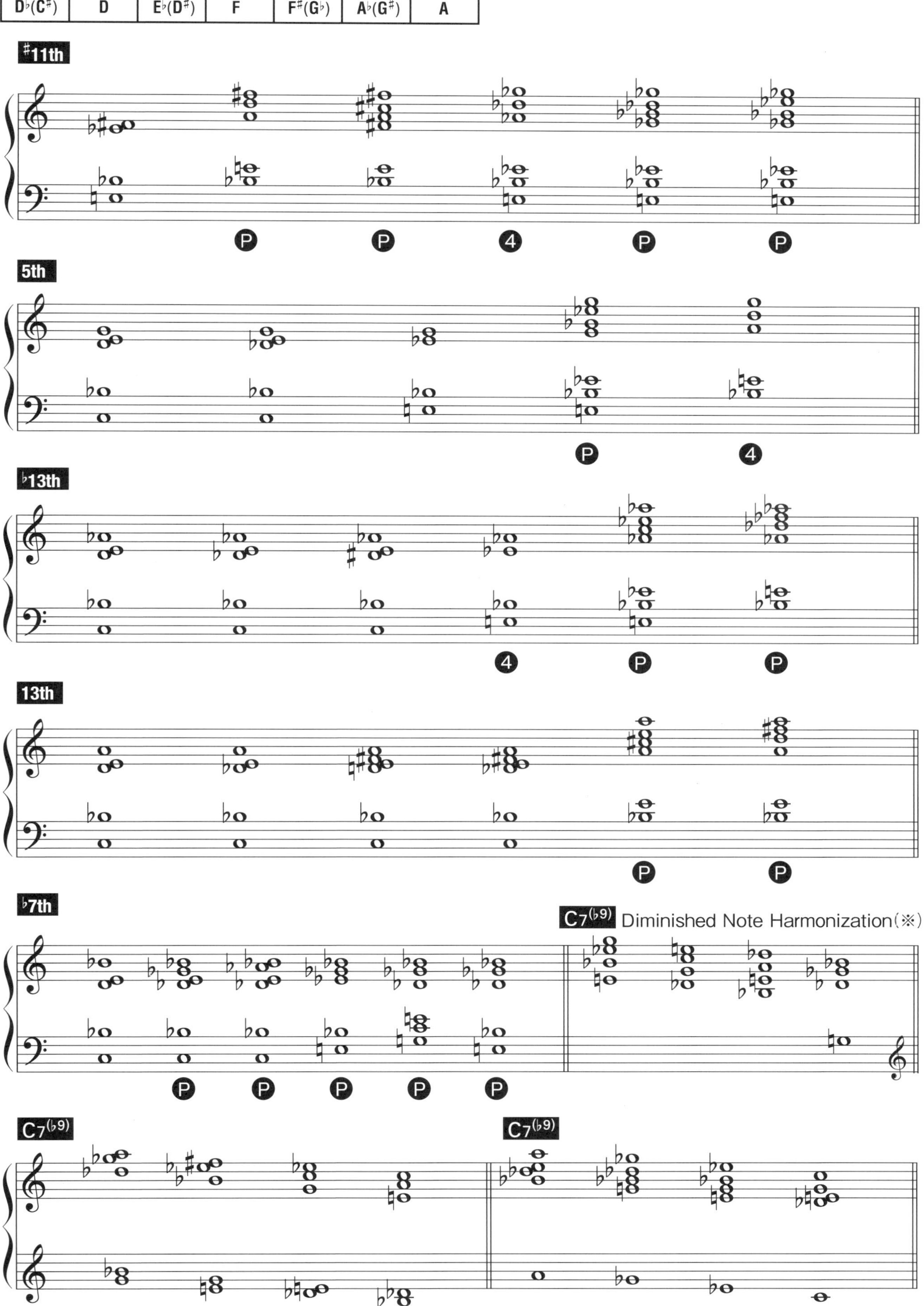

C　Tonic Major Chord（C Ionian,C Lydian）

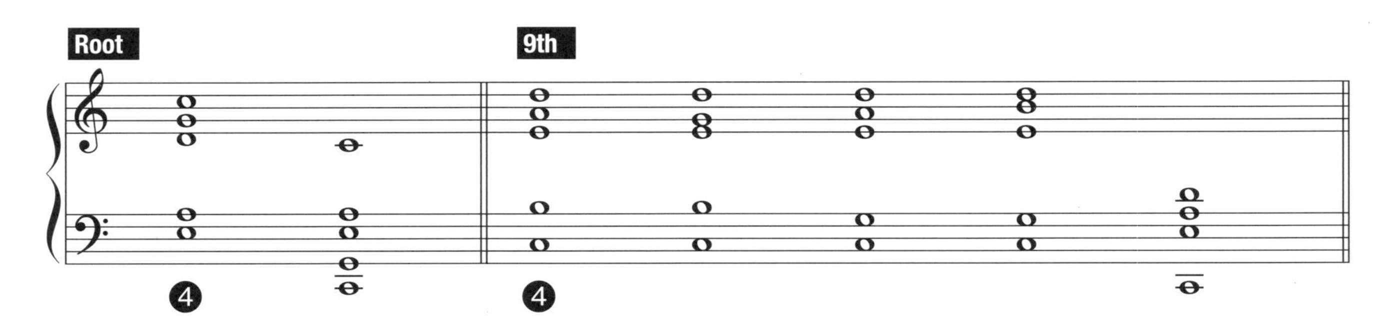

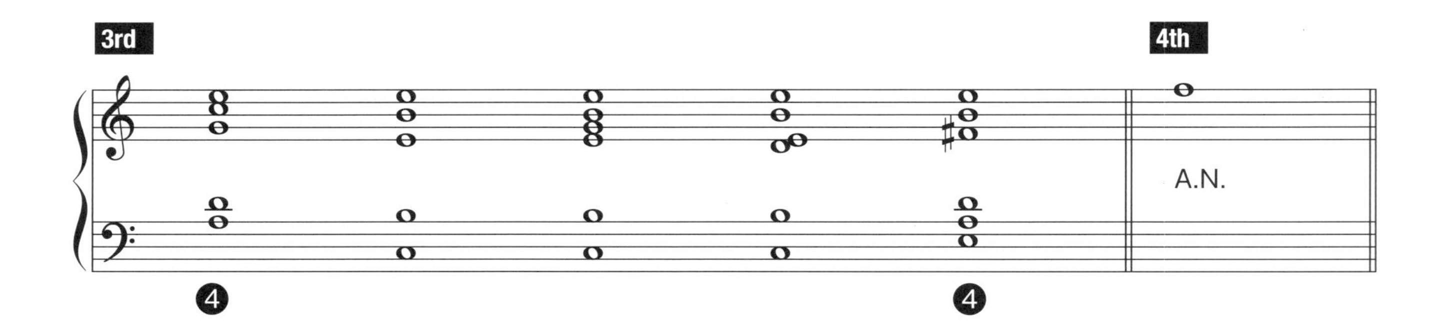

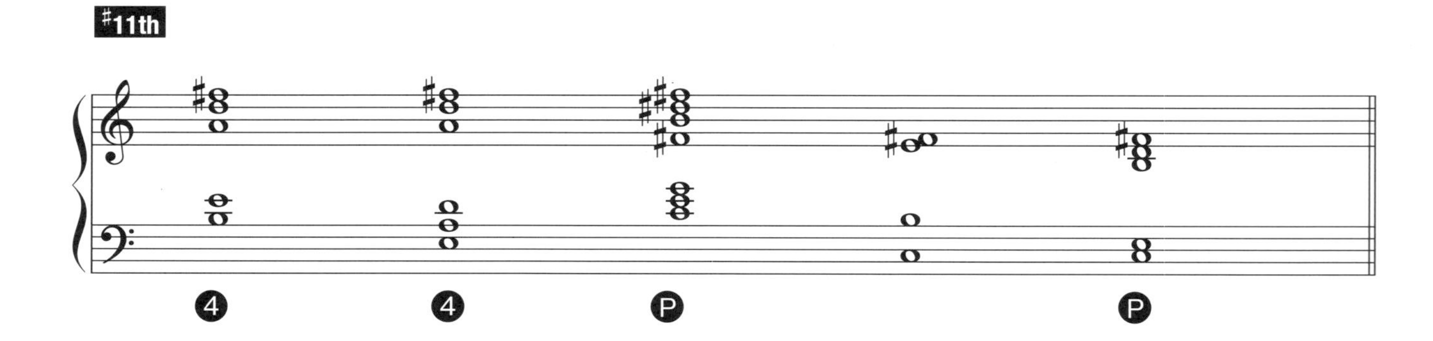

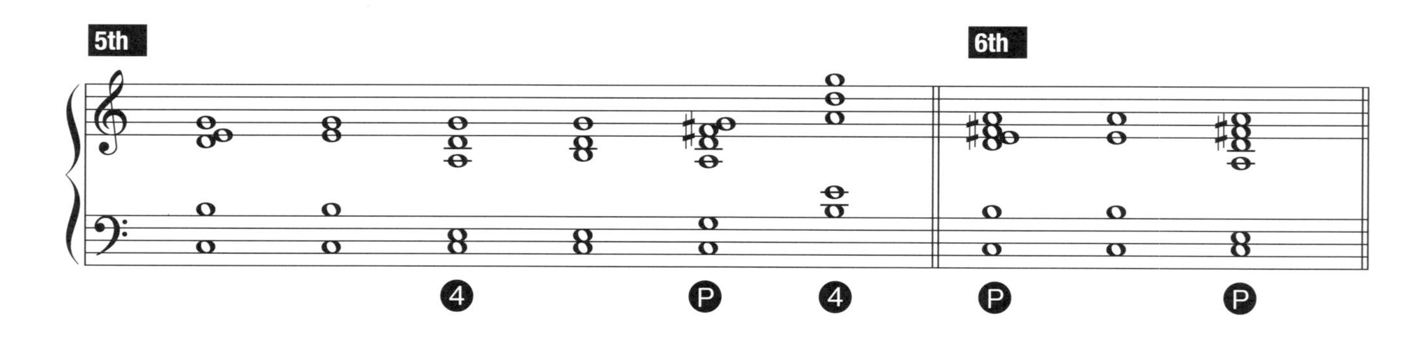

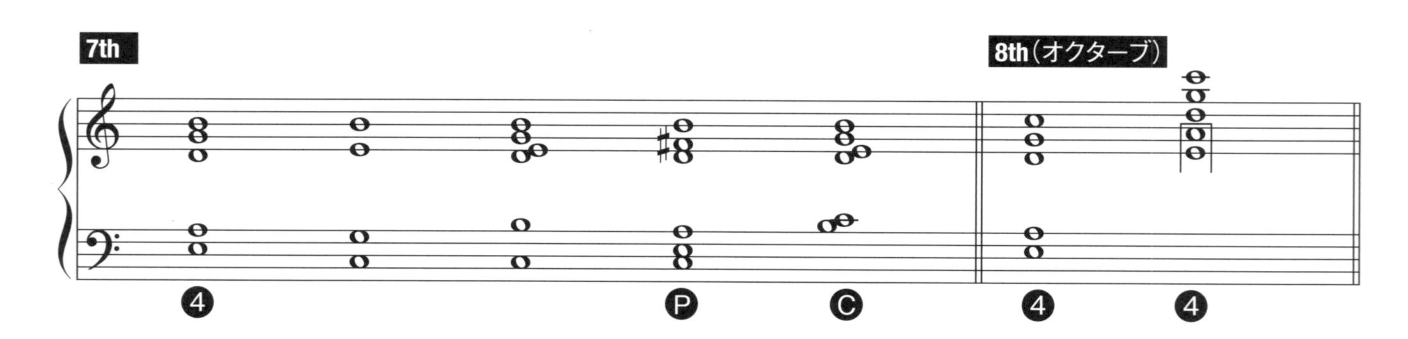

Cm Tonic Minor Chord（C Melodic Minor Scale）

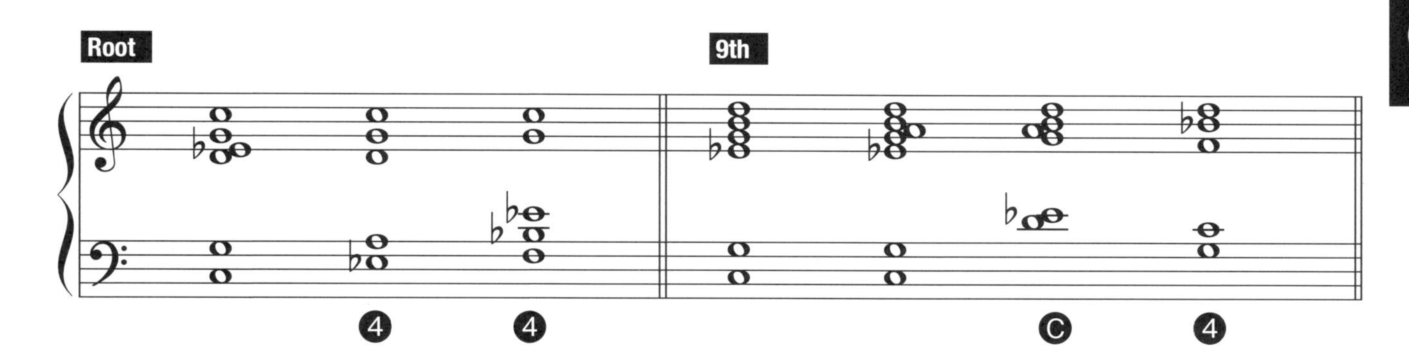

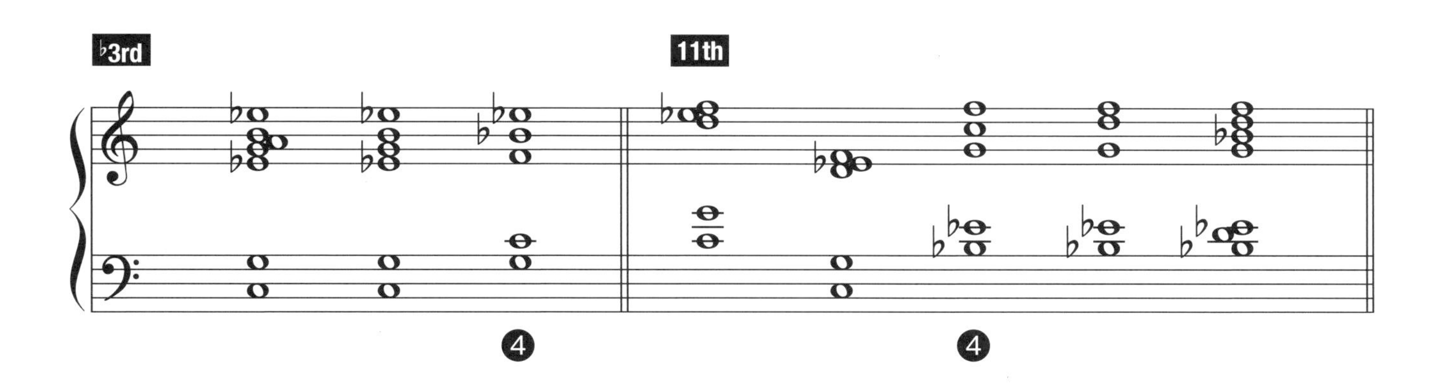

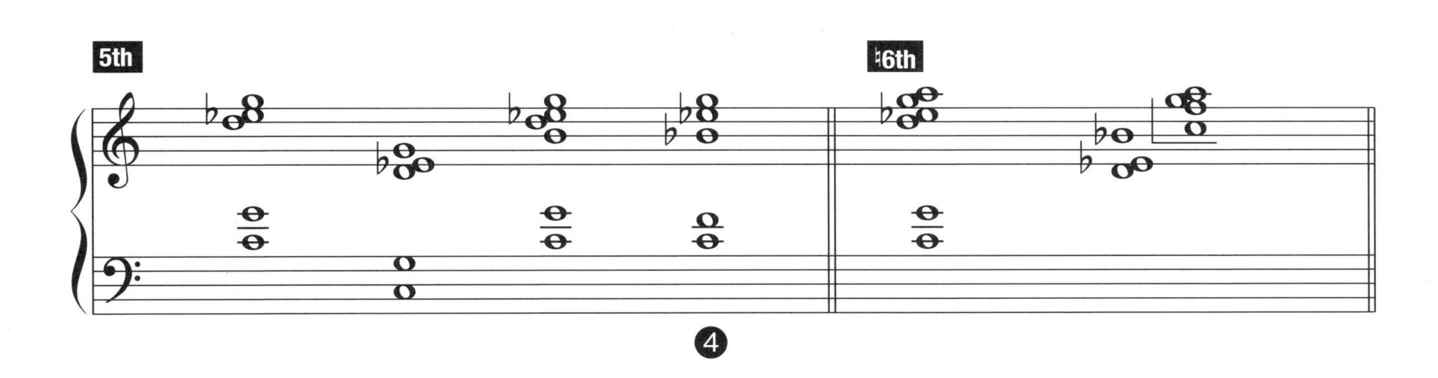

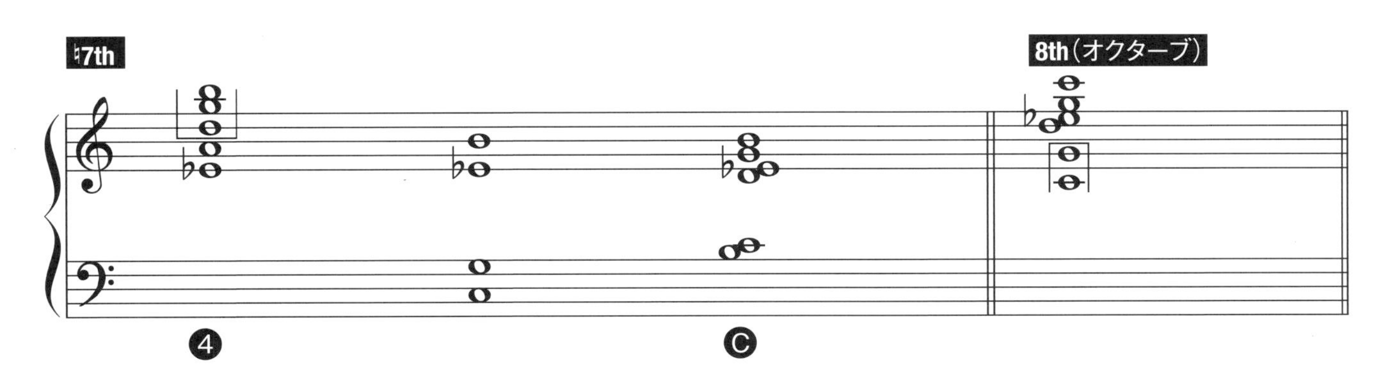

Cm7　Minor 7th Chord（C Dorian）

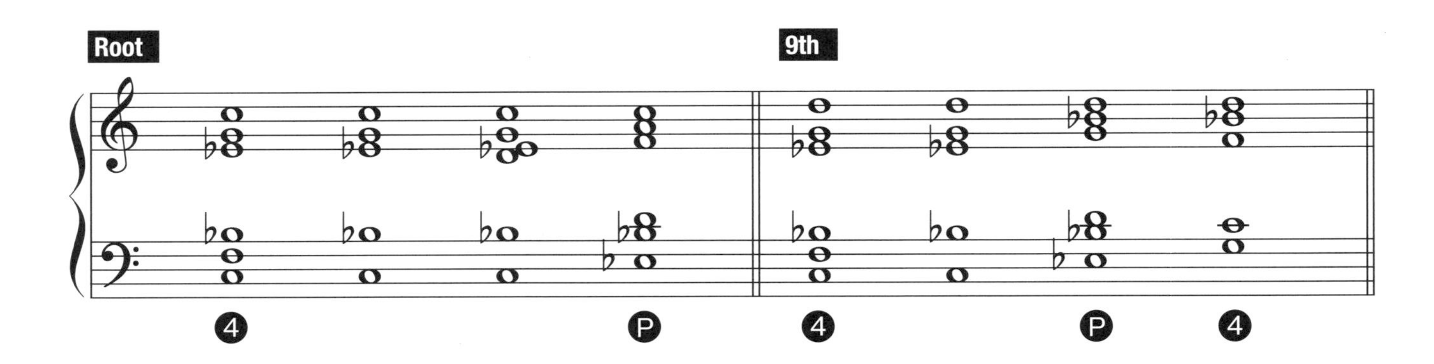

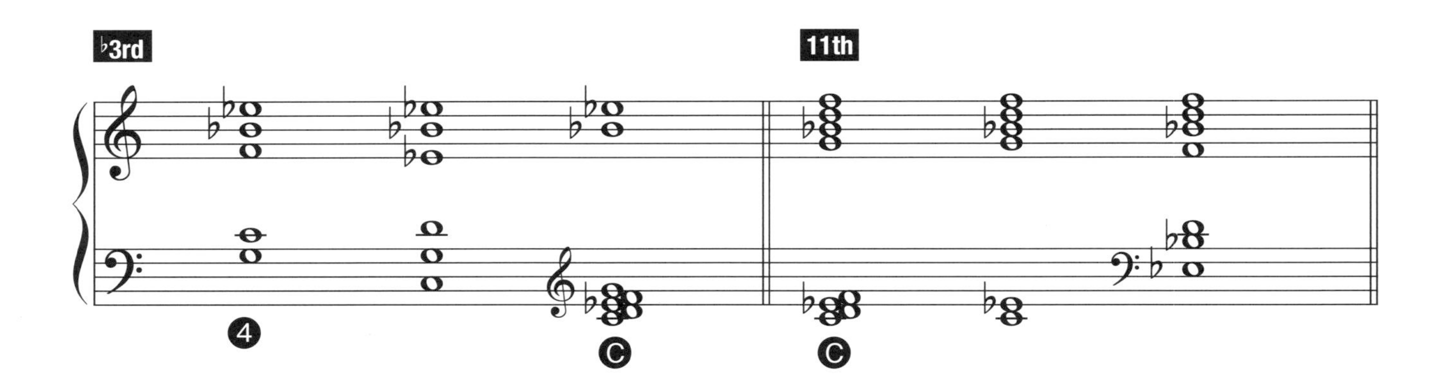

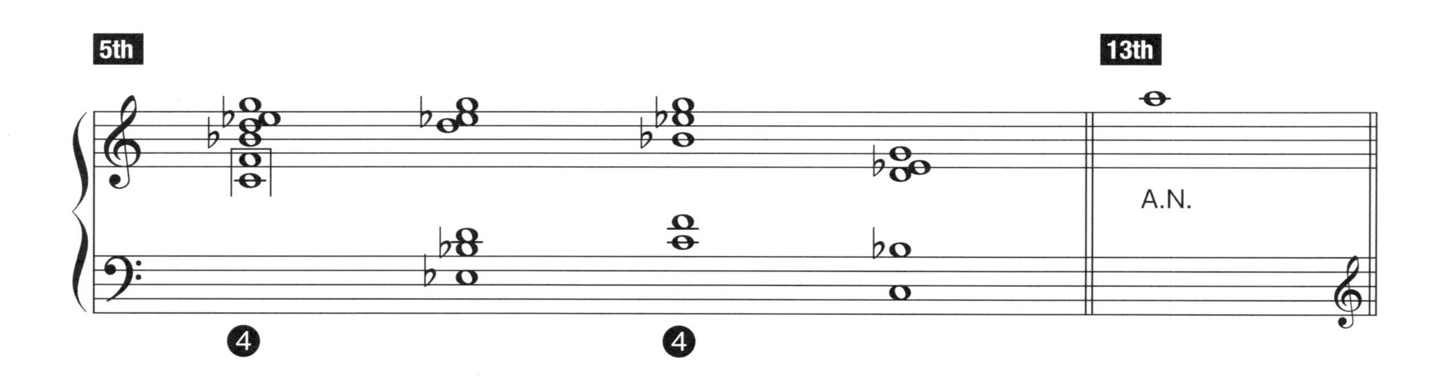

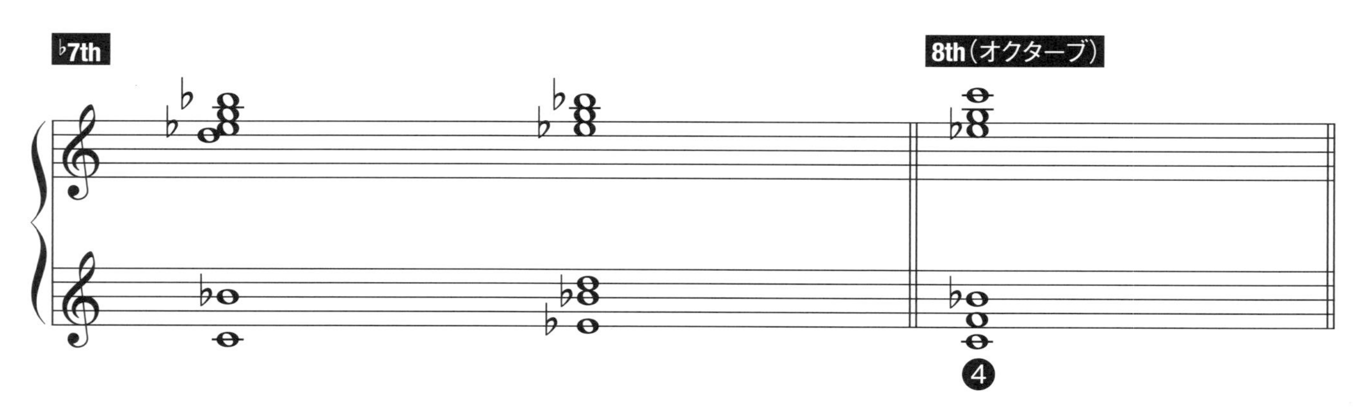

Cm7(♭5) Minor 7th Flatted 5th Chord (C Altered Dorian)

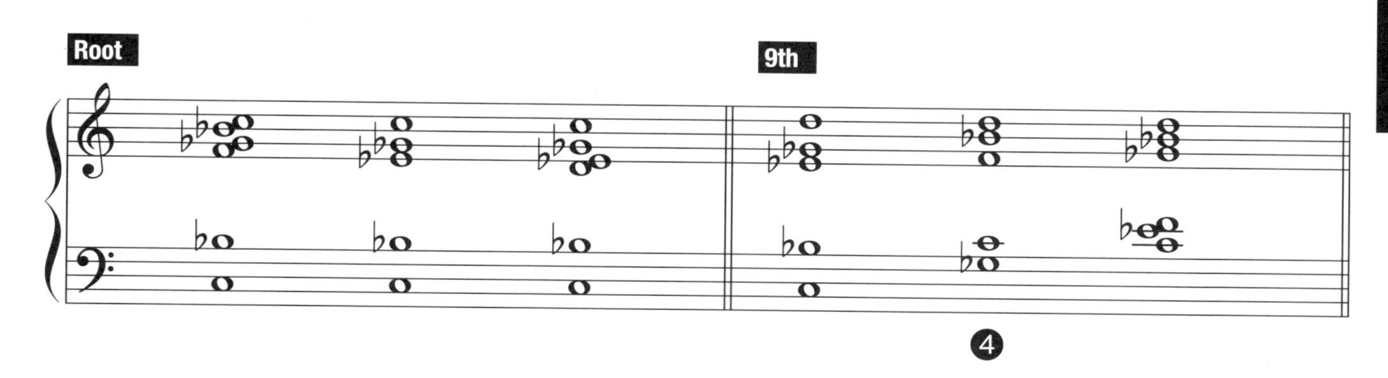

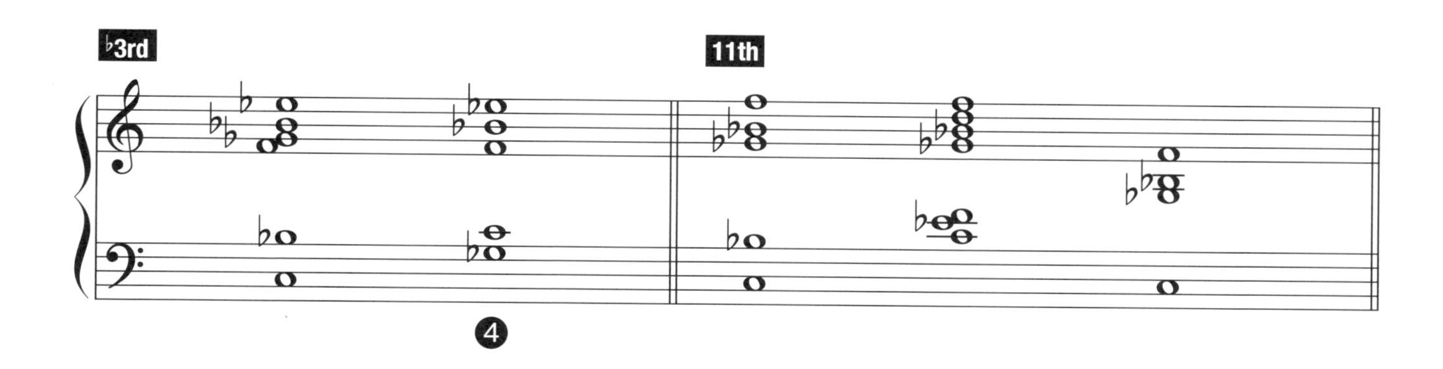

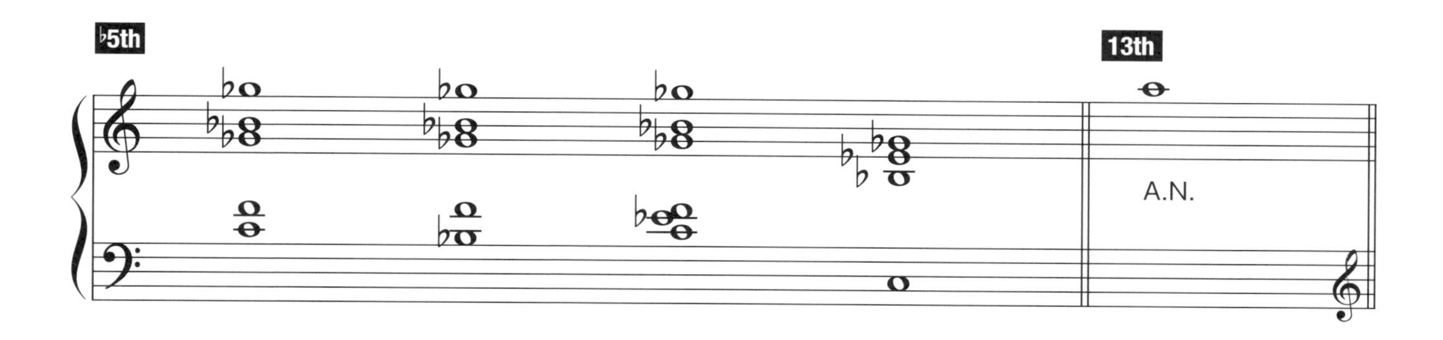

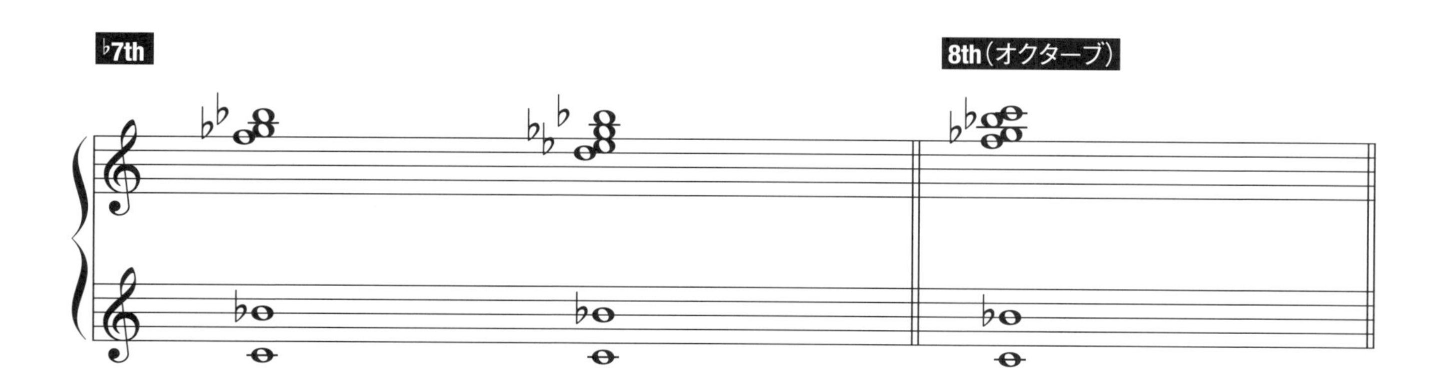

D♭7 Dominant 7th Chord

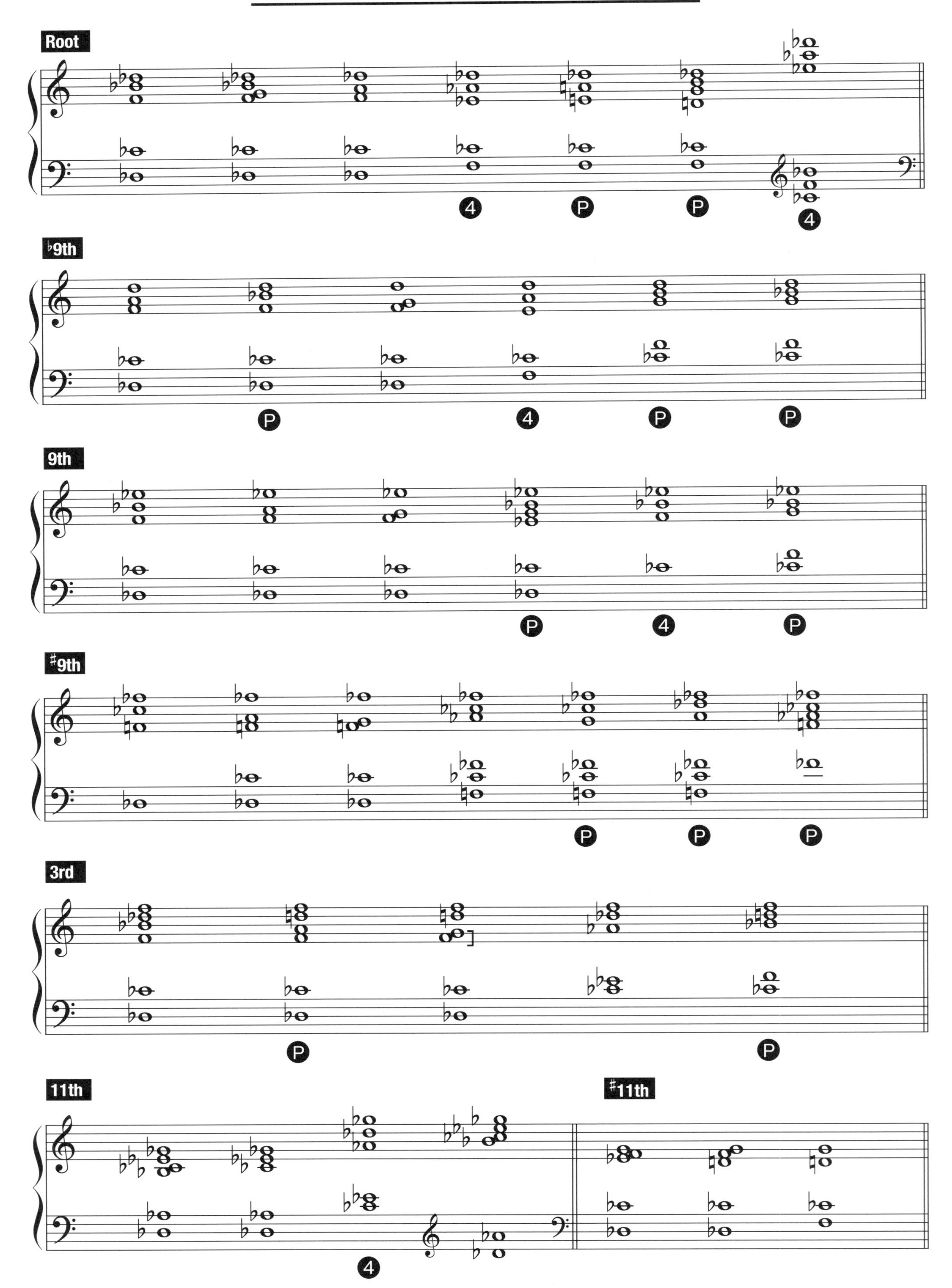

● D♭ をルートとしたときのテンション

♭9th	9th	♯9th	11th	♯11th	♭13th	13th
D	E♭(D♯)	F♭(E)	G♭(F♯)	G	A	B♭(A♯)

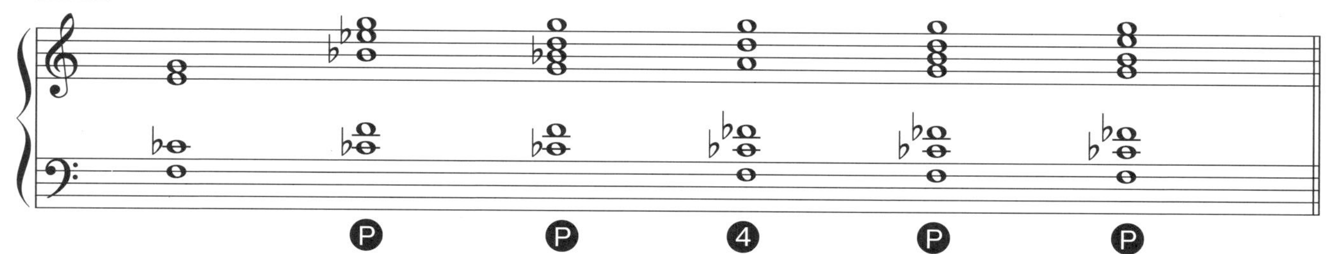

5th

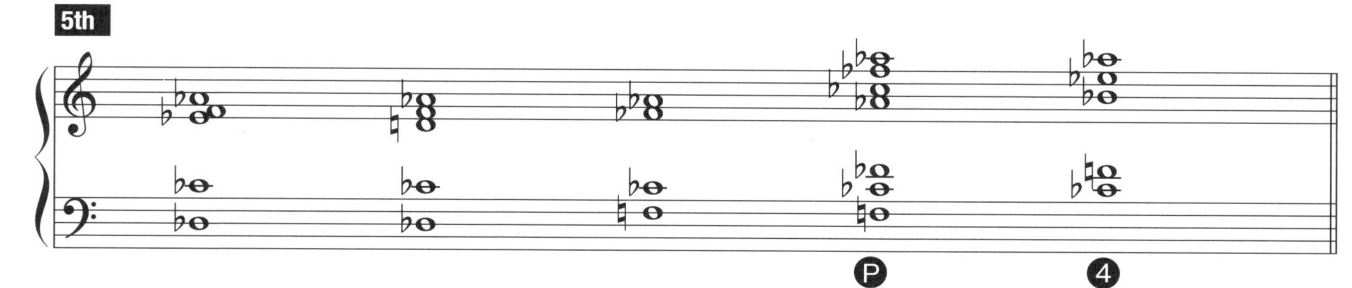

♭13th

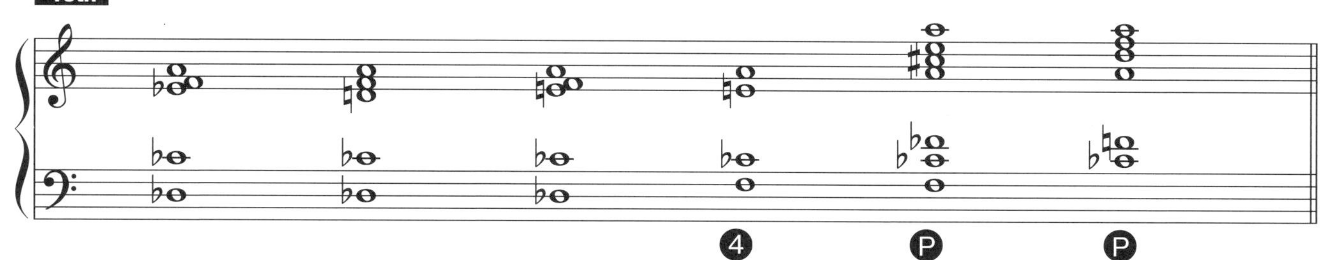

13th

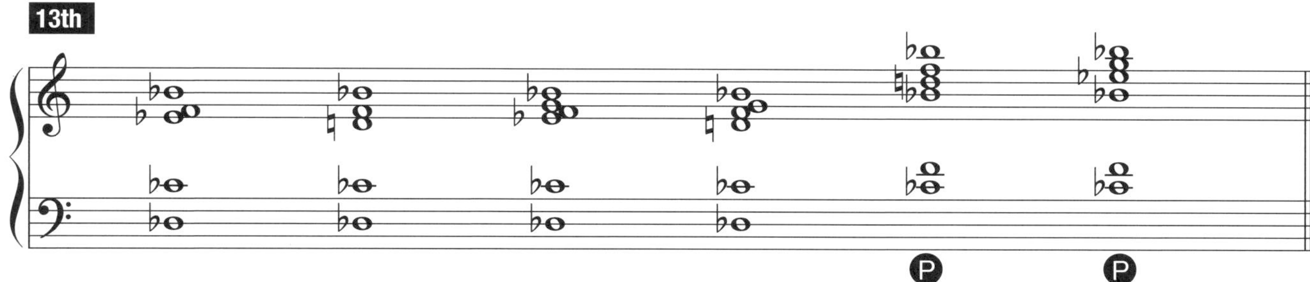

♭7th

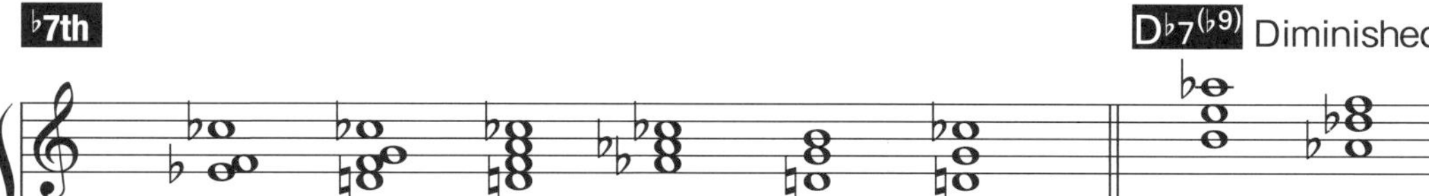

D♭7(♭9) Diminished Note Harmonization

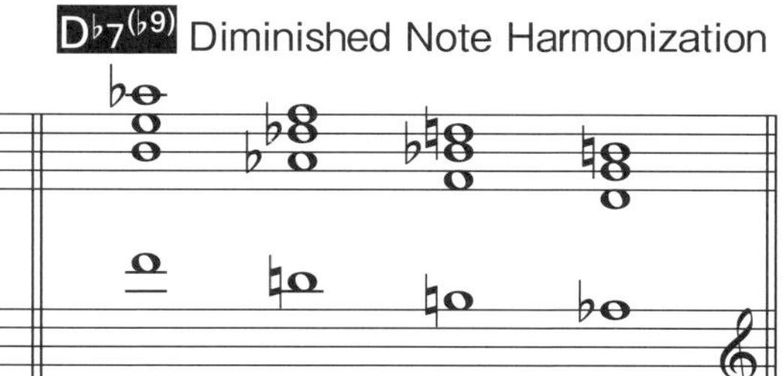

D♭7(♭9)

D♭7(♭9)

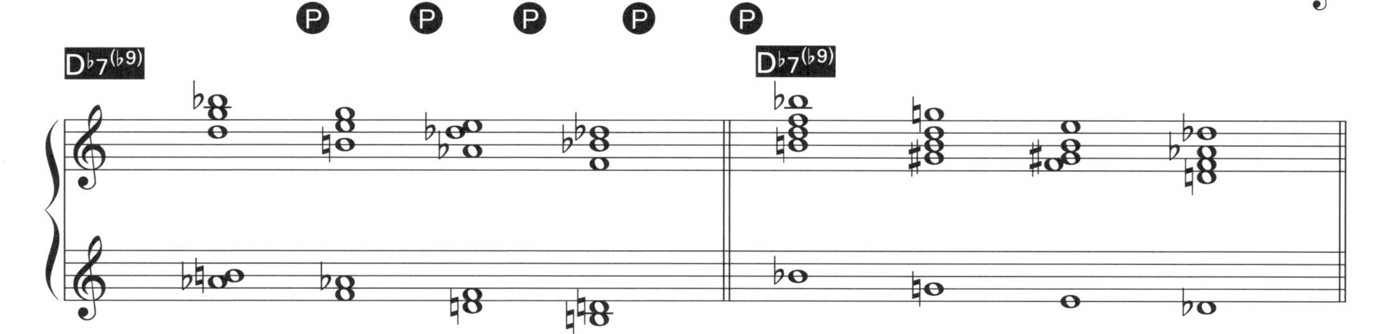

D♭　Tonic Major Chord（D♭ Ionian,D♭ Lydian）

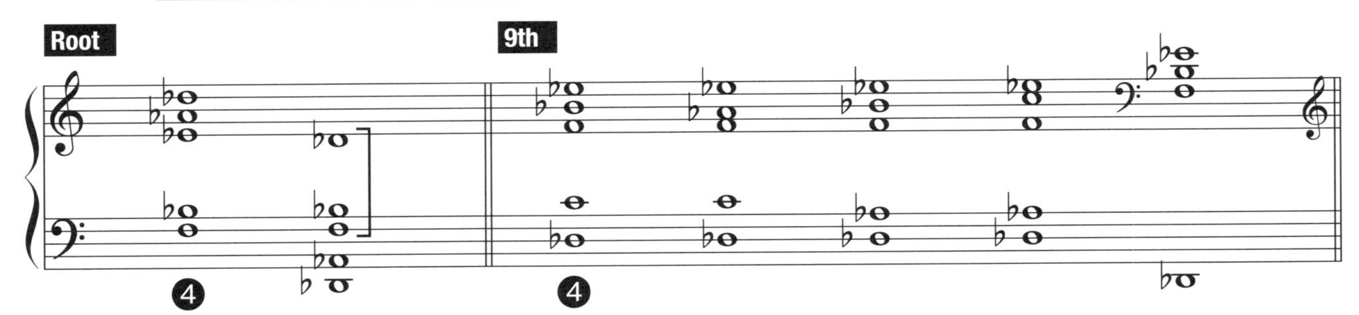

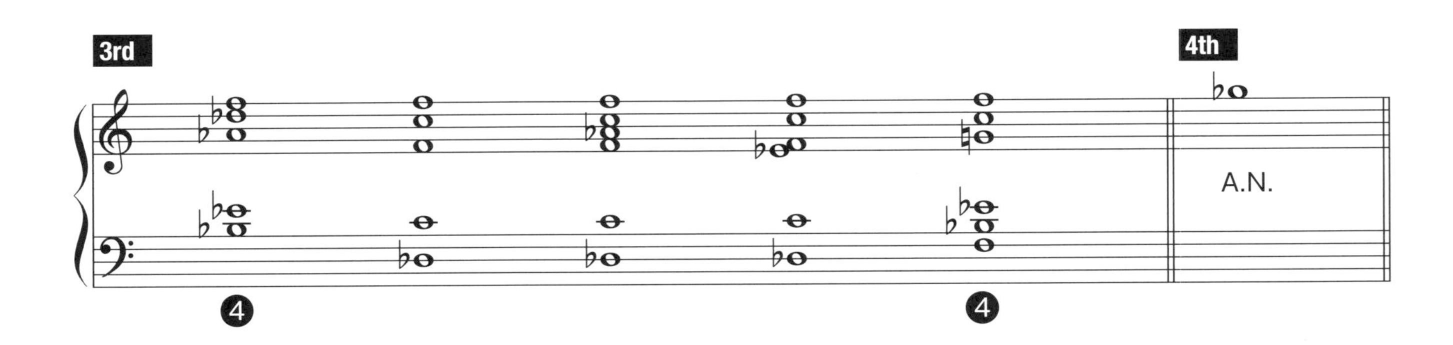

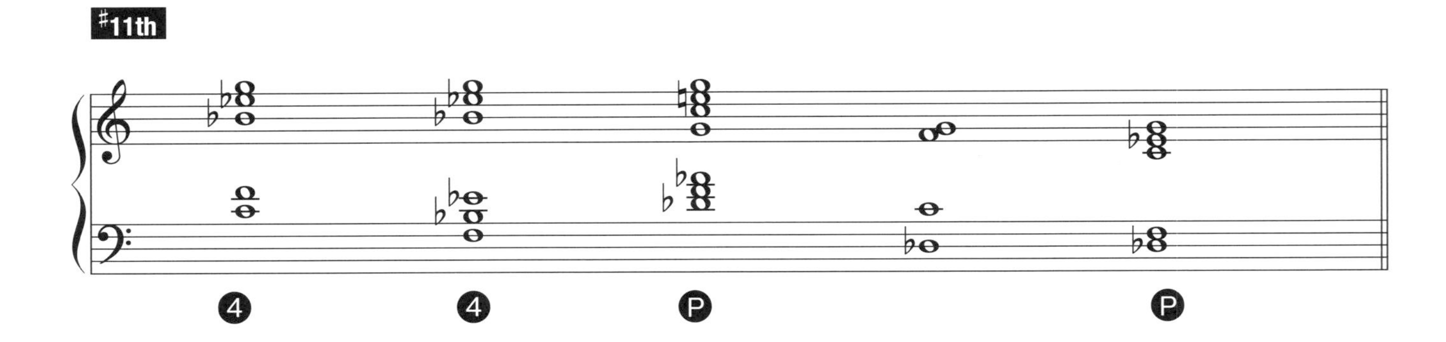

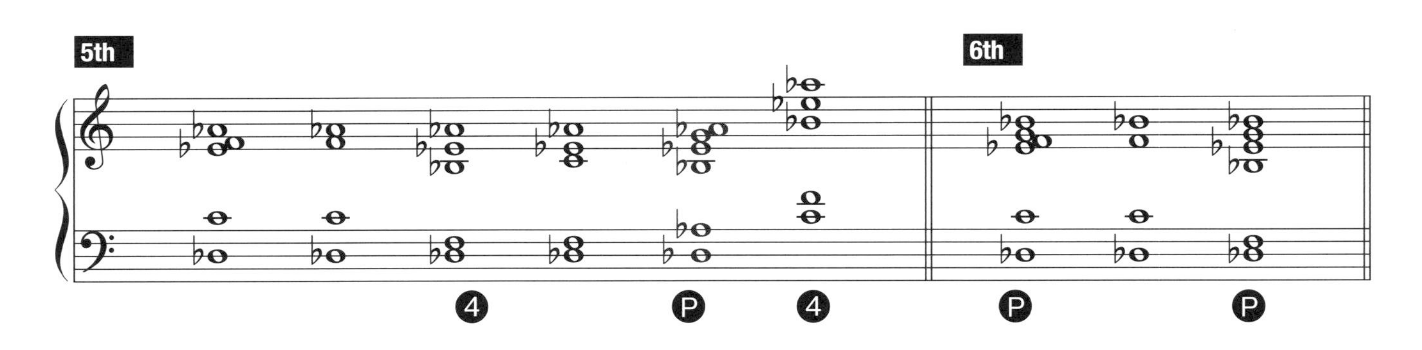

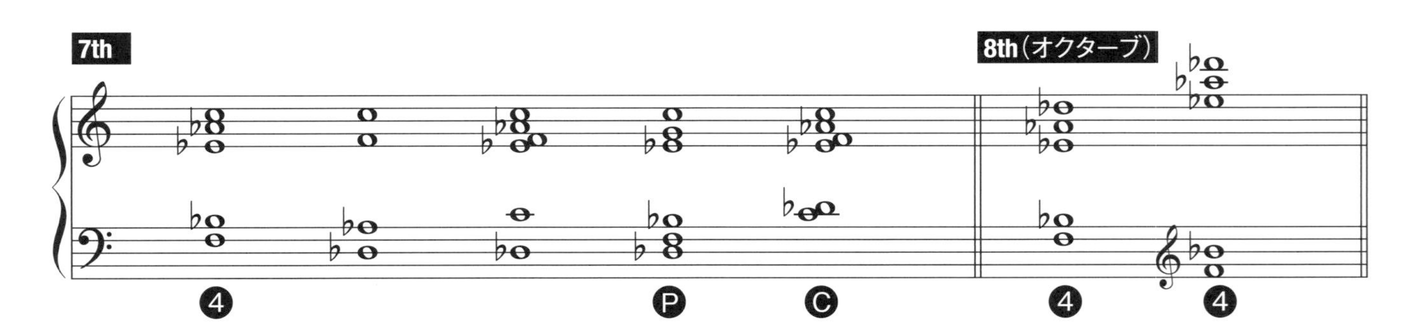

D♭m Tonic Minor Chord（D♭ Melodic Minor Scale）

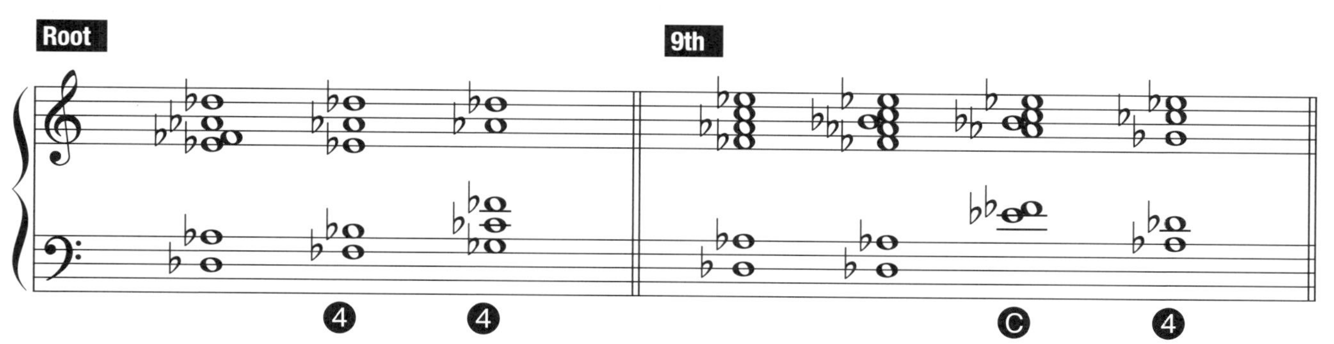

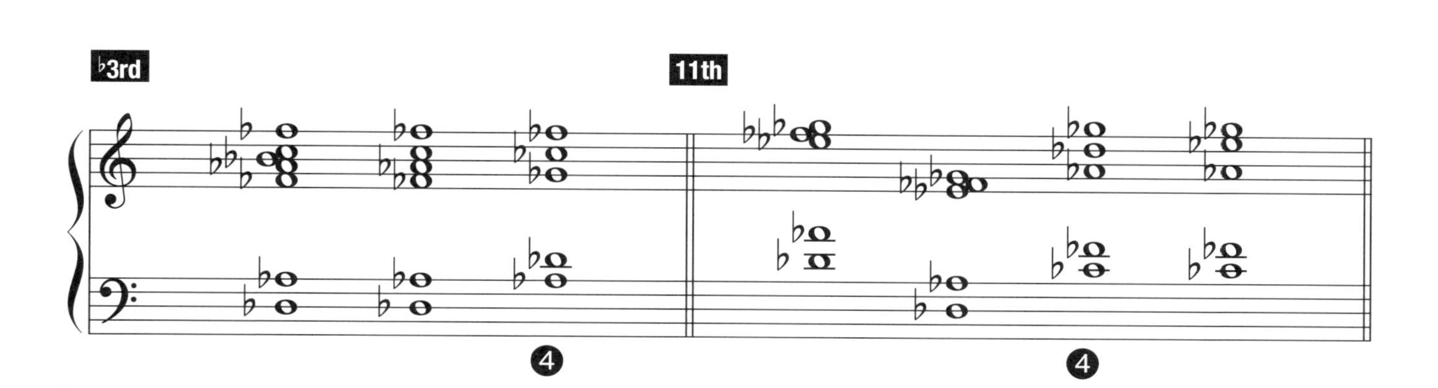

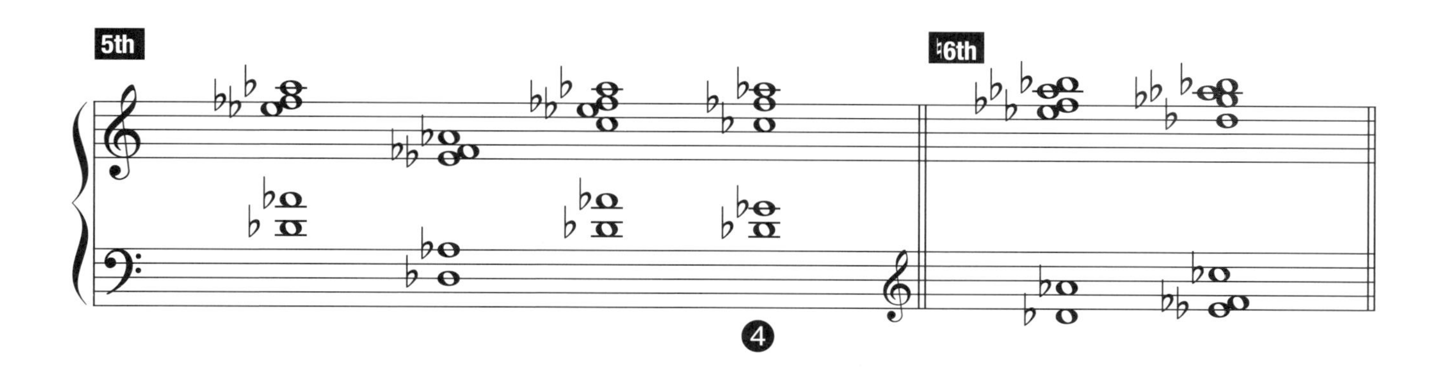

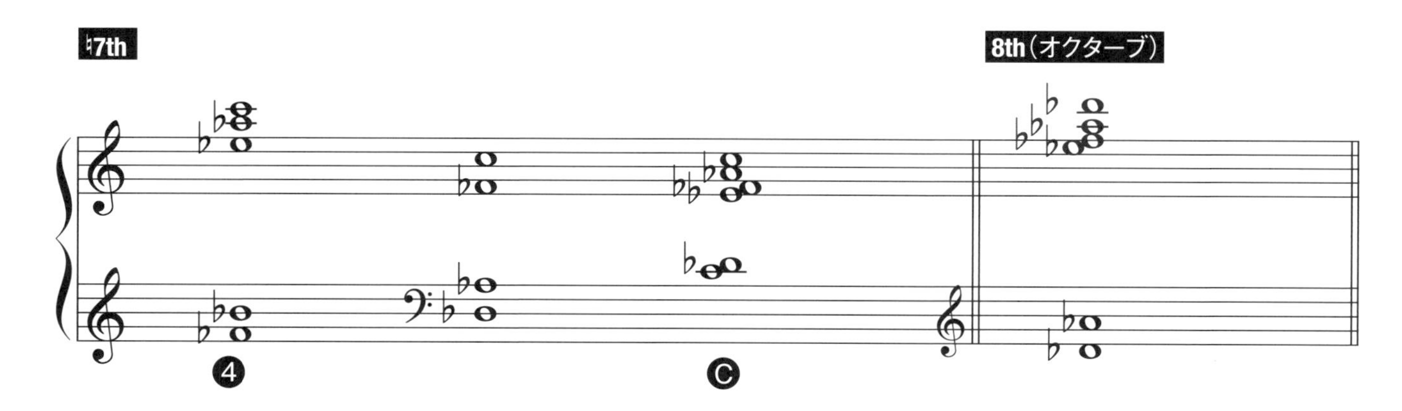

D♭m7　Minor 7th Chord（D♭ Dorian）

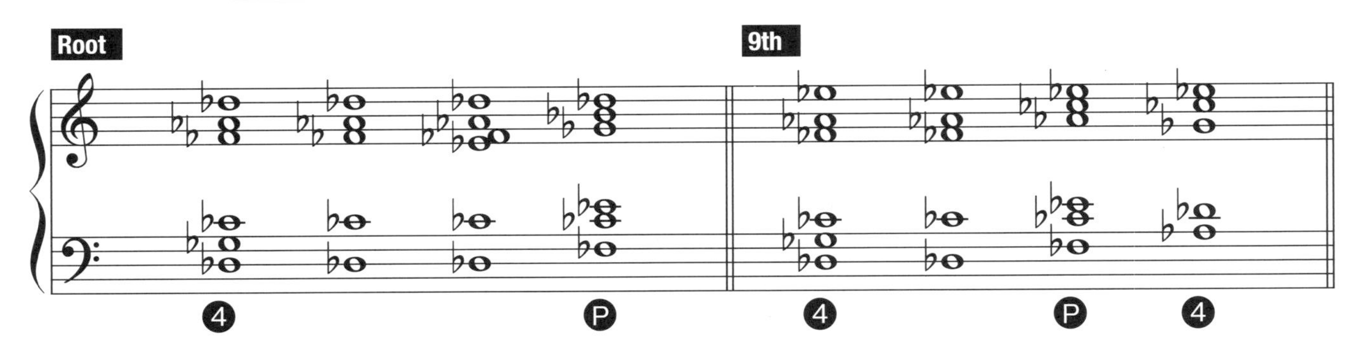

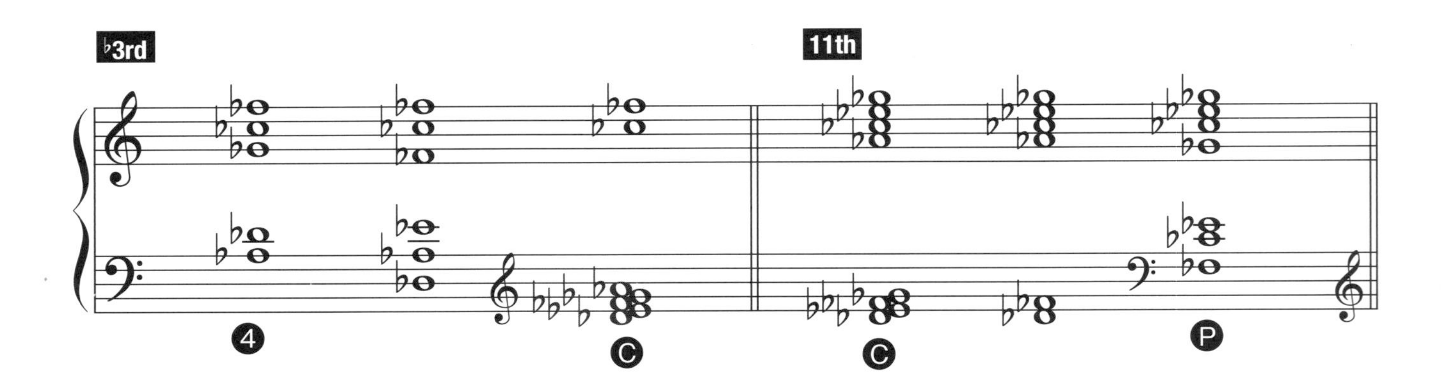

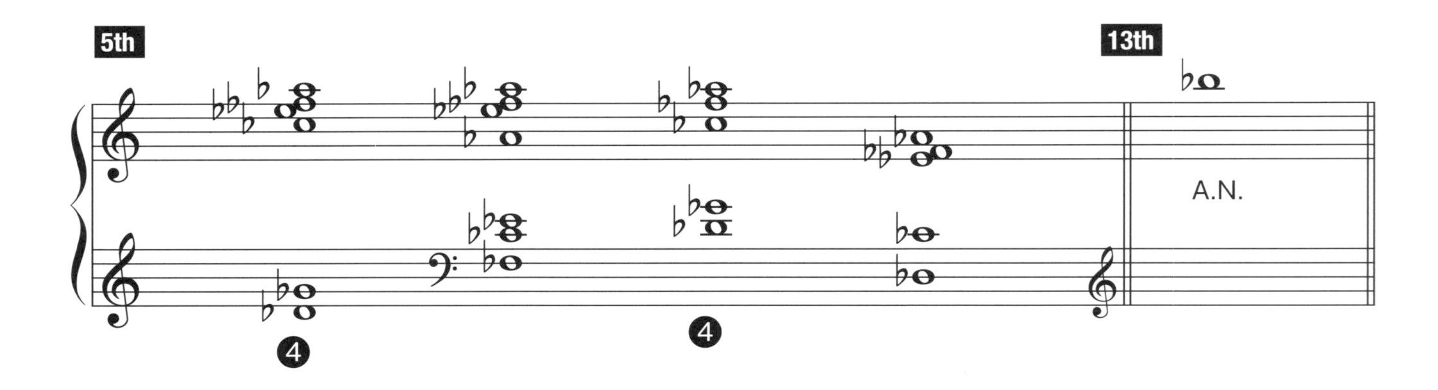

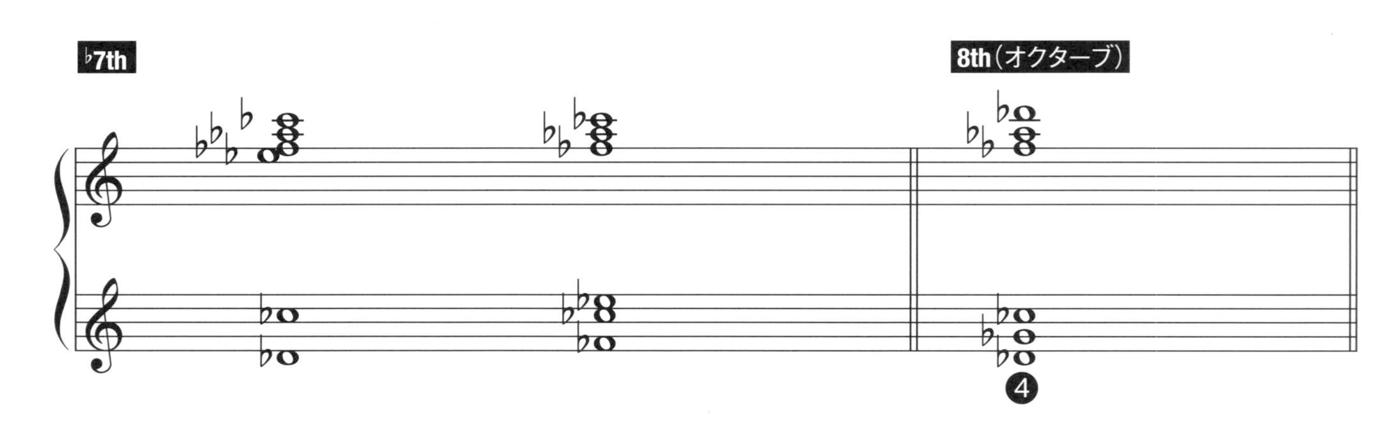

D♭m7(♭5) Minor 7th Flatted 5th Chord（D♭ Altered Dorian）

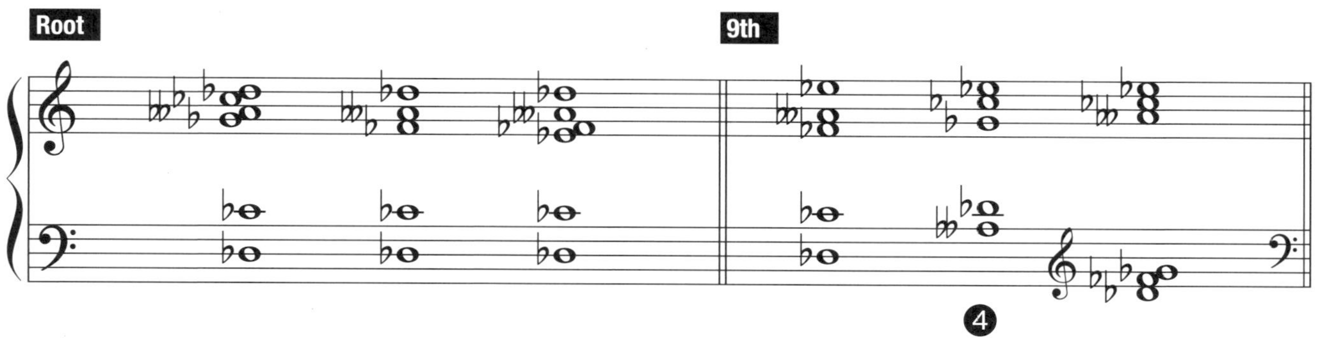

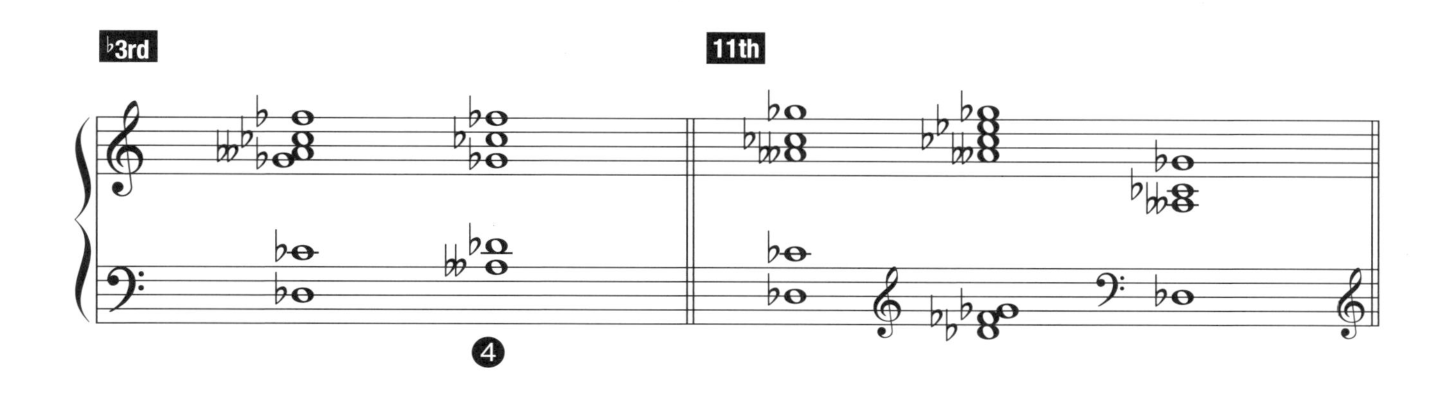

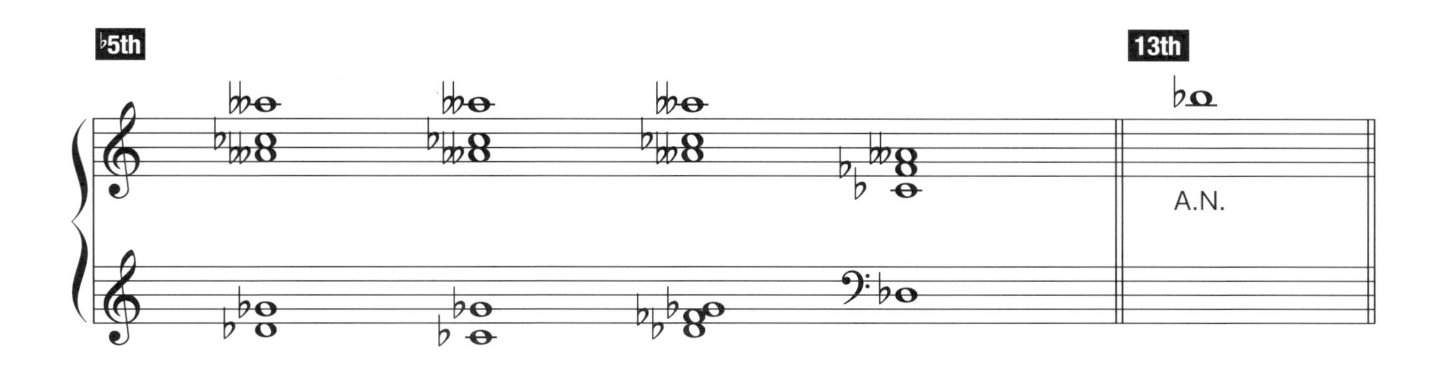

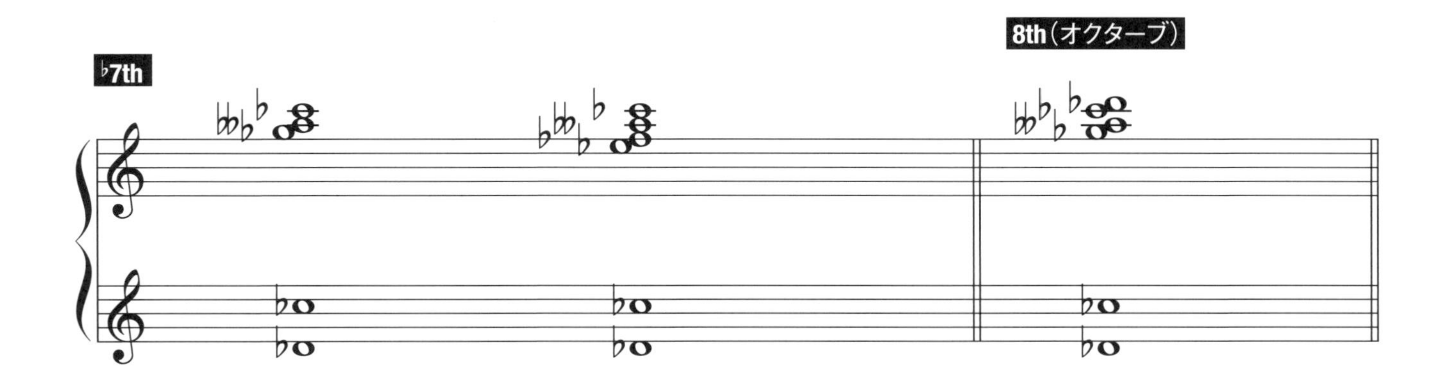

D7 Dominant 7th Chord

●Dをルートとしたときのテンション

♭9th	9th	♯9th	11th	♯11th	♭13th	13th
E♭(D♯)	E	F	G	A♭(G♯)	B♭(A♯)	B

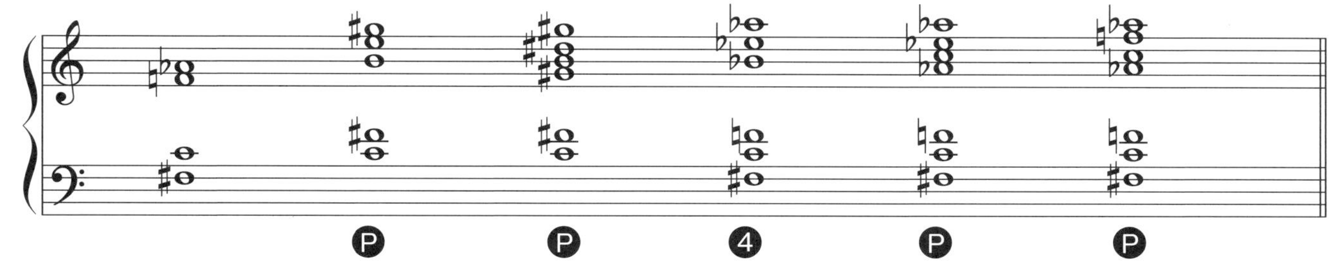

5th

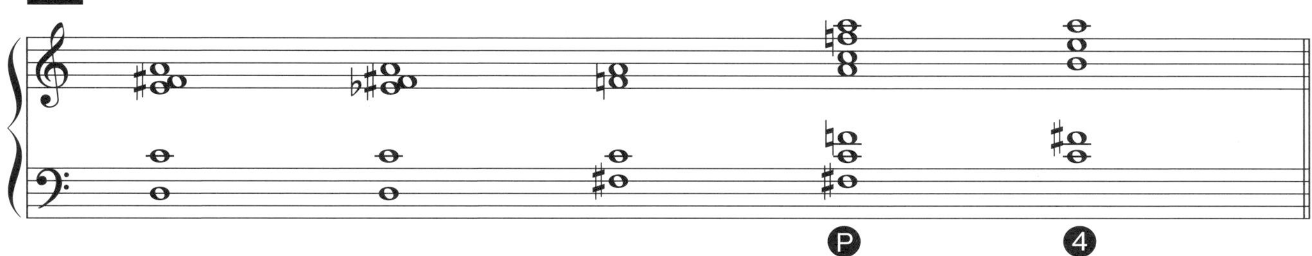

♭13th

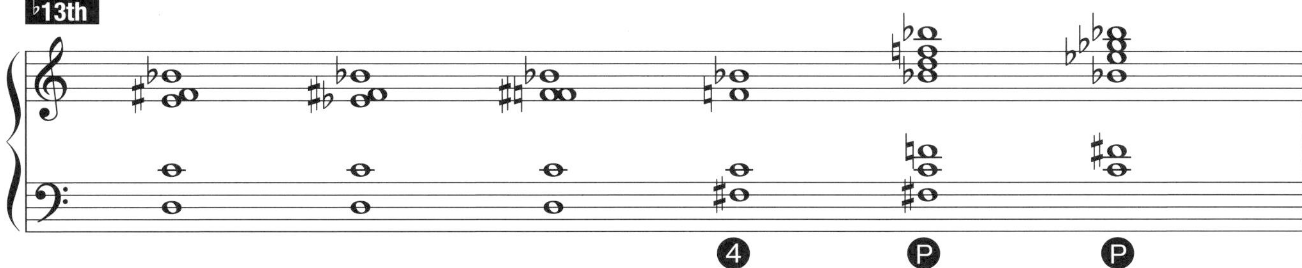

13th

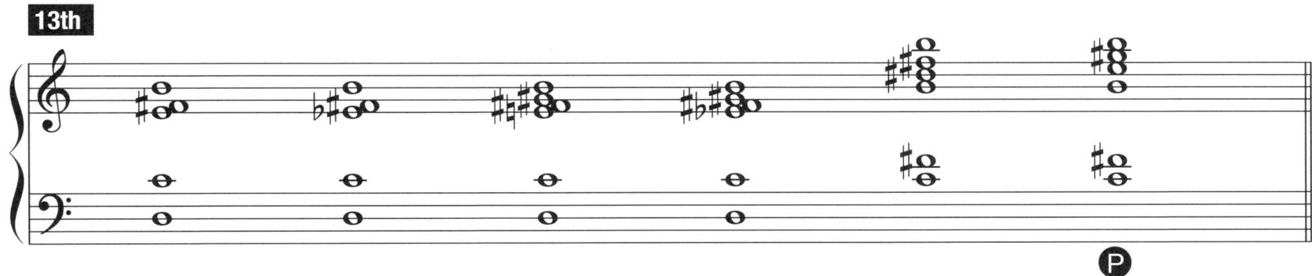

♭7th

D7(♭9) Diminished Note Harmonization

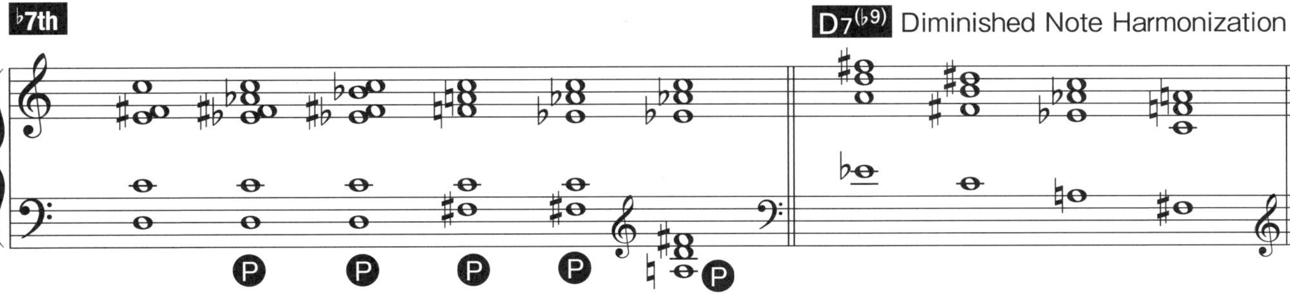

D7(♭9)

D7(♭9)

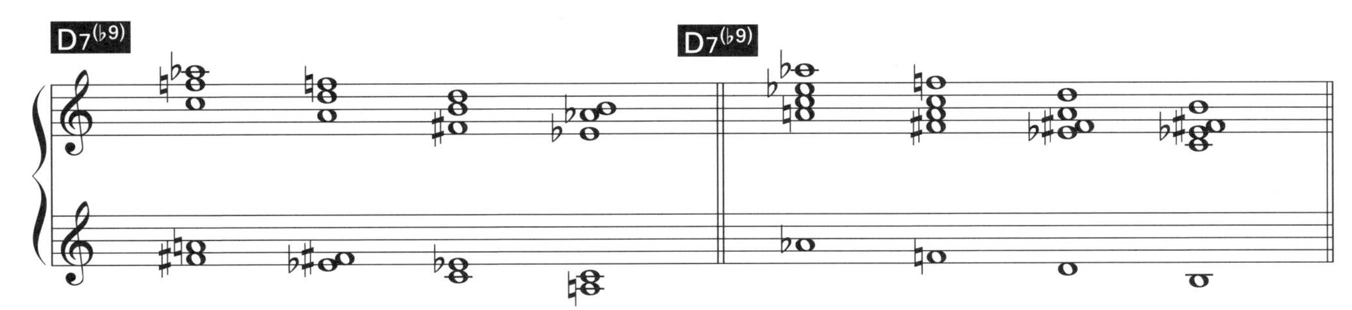

D　Tonic Major Chord（D Ionian,D Lydian）

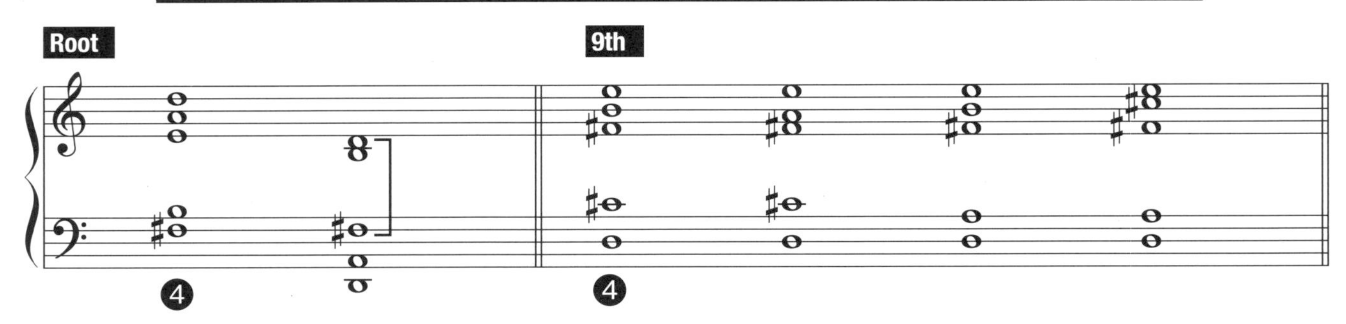

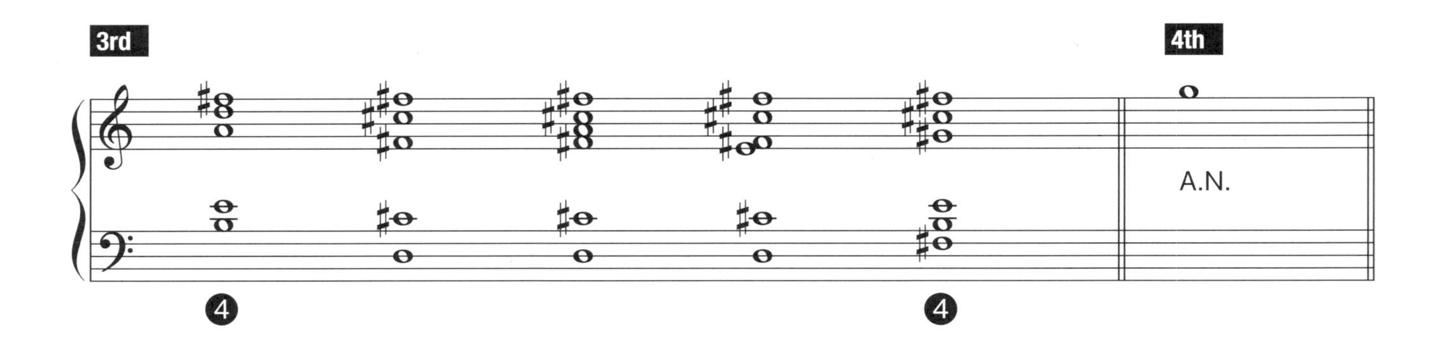

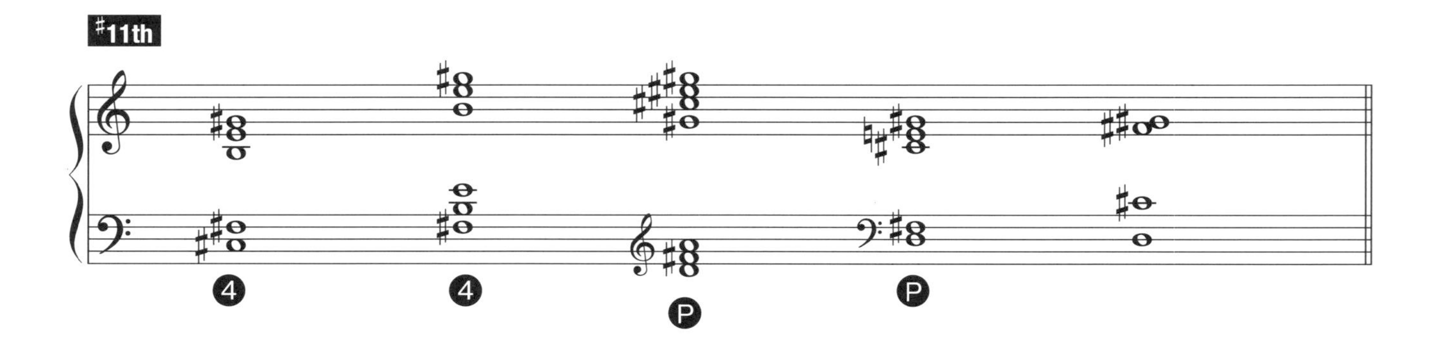

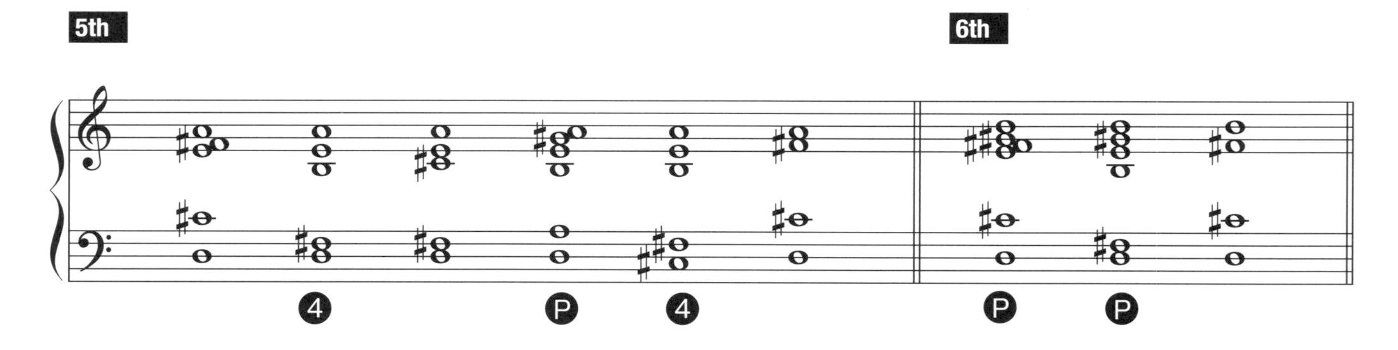

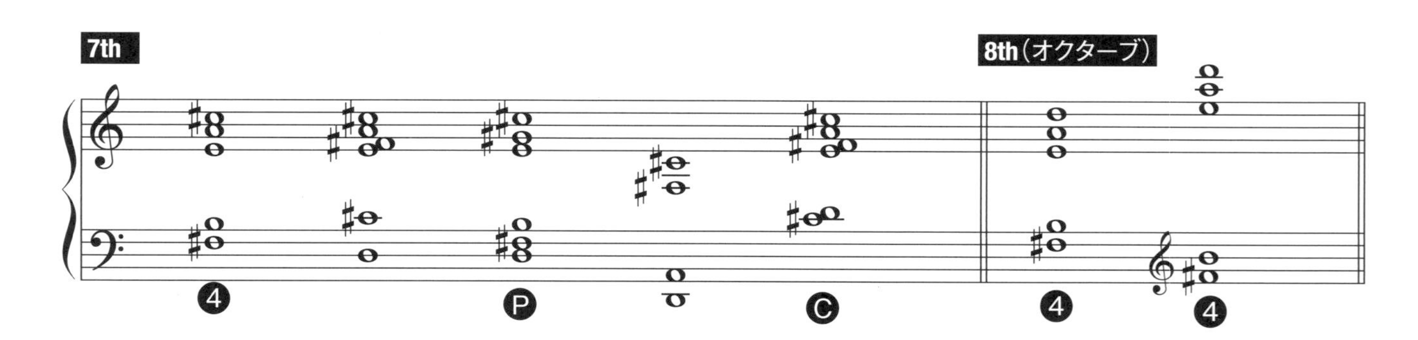

Dm　Tonic Minor Chord（D Melodic Minor Scale）

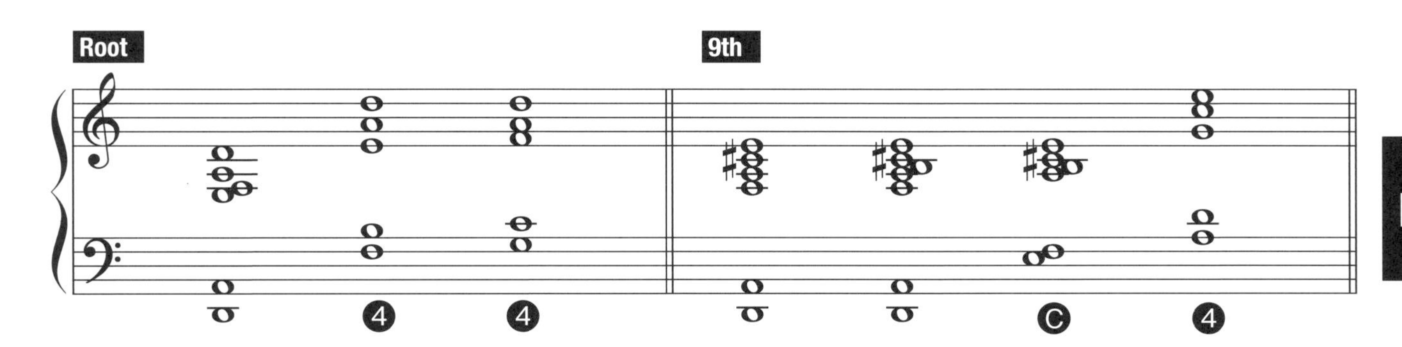

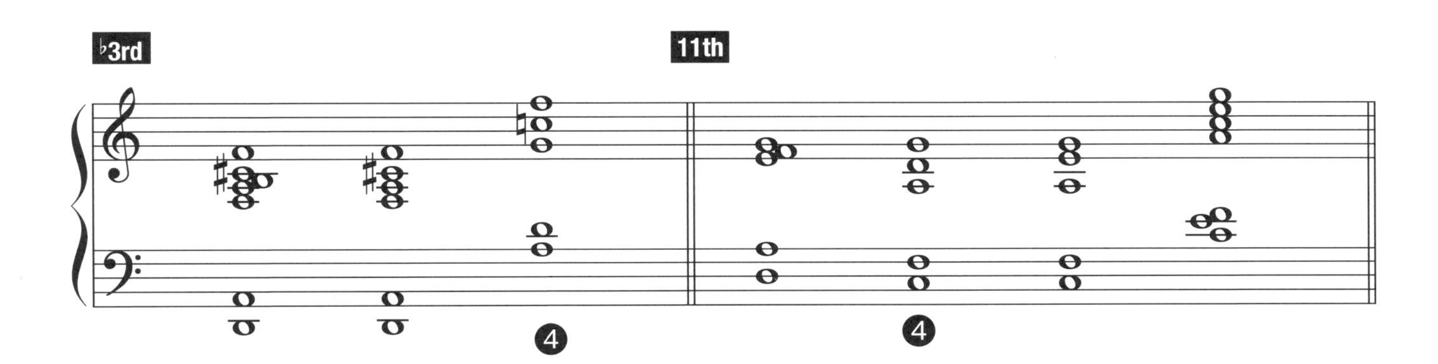

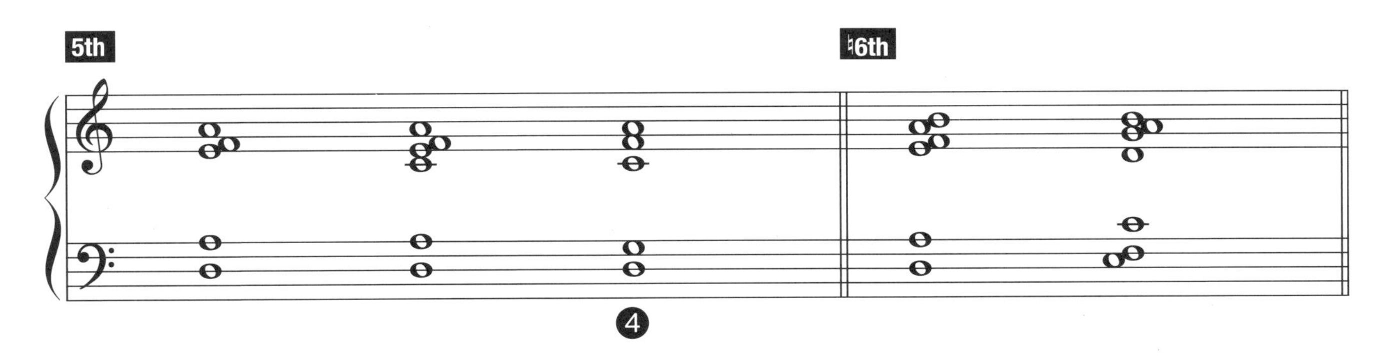

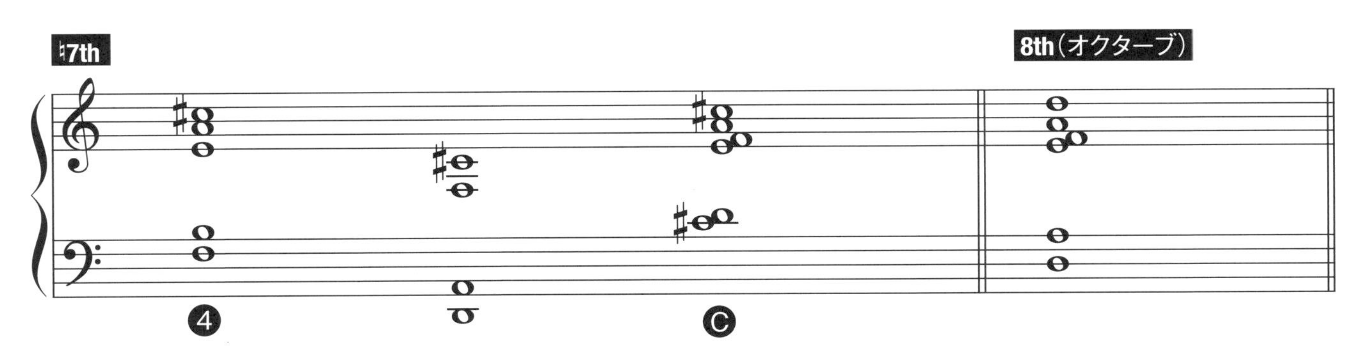

Dm7　Minor 7th Chord（D Dorian）

Root

9th

4　P　4　P　4

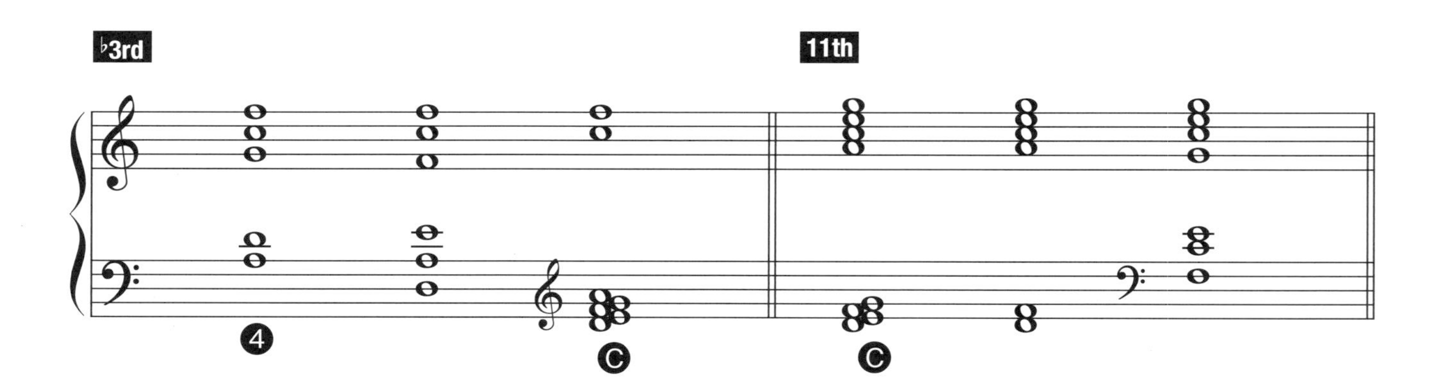

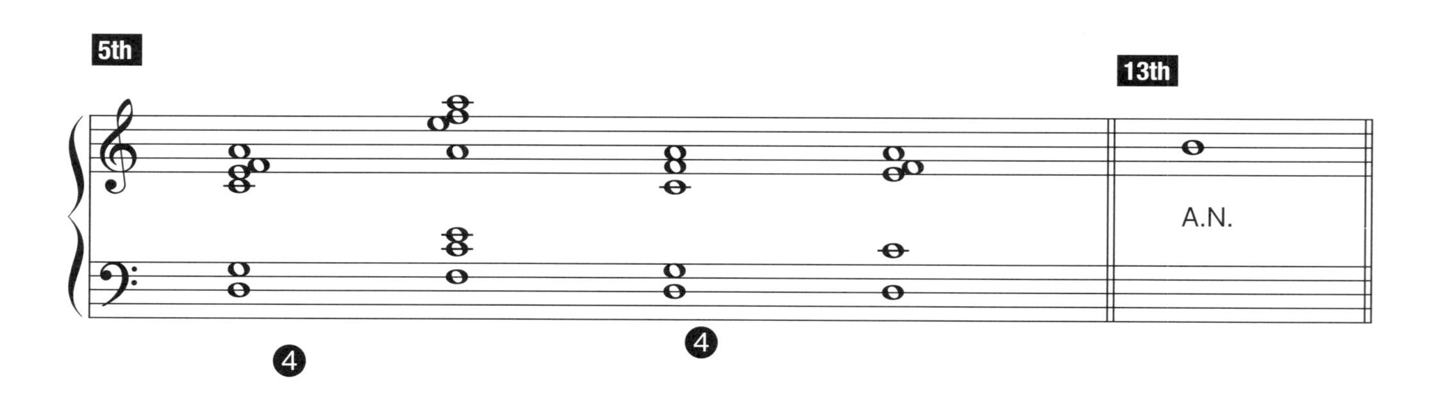

♭7th

8th（オクターブ）

4

Dm7(♭5) Minor 7th Flatted 5th Chord (D Altered Dorian)

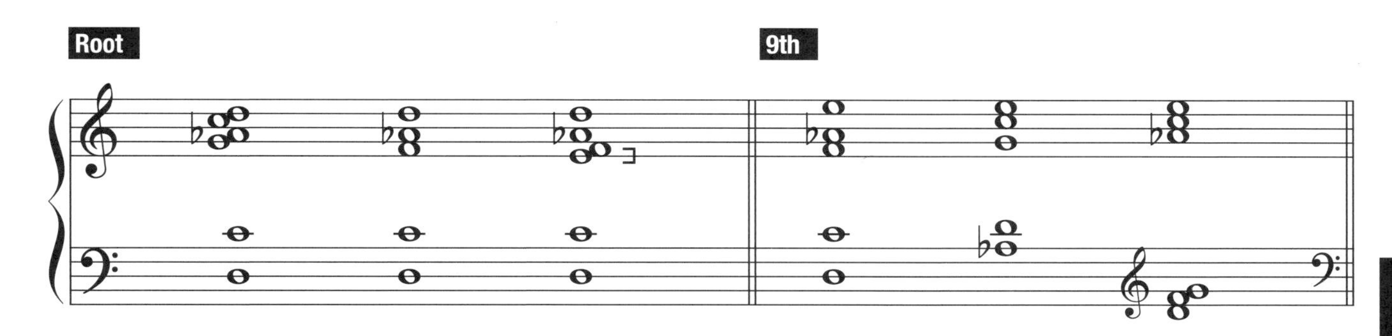

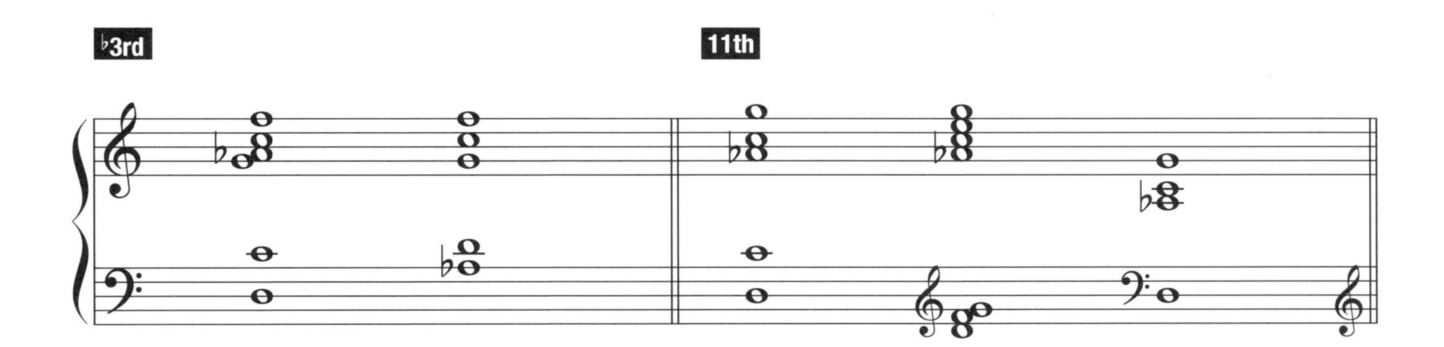

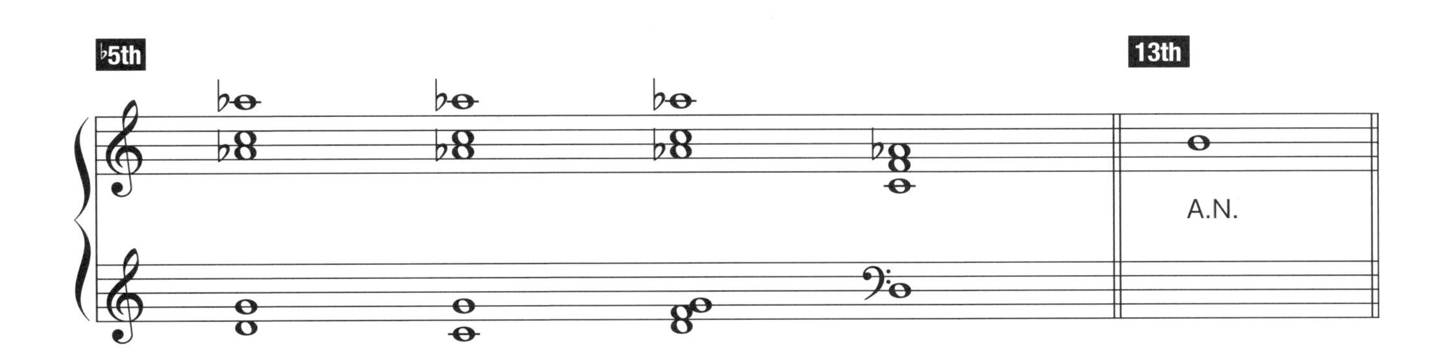

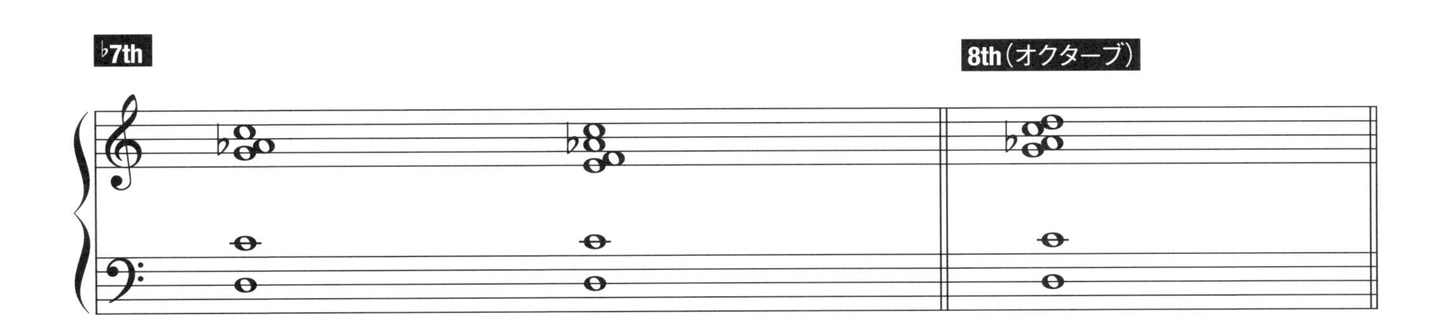

E♭7 Dominant 7th Chord

● E♭ をルートとしたときのテンション

♭9th	9th	♯9th	11th	♯11th	♭13th	13th
F♭(E)	F	G♭(F♯)	A♭(G♯)	A	B(C♭)	C

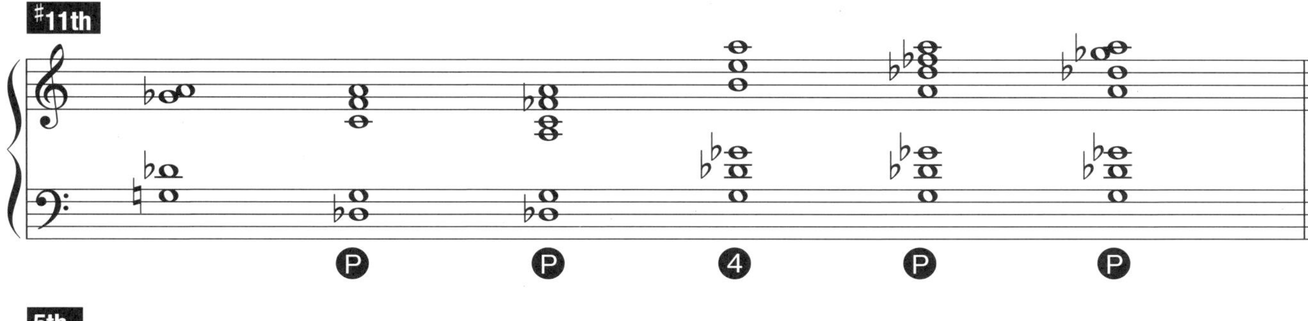

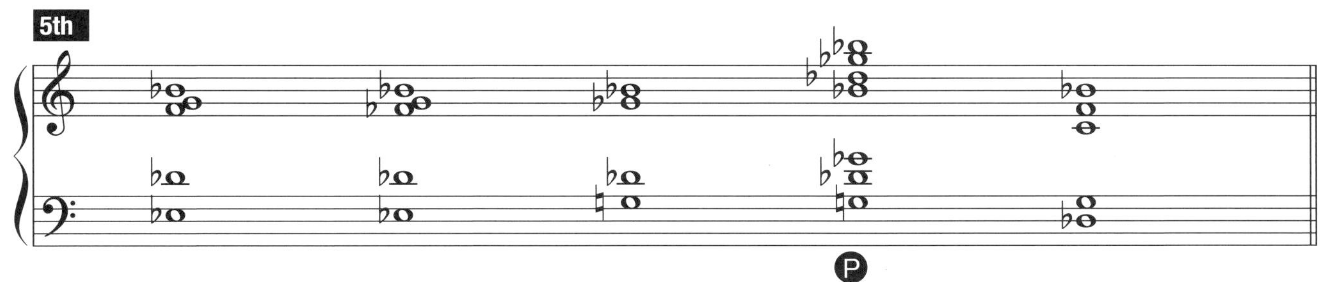

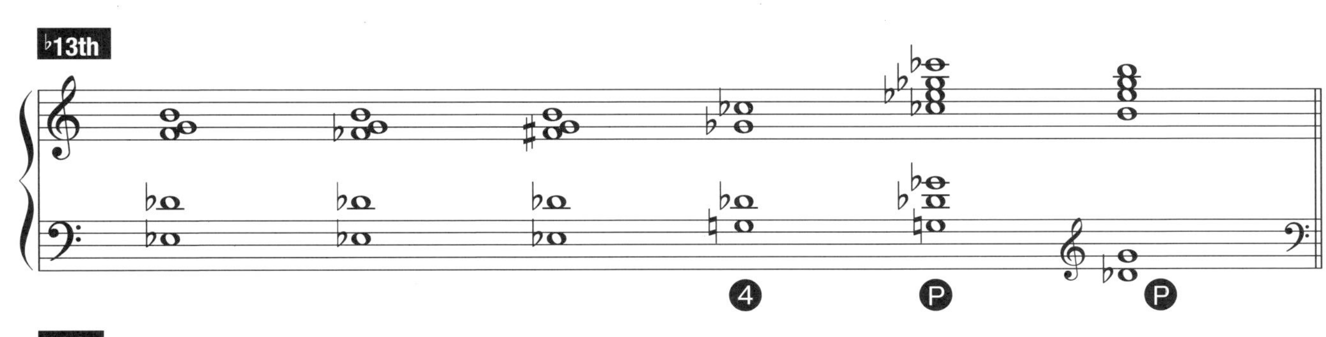

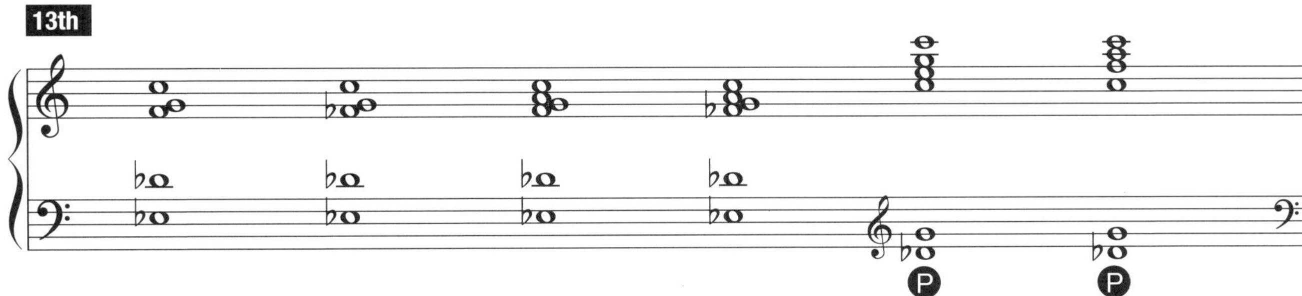

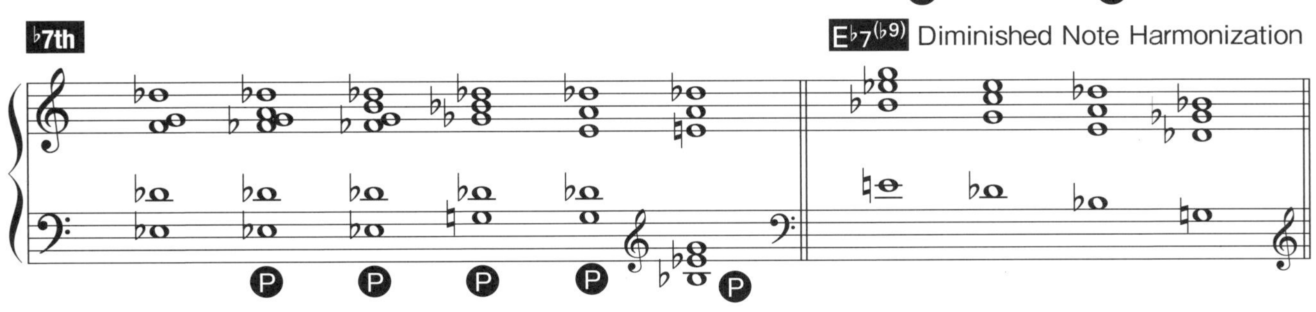

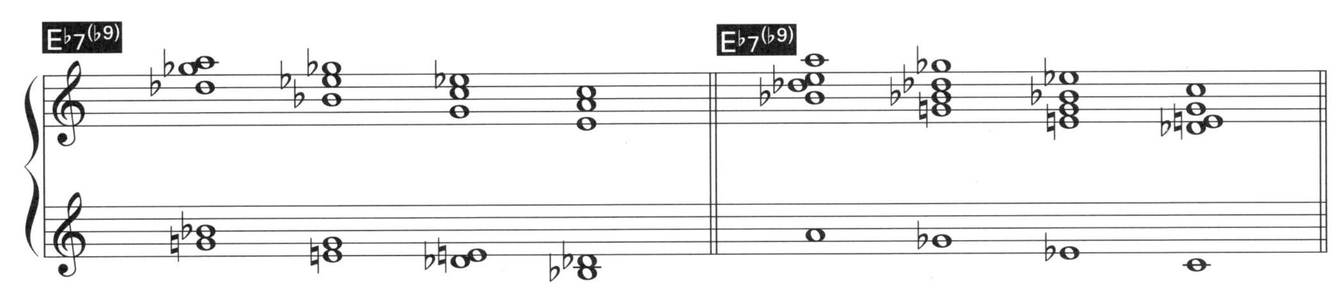

E♭　Tonic Major Chord（E♭ Ionian,E♭ Lydian）

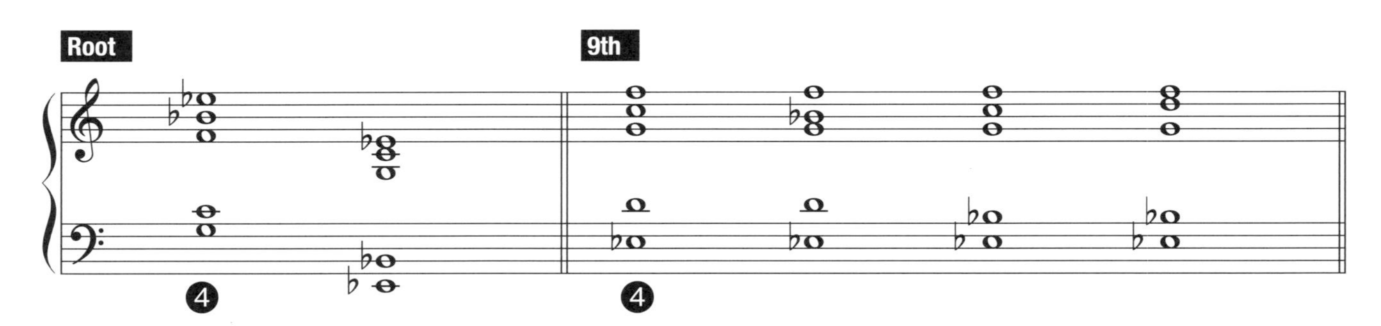

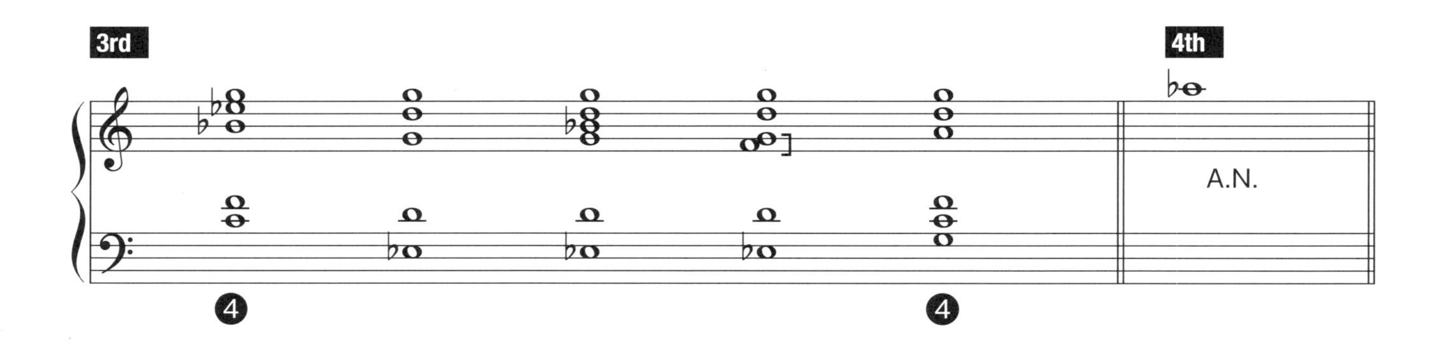

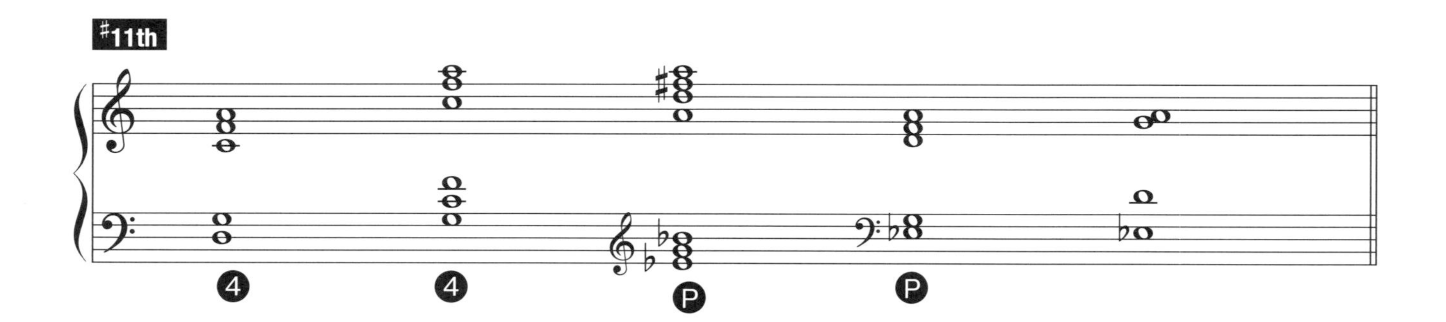

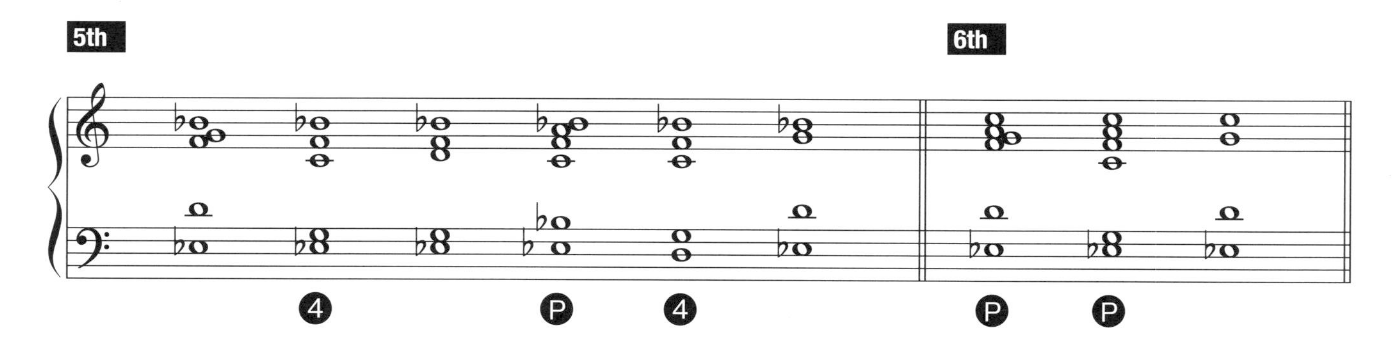

7th

8th(オクターブ)

4 P C 4

E♭m Tonic Minor Chord（E♭ Melodic Minor Scale）

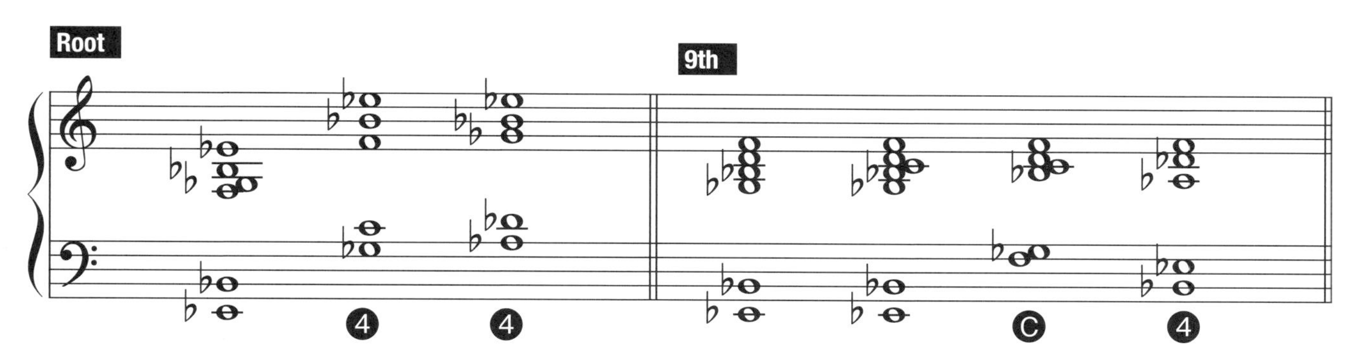

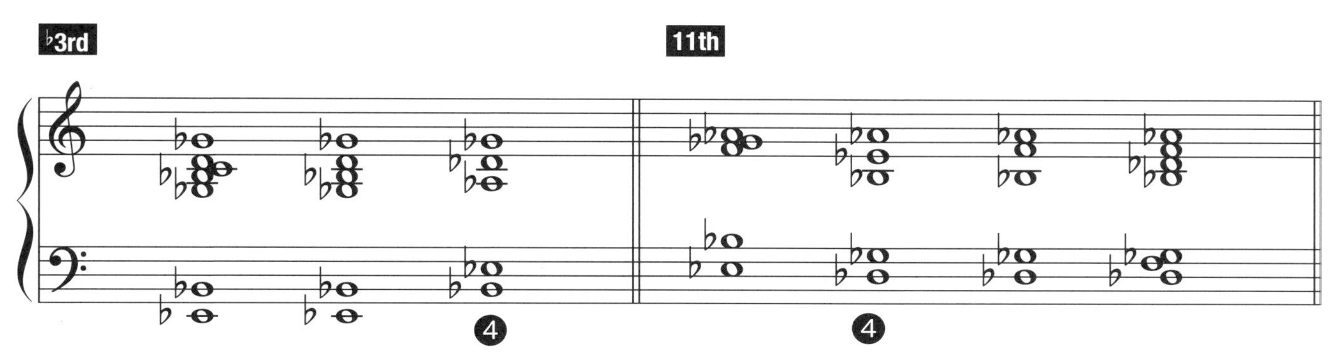

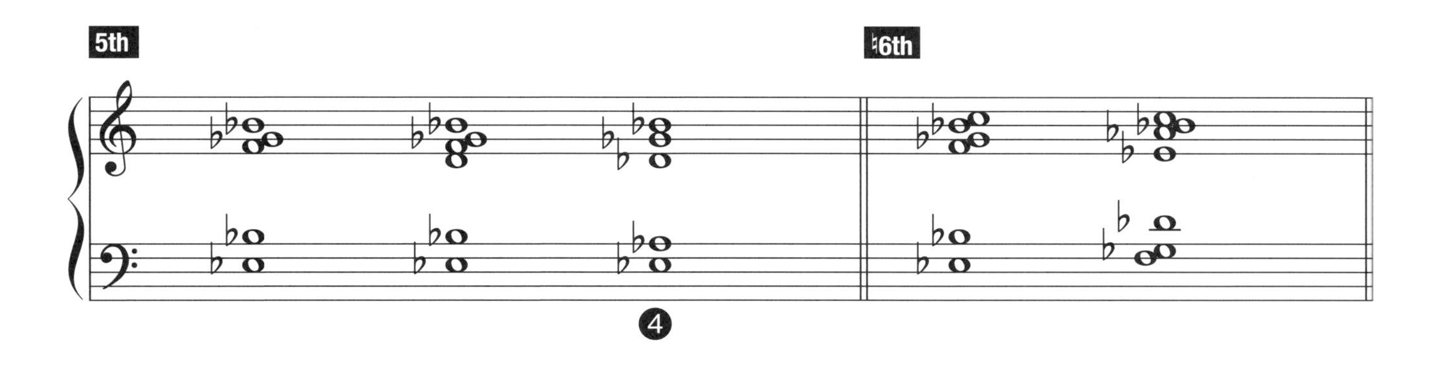

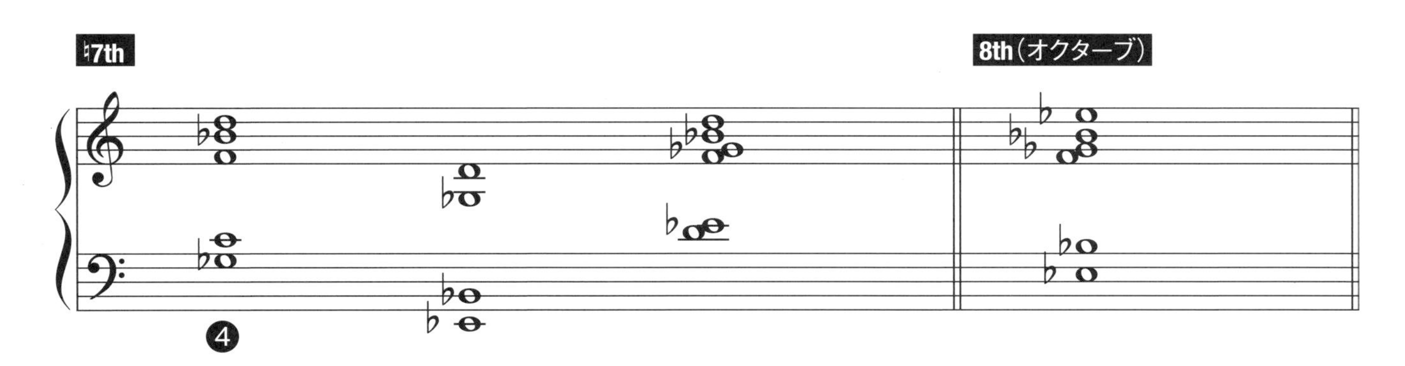

E♭m7　Minor 7th Chord（E♭ Dorian）

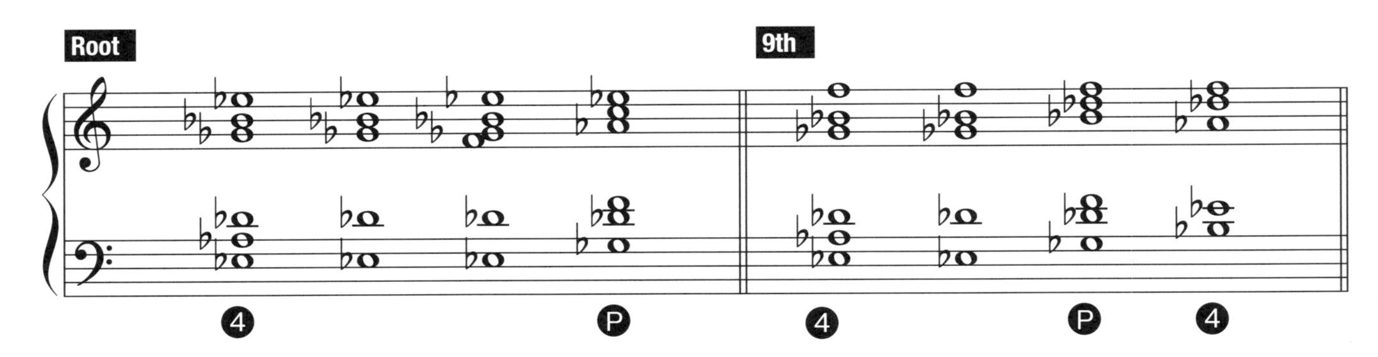

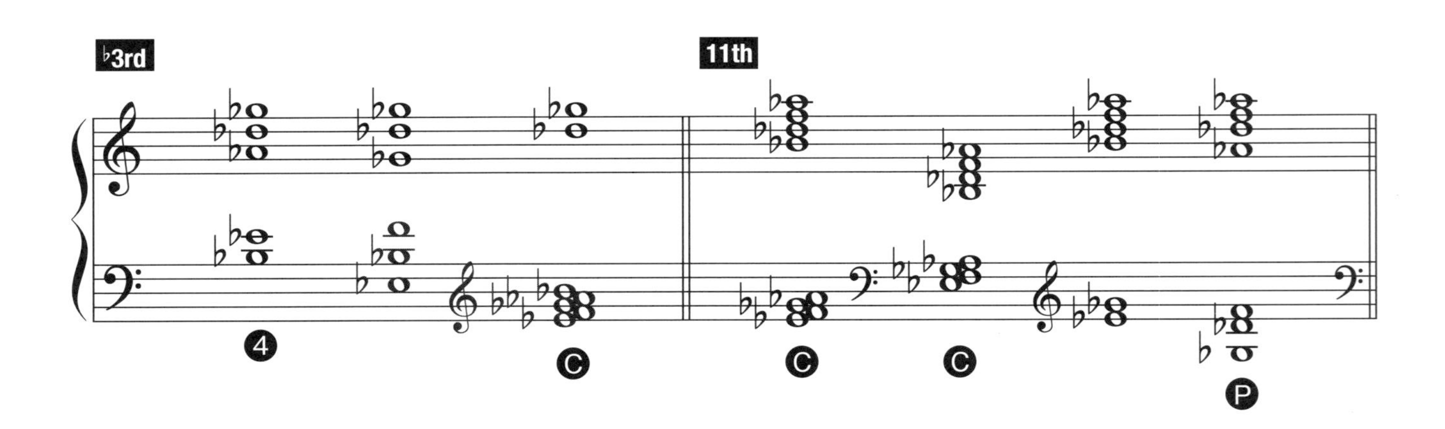

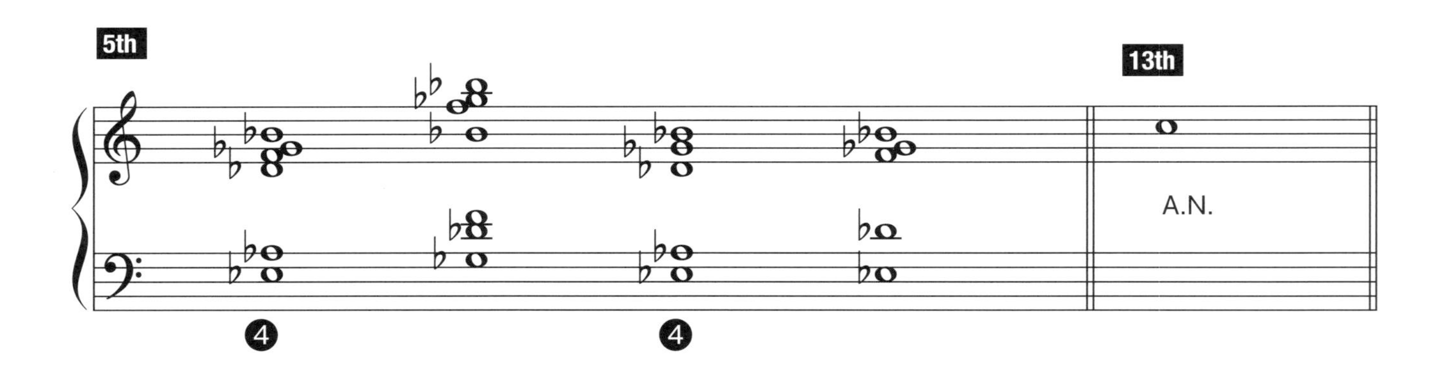

♭7th

8th（オクターブ）

4

E♭m7(♭5) Minor 7th Flatted 5th Chord（E♭ Altered Dorian）

Root / 9th

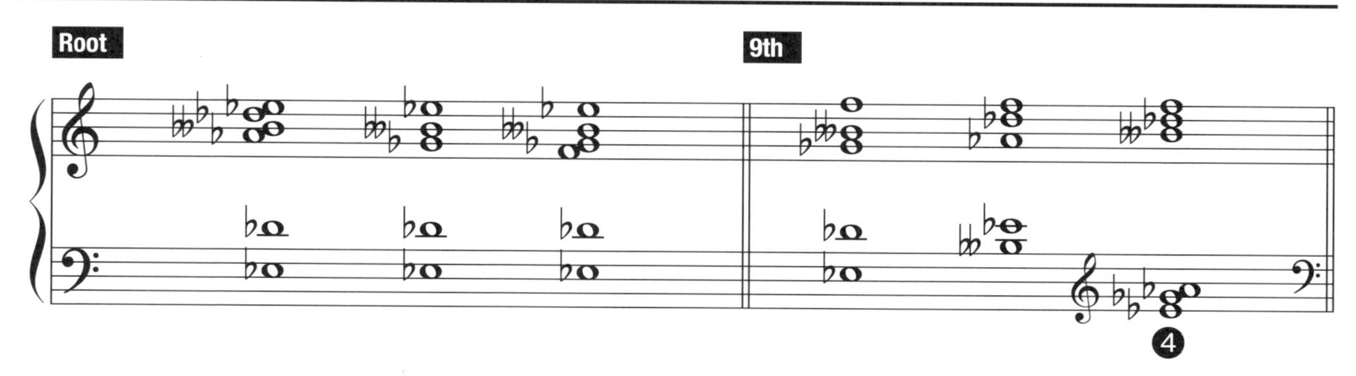

♭3rd / 11th

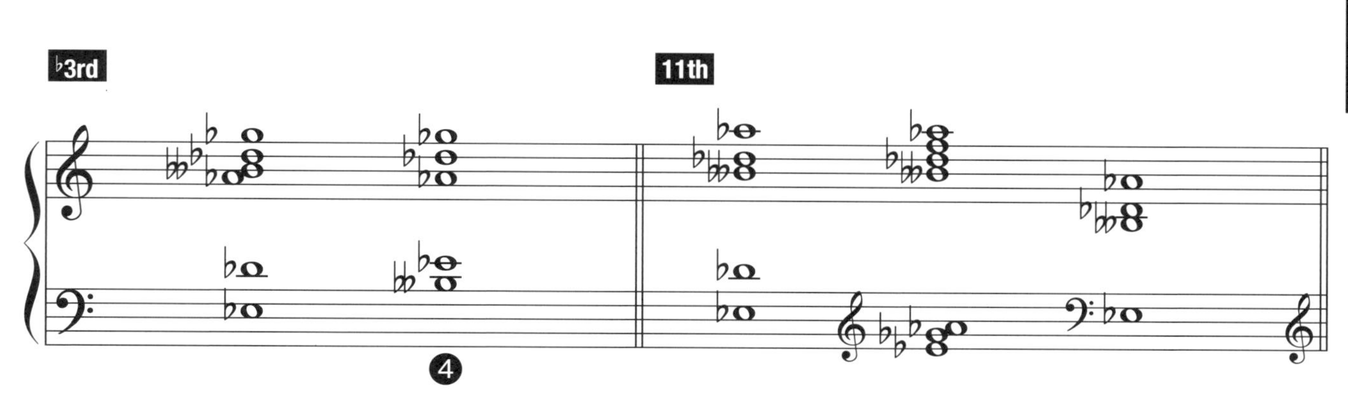

♭5th / 13th

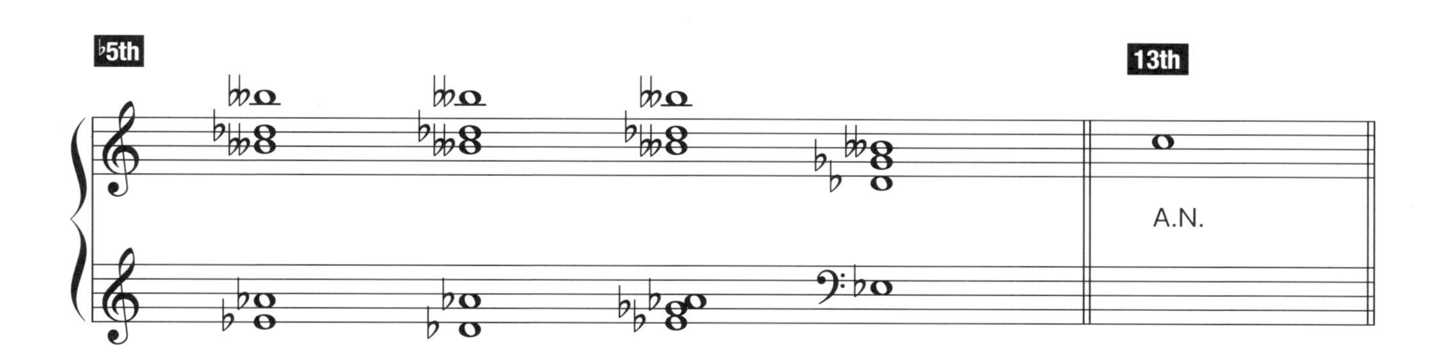

♭7th / 8th（オクターブ）

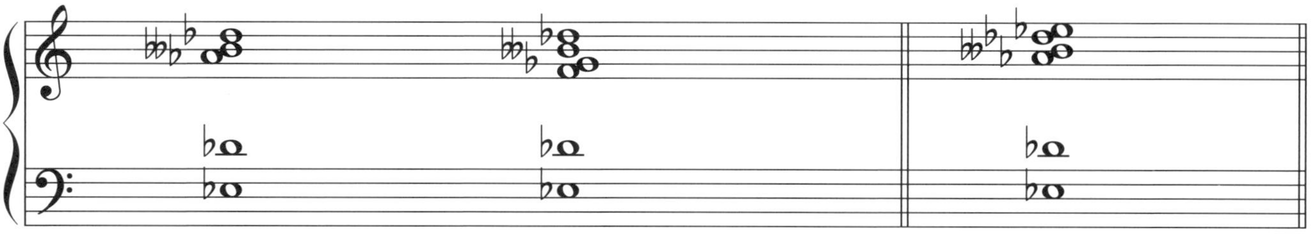

E7 Dominant 7th Chord

●Eをルートとしたときのテンション

♭9th	9th	♯9th	11th	♯11th	♭13th	13th
F	F♯(G♭)	G	A	B♭(A♯)	C	C♯(D♭)

E Tonic Major Chord（E Ionian,E Lydian）

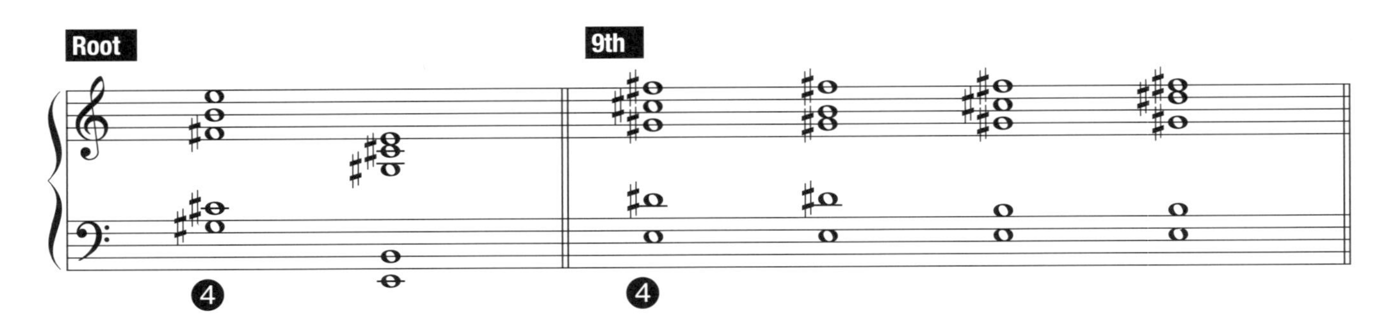

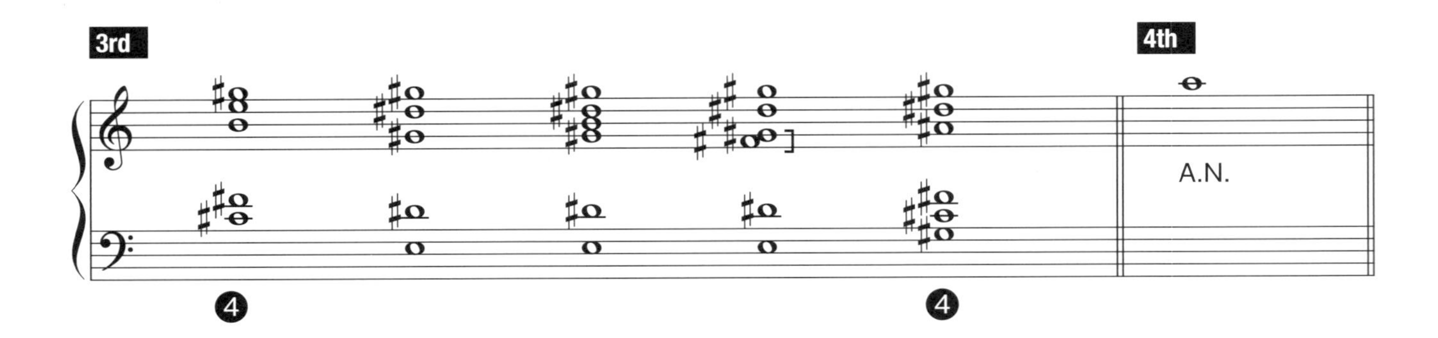

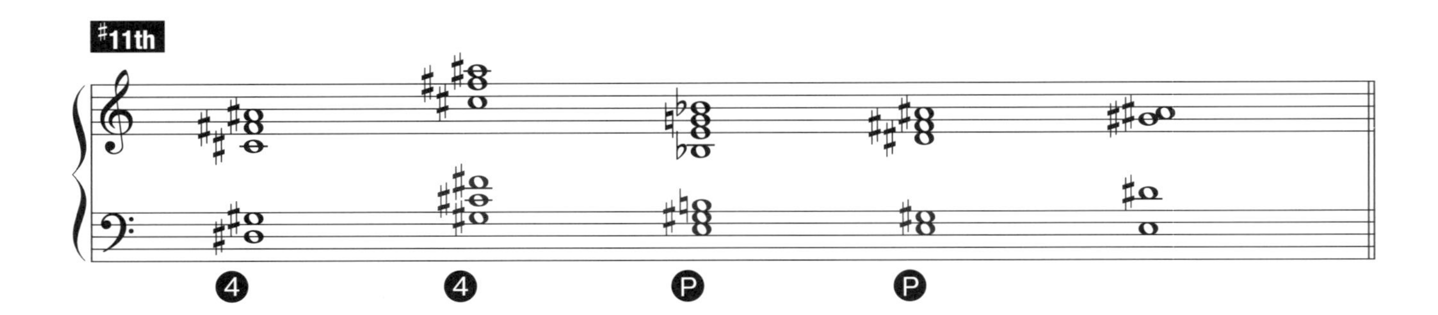

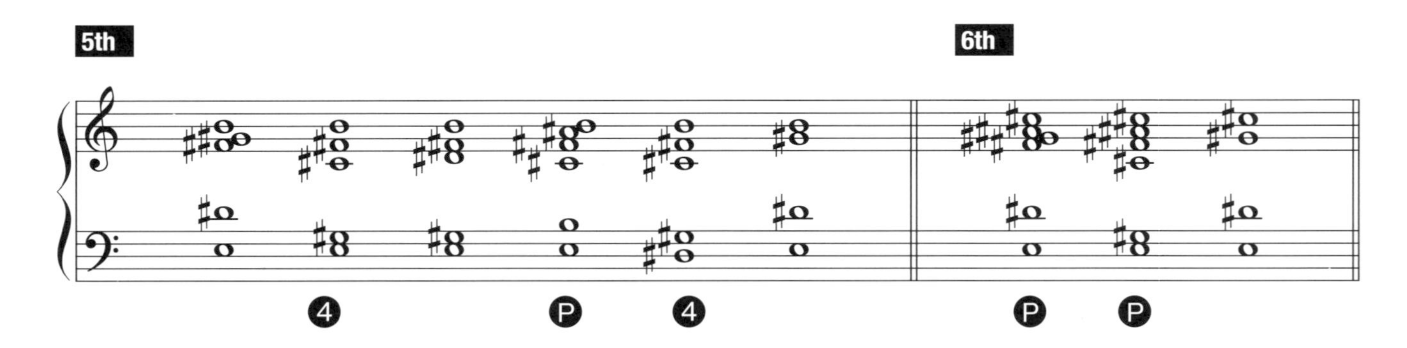

7th
8th（オクターブ）
4
P
C
4

Em Tonic Minor Chord（E Melodic Minor Scale）

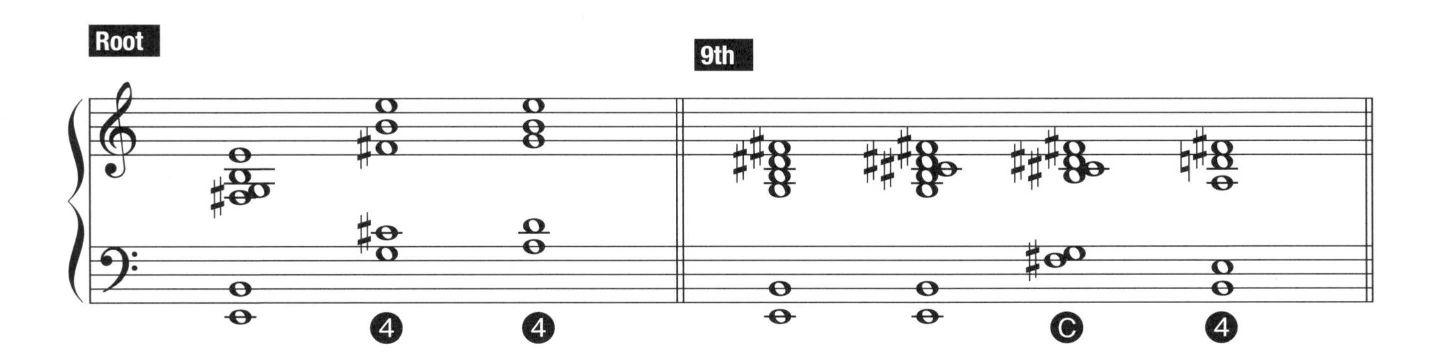

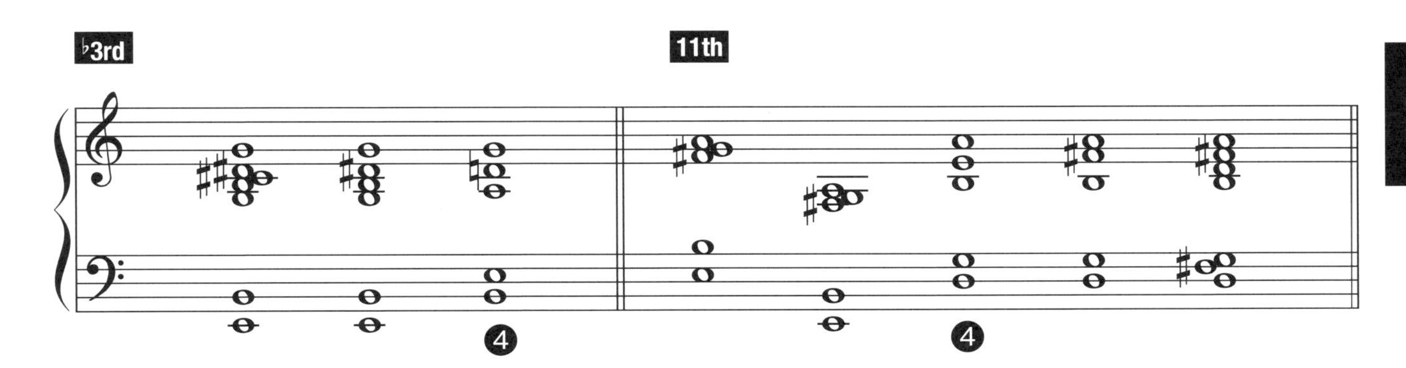

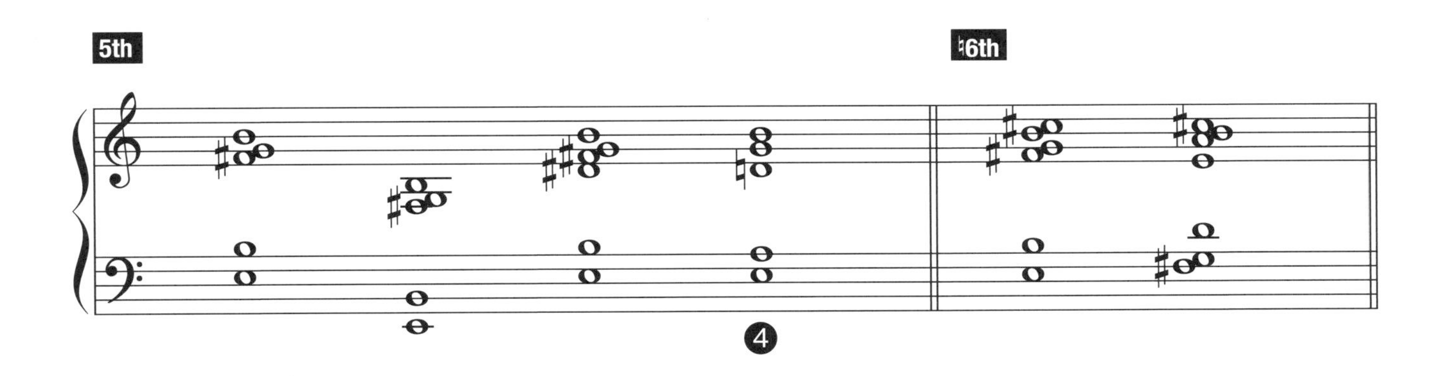

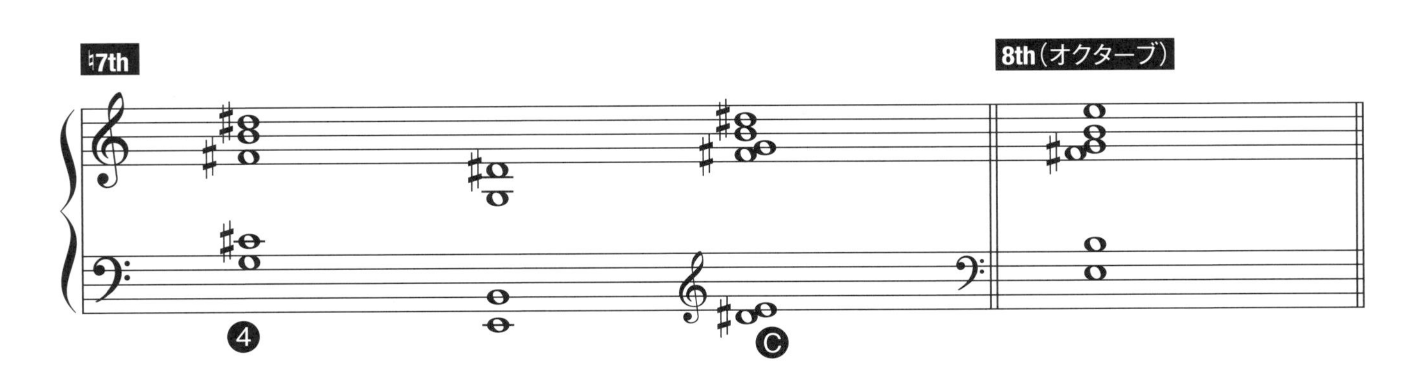

Em7　Minor 7th Chord（E Dorian）

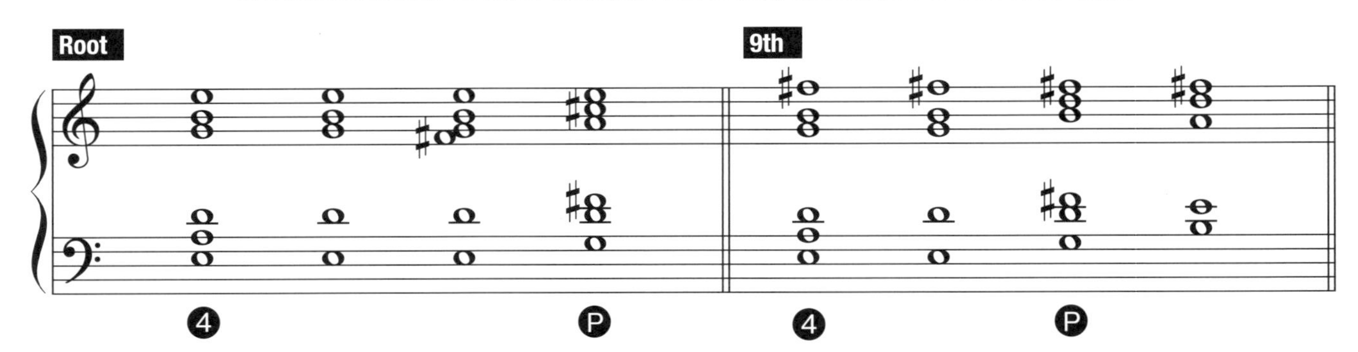

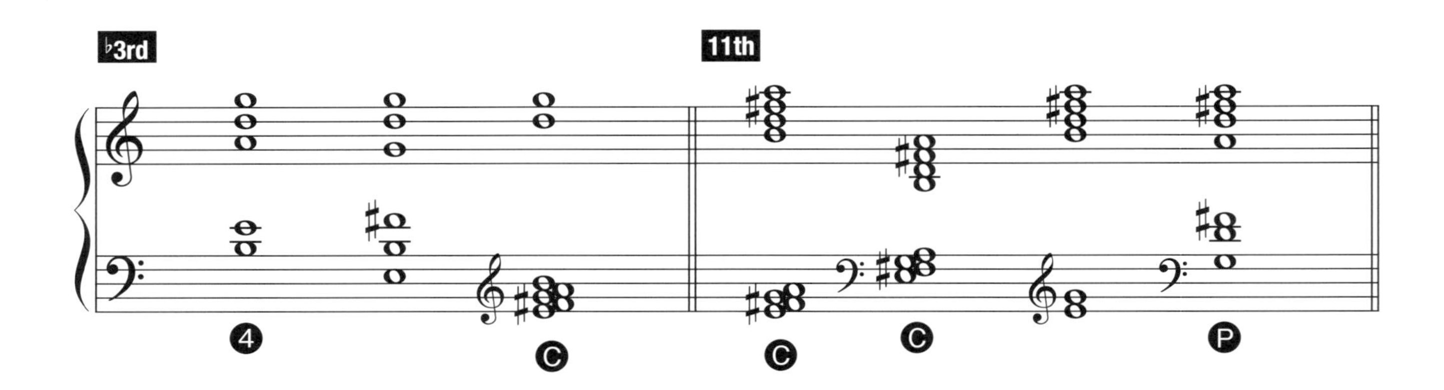

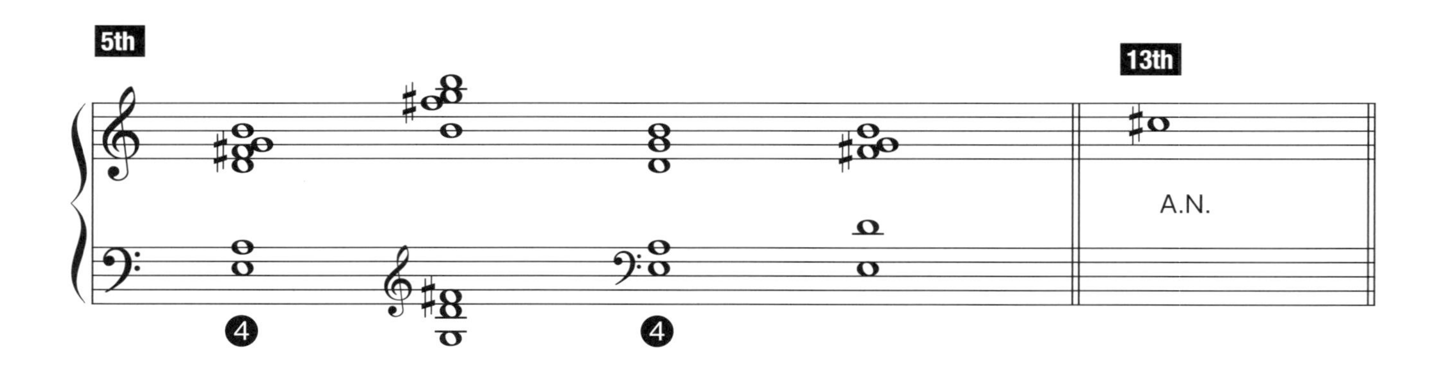

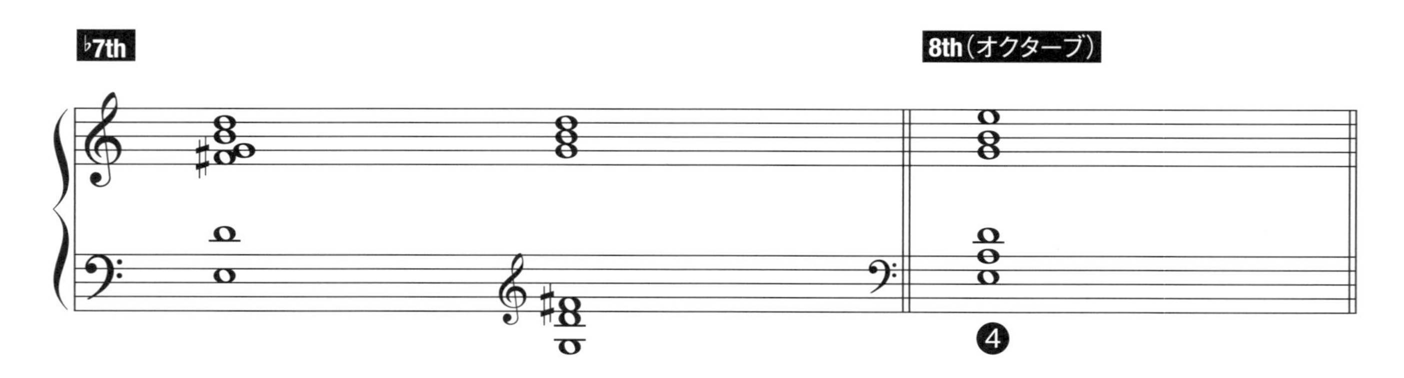

Em7(♭5) Minor 7th Flatted 5th Chord（E Altered Dorian）

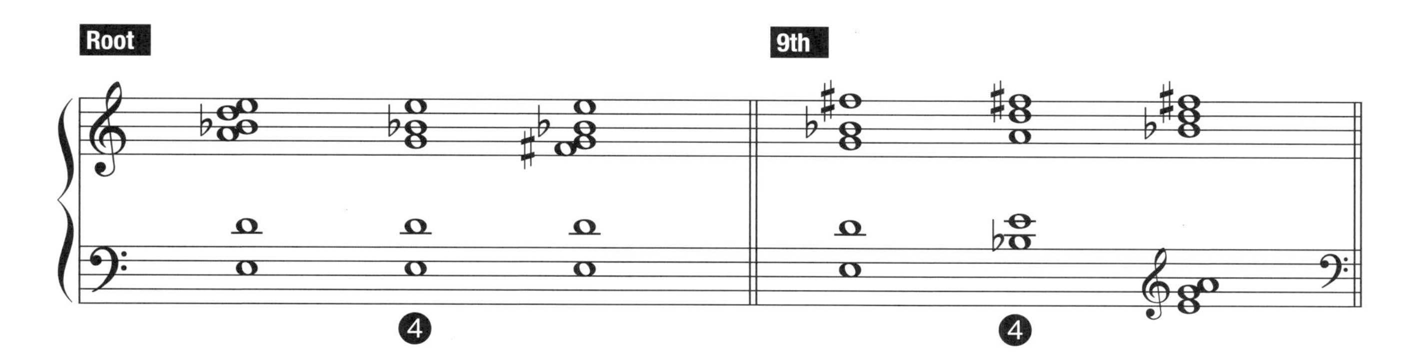

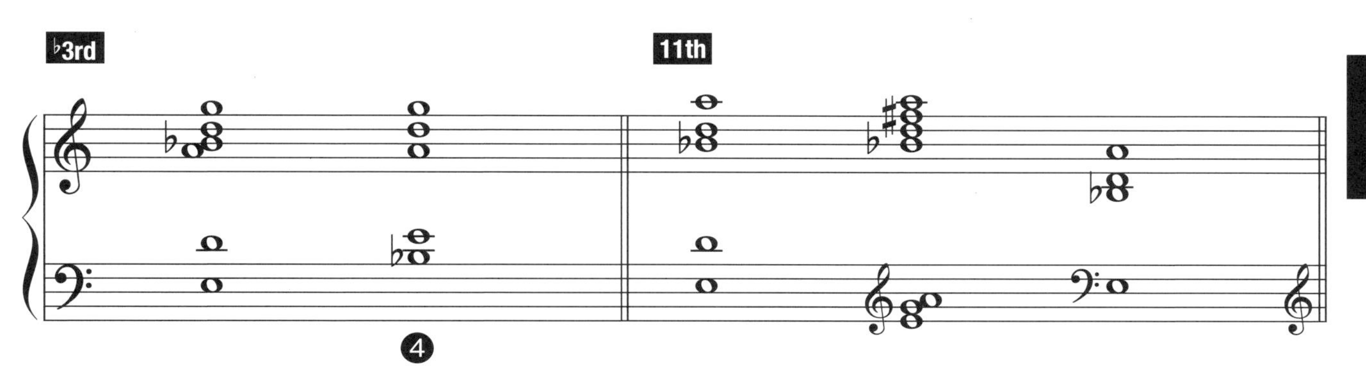

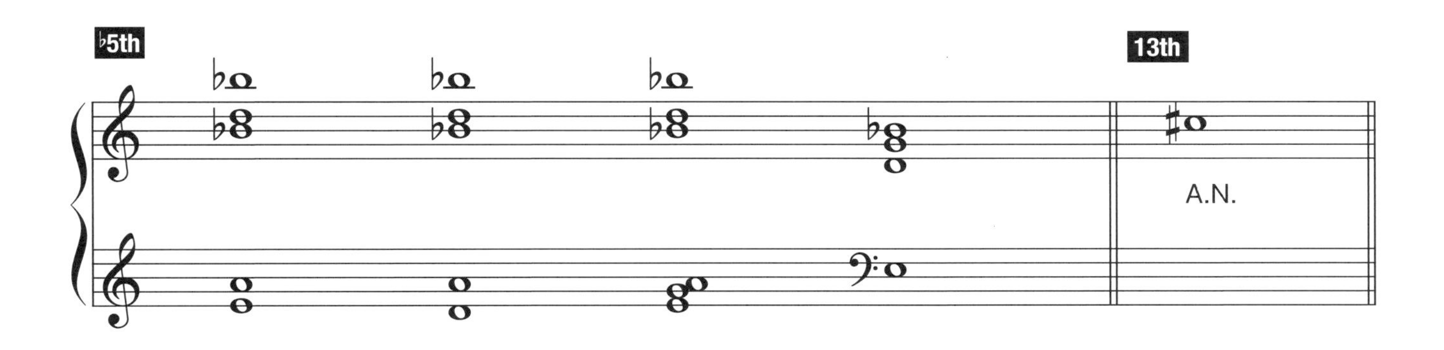

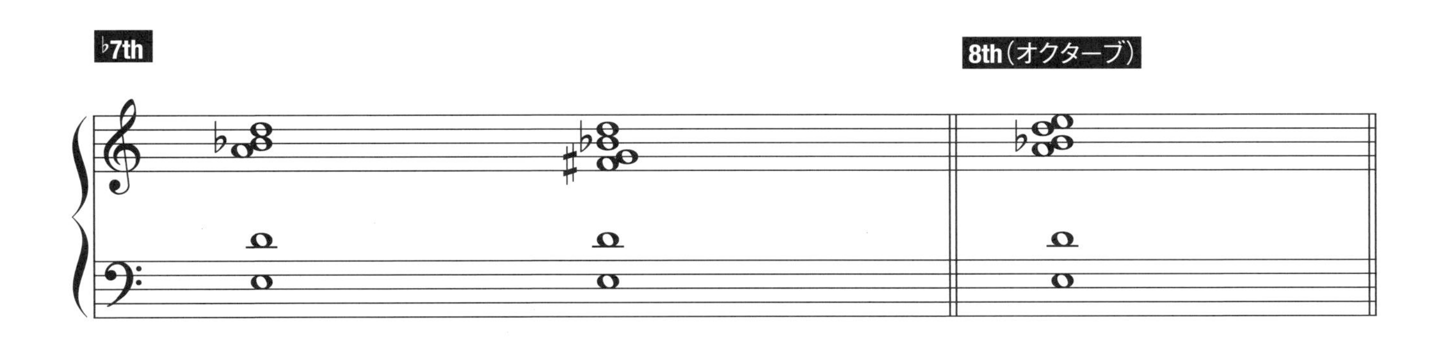

F7　Dominant 7th Chord

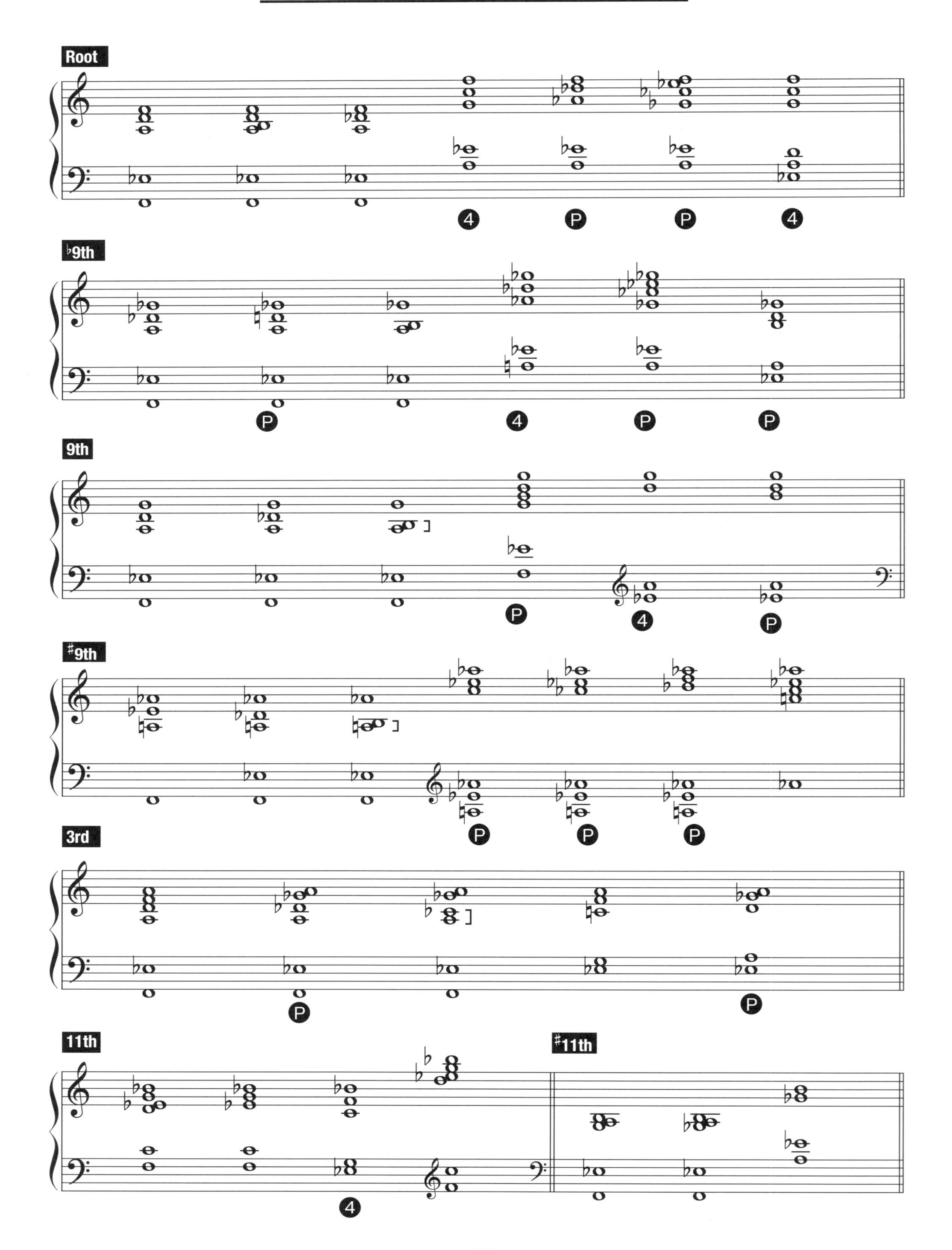

●Fをルートとしたときのテンション

♭9th	9th	♯9th	11th	♯11th	♭13th	13th
G♭(F♯)	G	A♭(G♯)	B♭(A♯)	B	D♭(C♯)	D

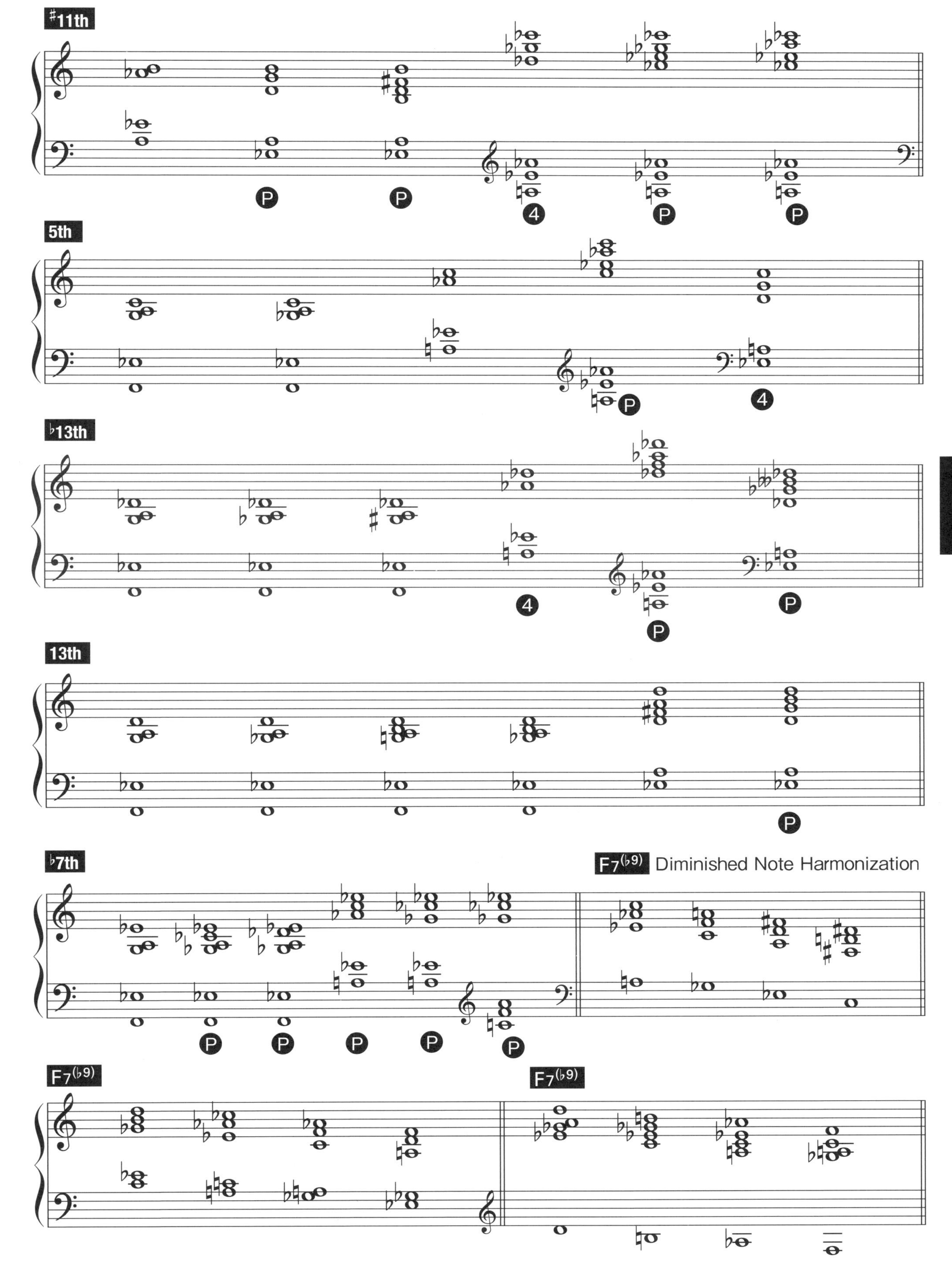

F　Tonic Major Chord（F Ionian,F Lydian）

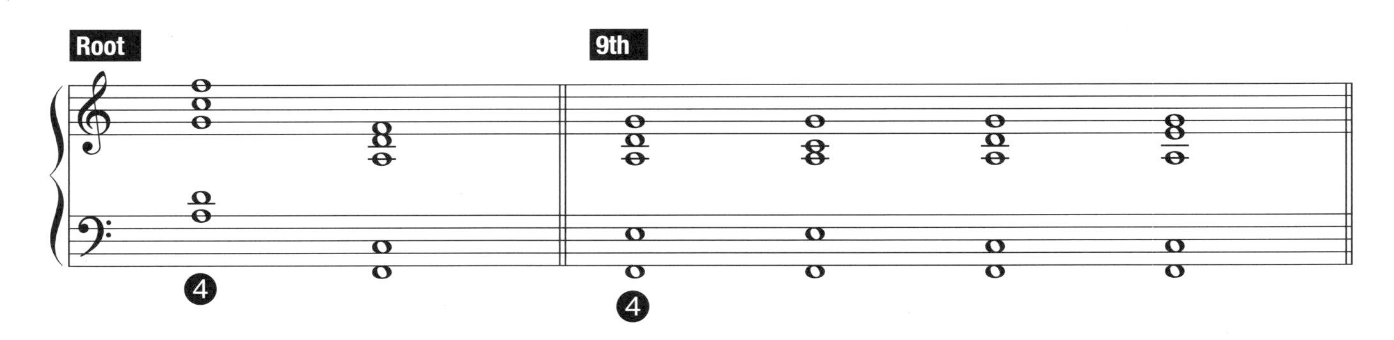

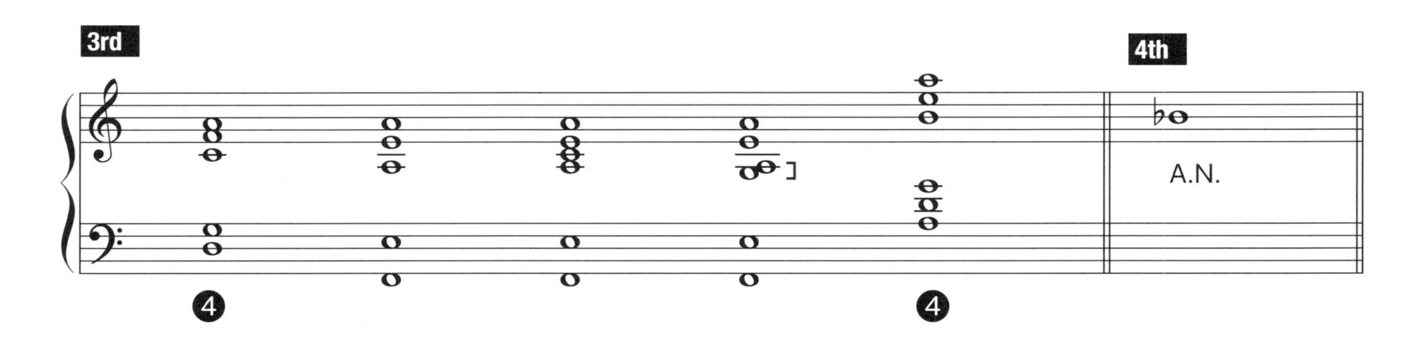

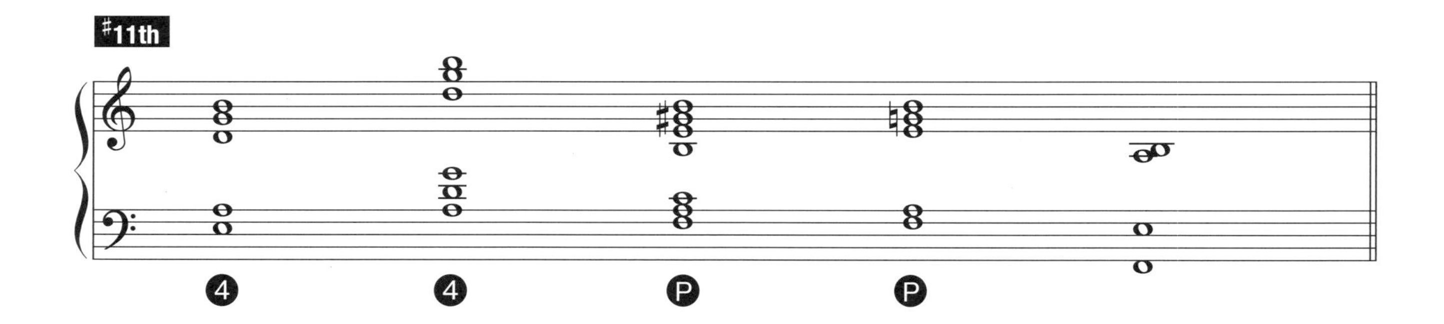

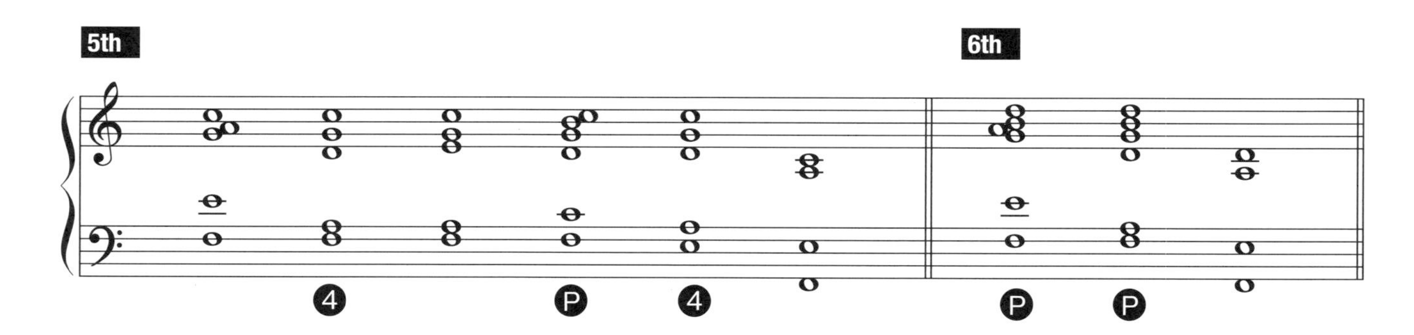

7th

8th（オクターブ）

4 P C 4

Fm Tonic Minor Chord（F Melodic Minor Scale）

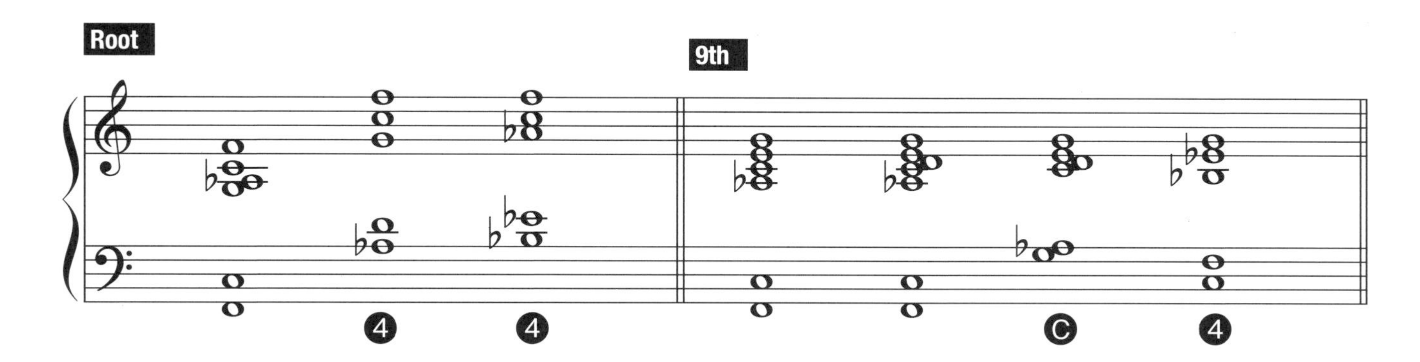

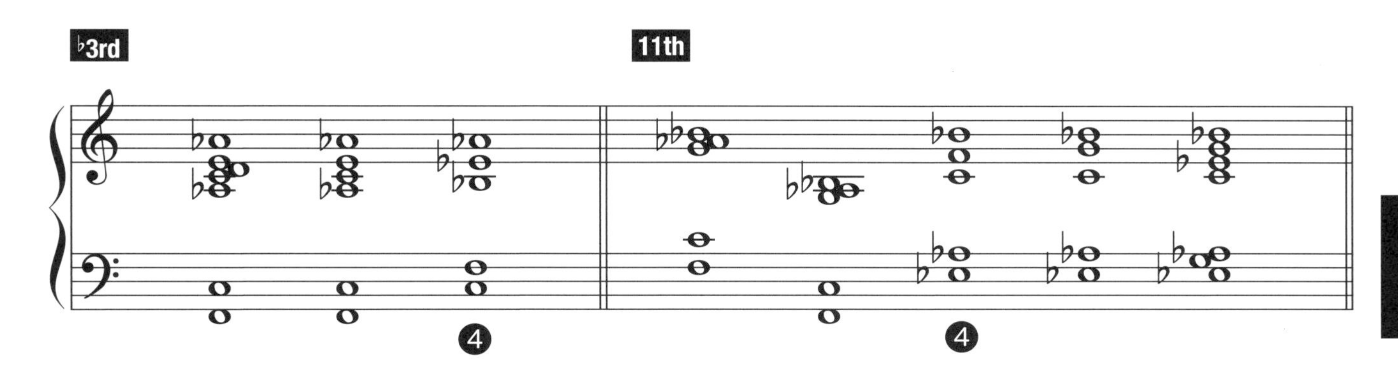

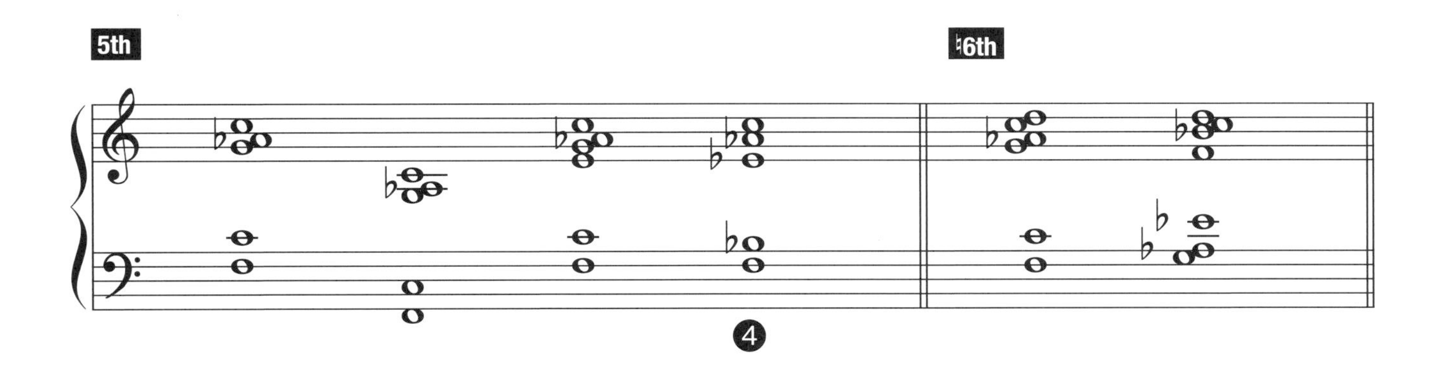

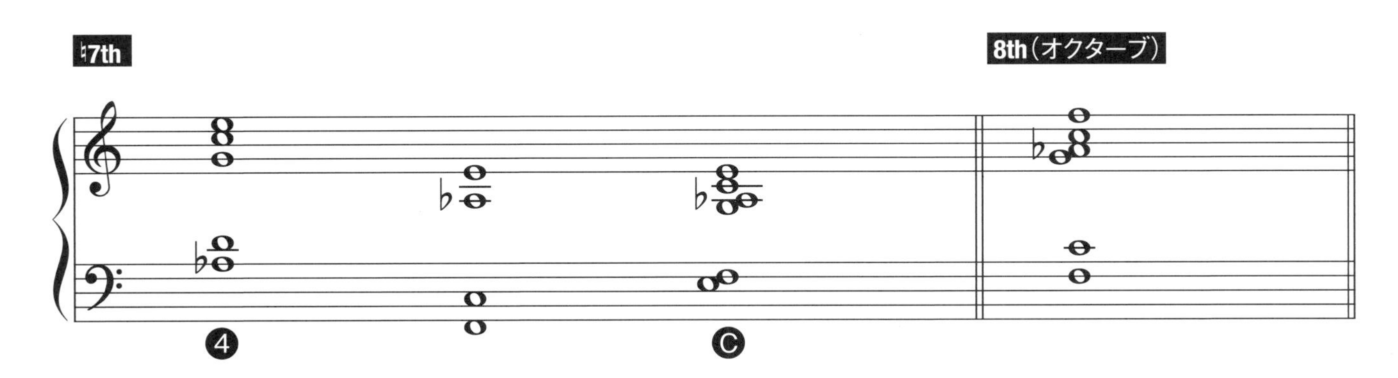

Fm7　Minor 7th Chord（F Dorian）

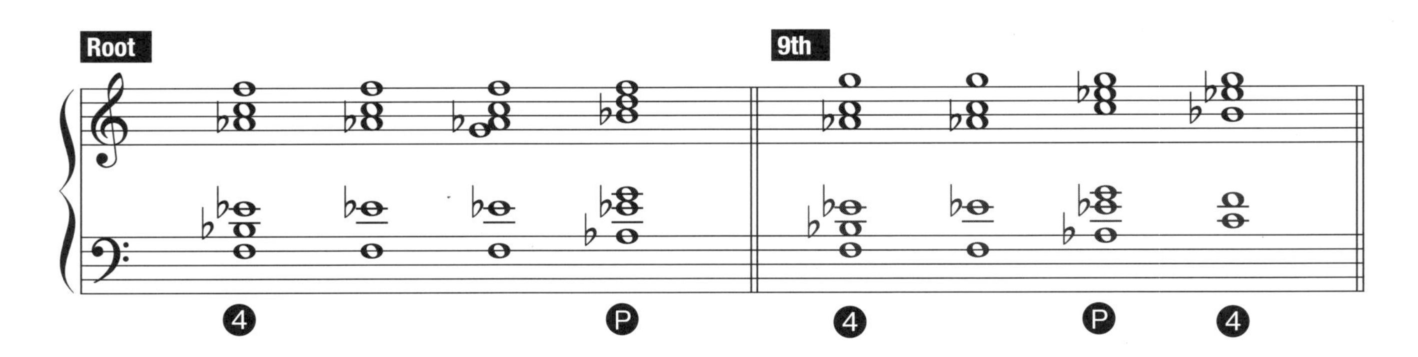

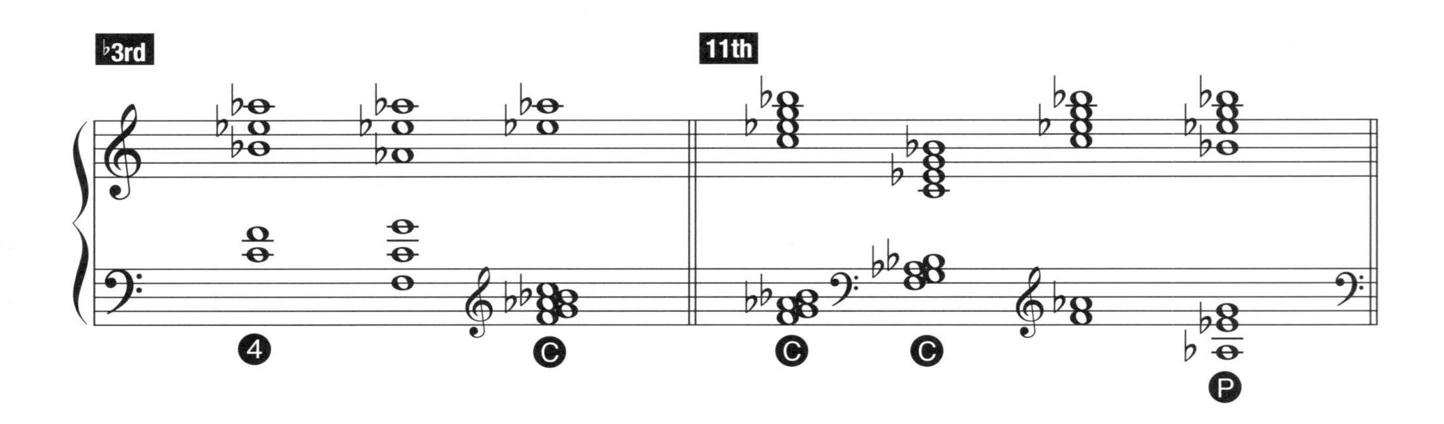

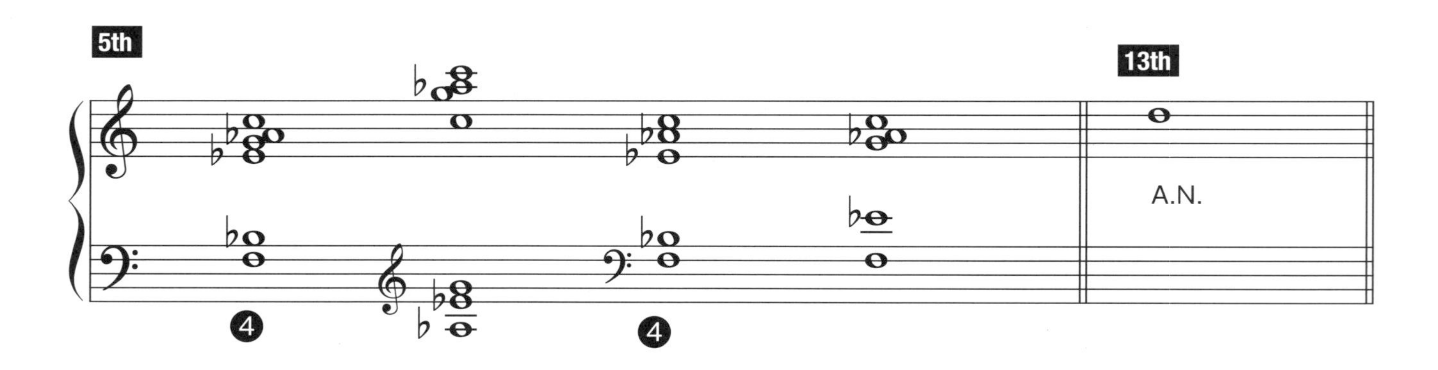

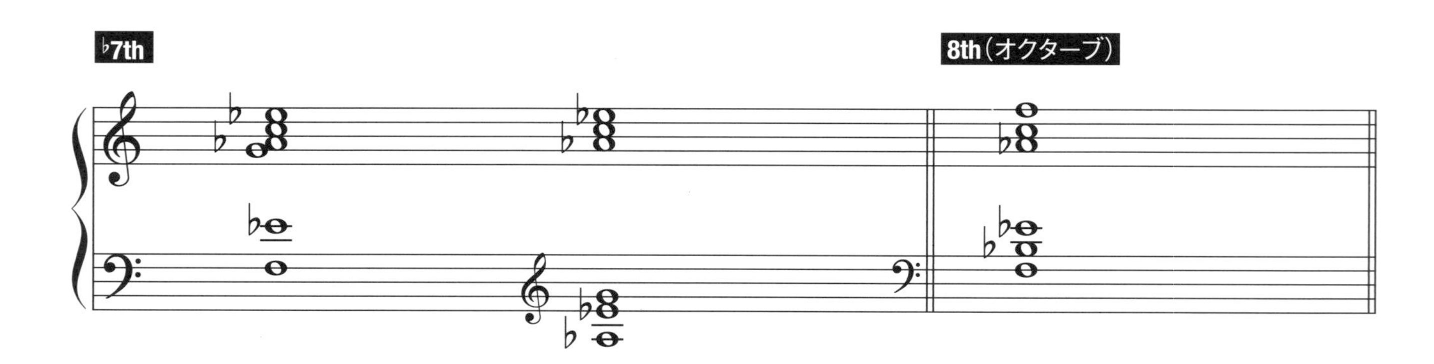

Fm7$^{(\flat 5)}$ Minor 7th Flatted 5th Chord（F Altered Dorian）

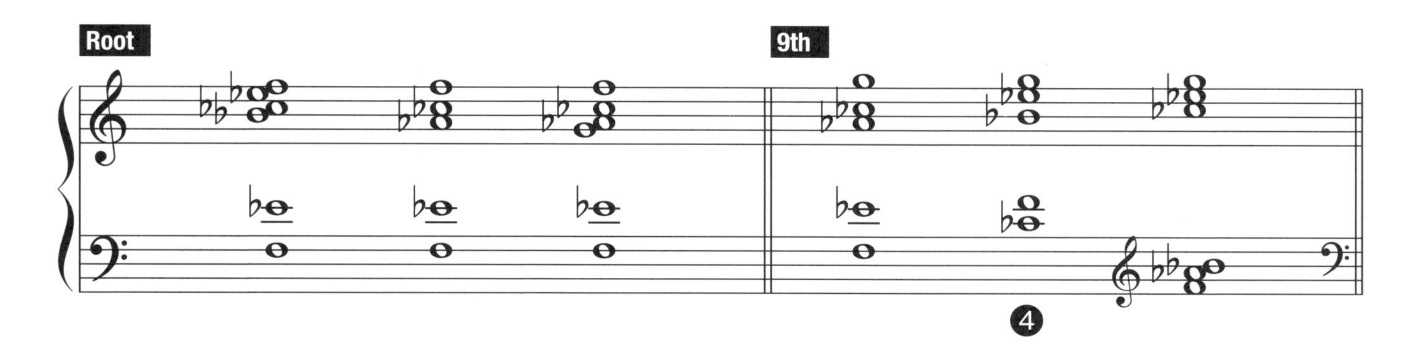

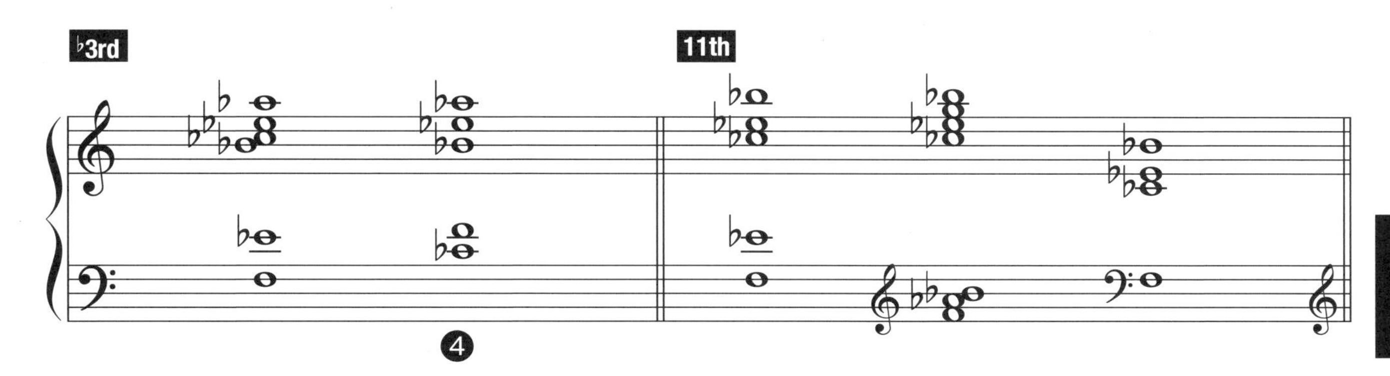

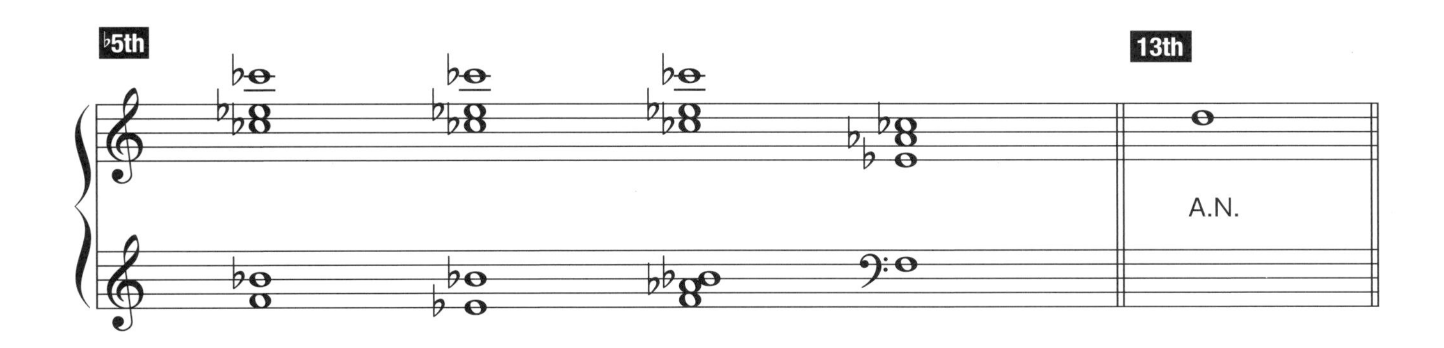

F

F♯7 Dominant 7th Chord

● F♯ をルートとしたときのテンション

♭9th	9th	♯9th	11th	♯11th	♭13th	13th
G	G♯(A♭)	A	B	C	D	D♯(E♭)

F♯　Tonic Major Chord（F♯ Ionian,F♯ Lydian）

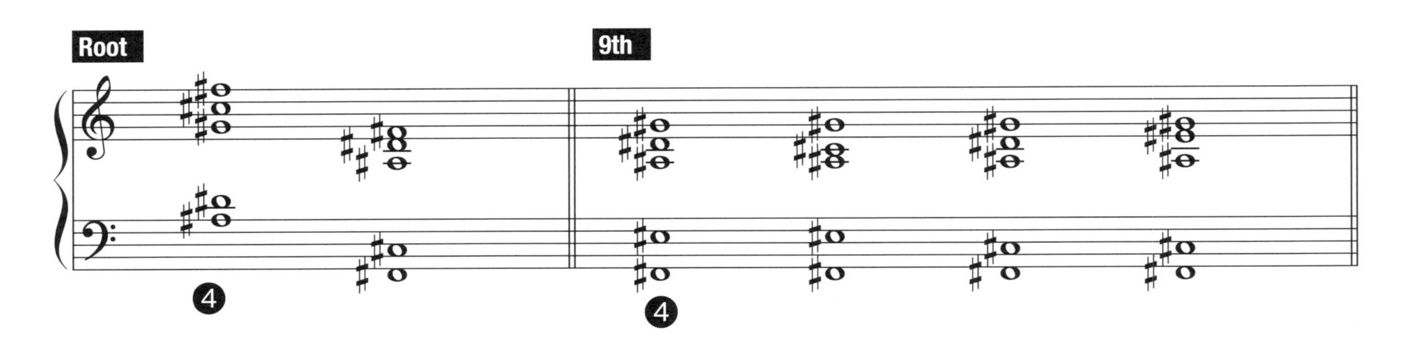

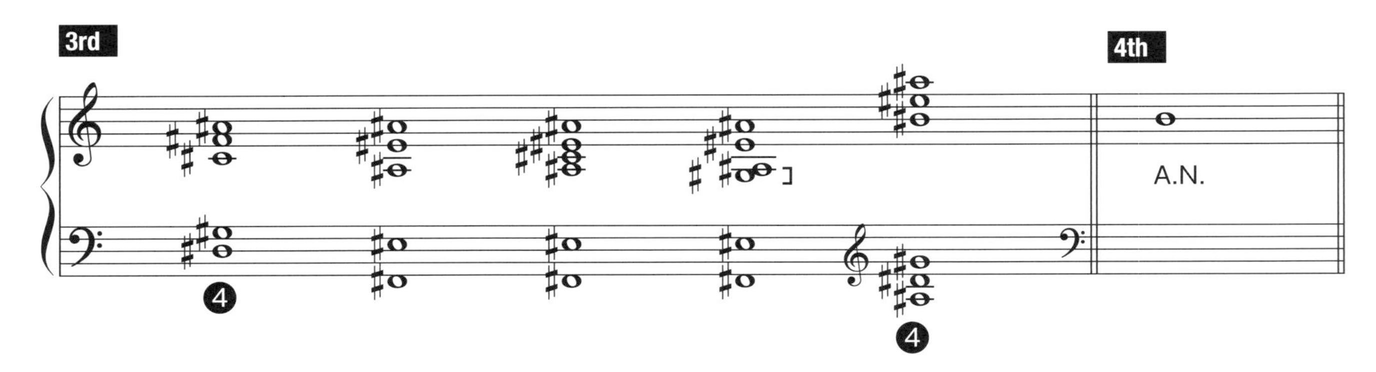

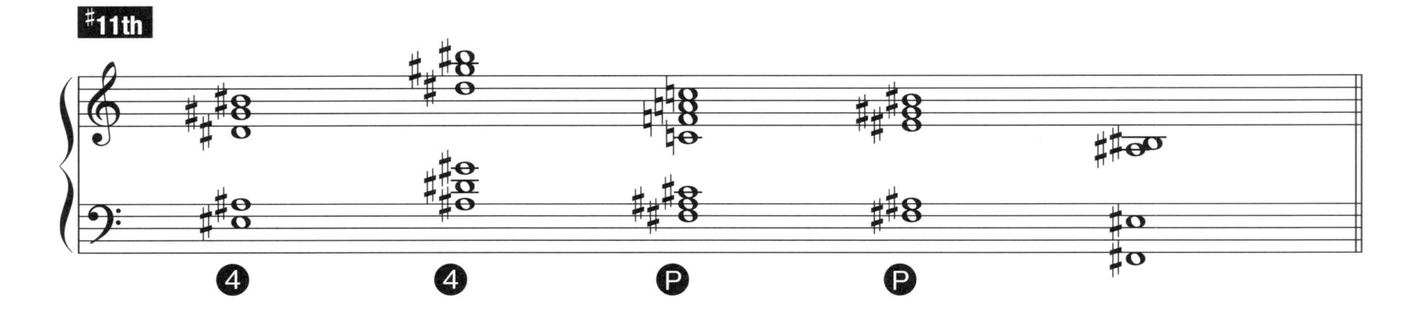

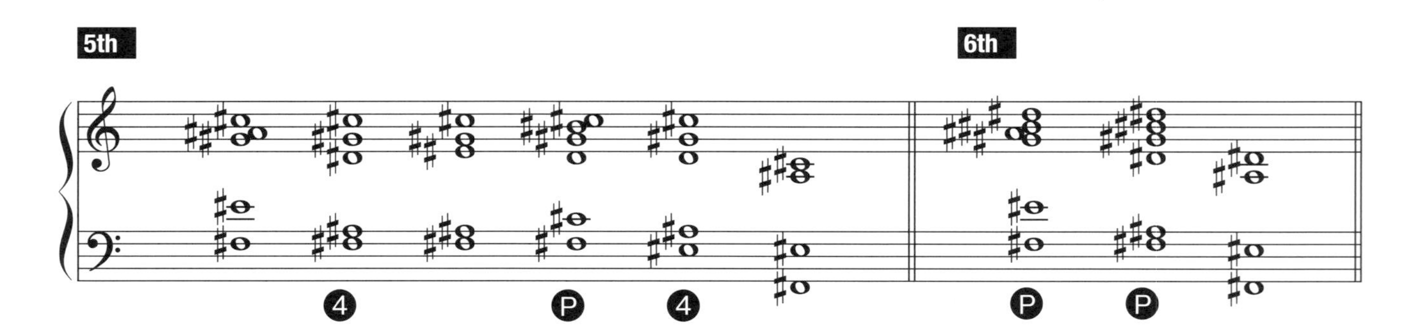

7th

8th（オクターブ）

4　P　C　4

F♯m Tonic Minor Chord（F♯ Melodic Minor Scale）

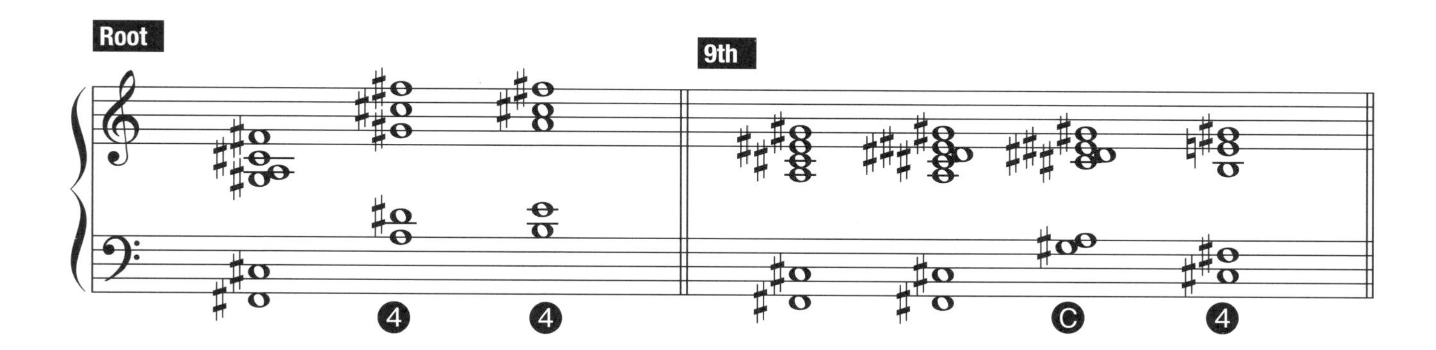

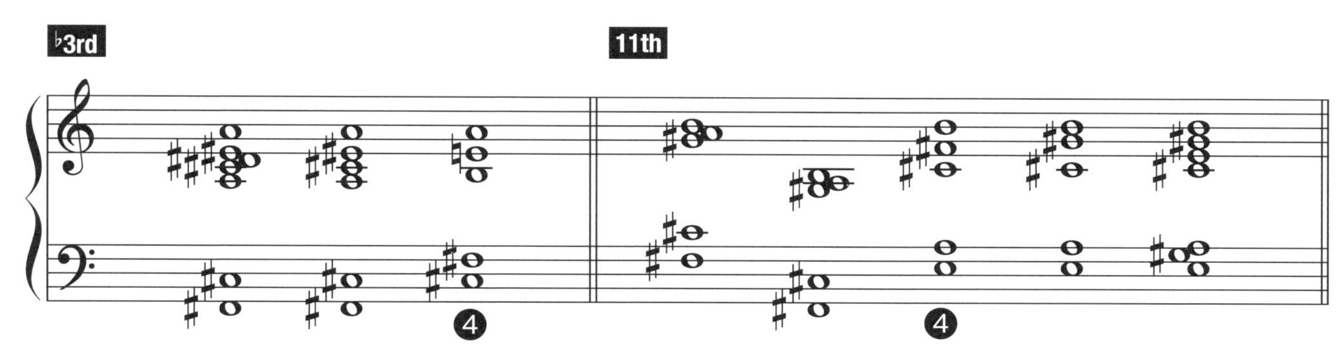

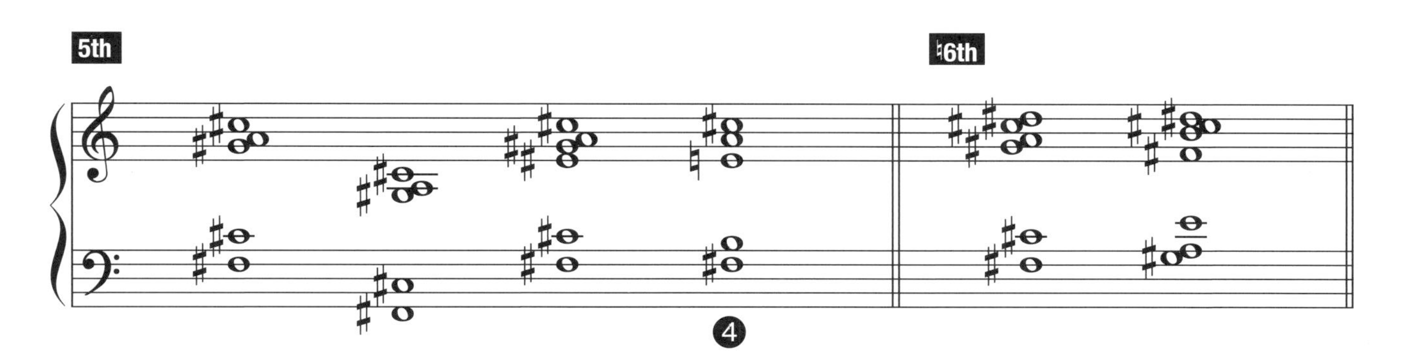

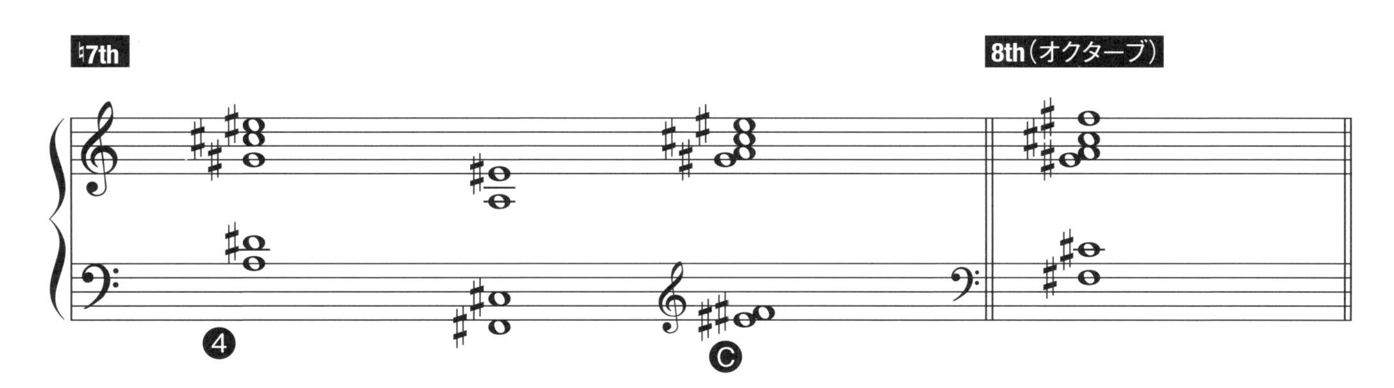

F♯m7　Minor 7th Chord（F♯ Dorian）

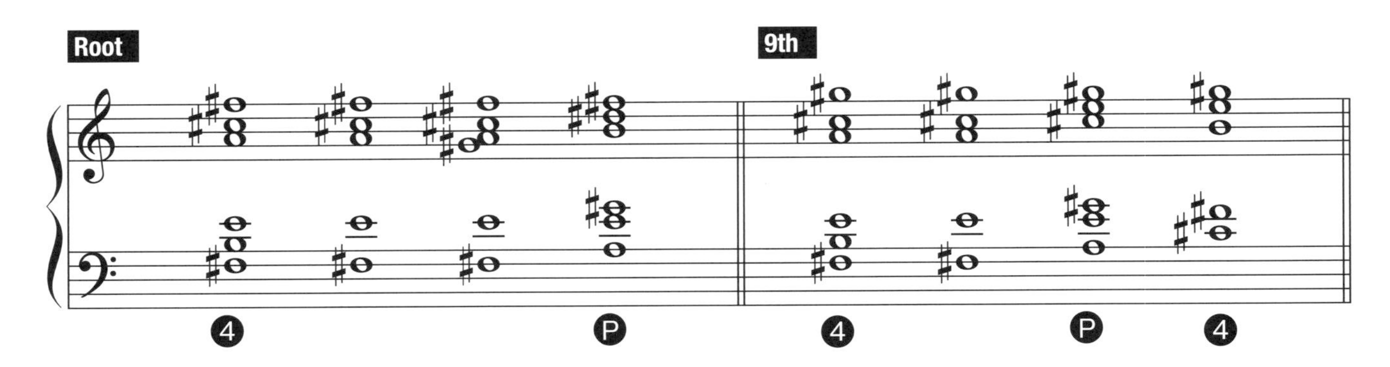

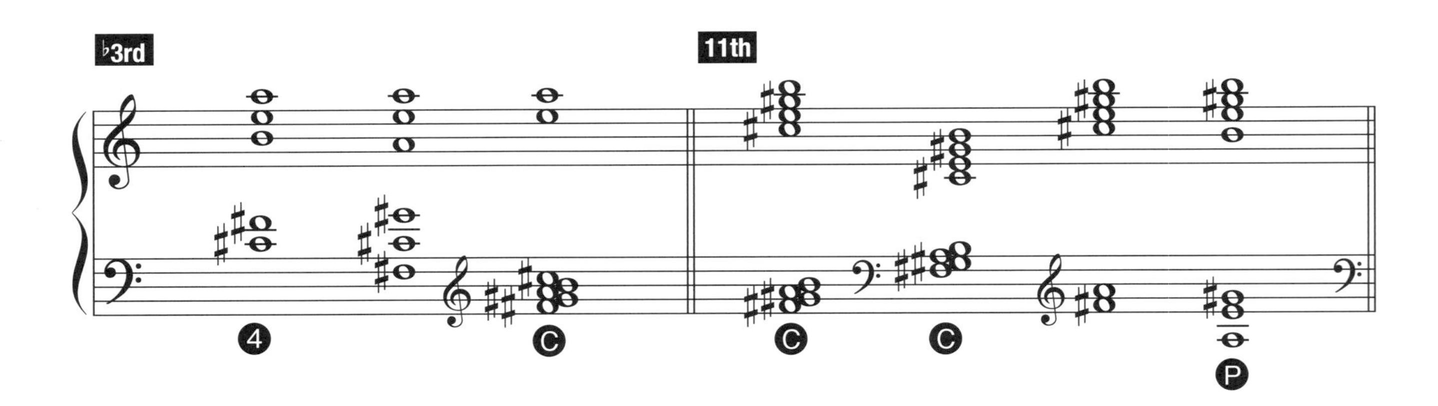

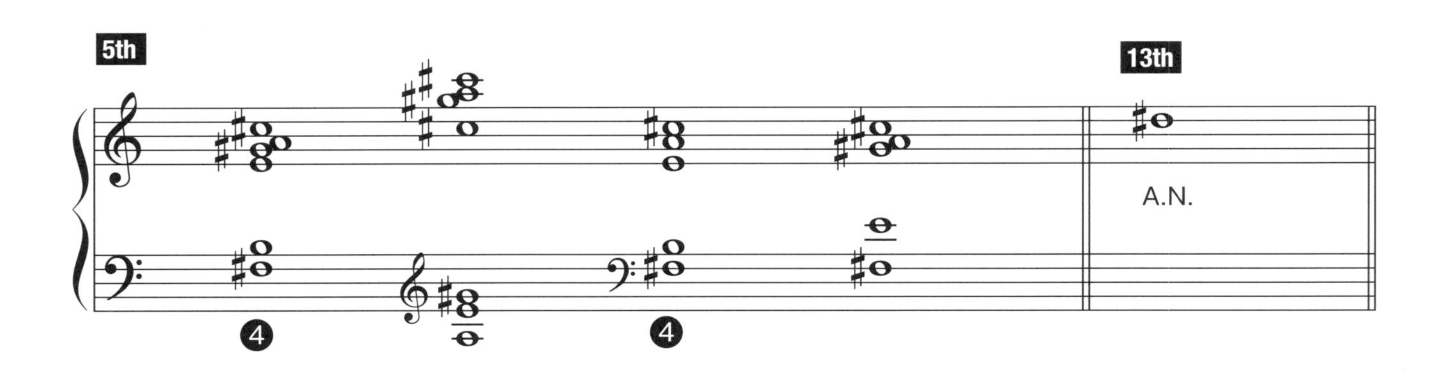

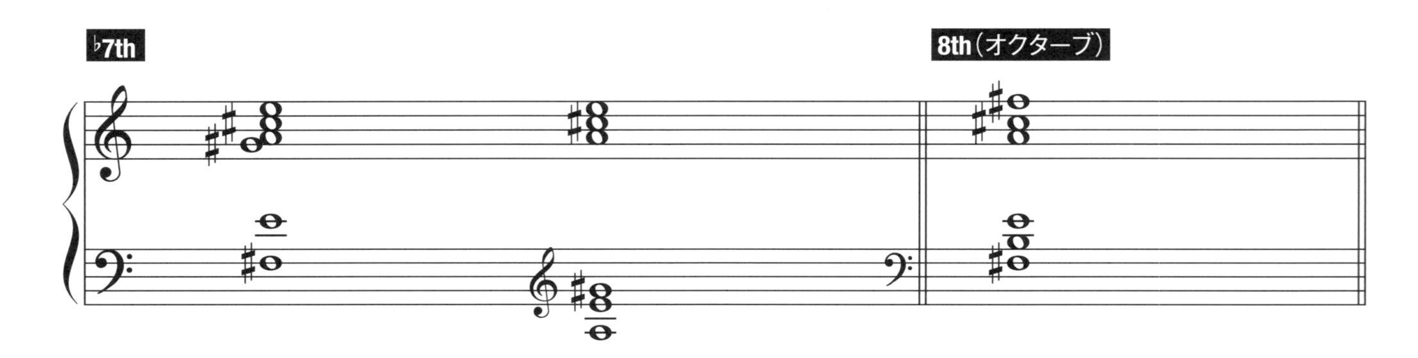

F♯m7(♭5) Minor 7th Flatted 5th Chord（F♯ Altered Dorian）

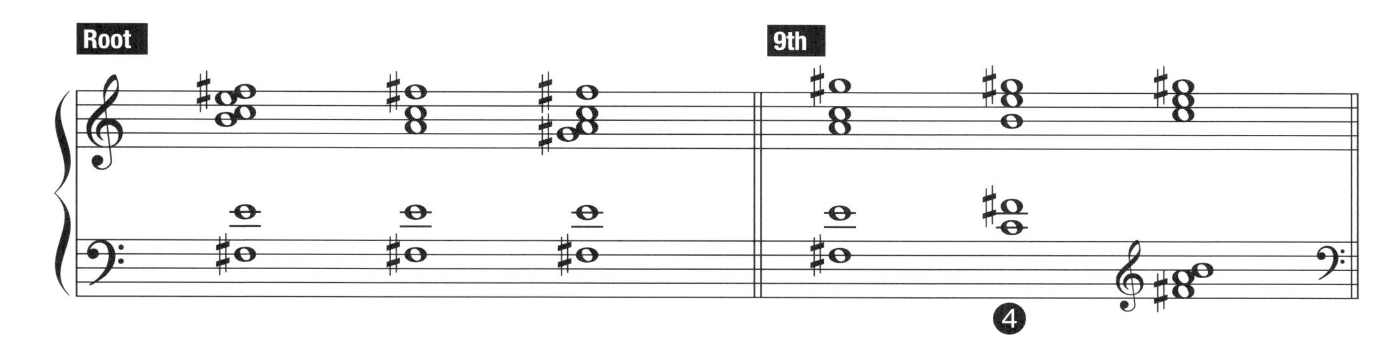

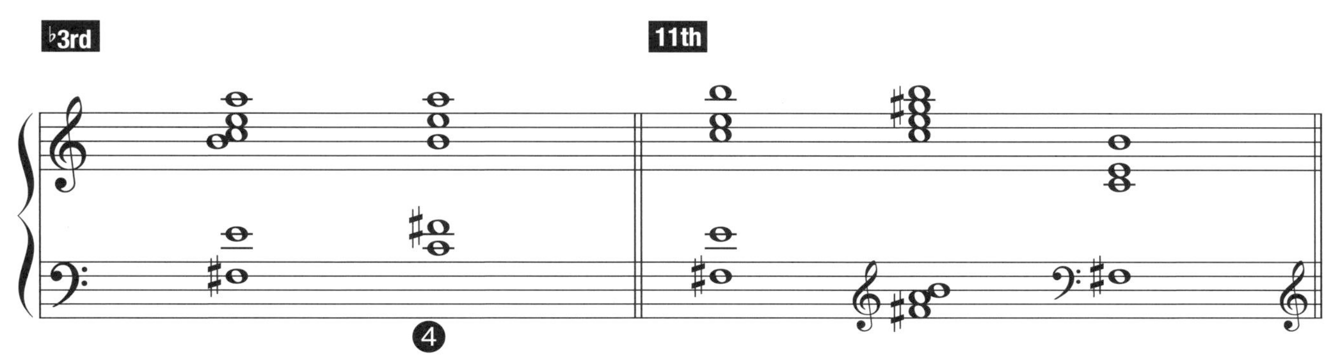

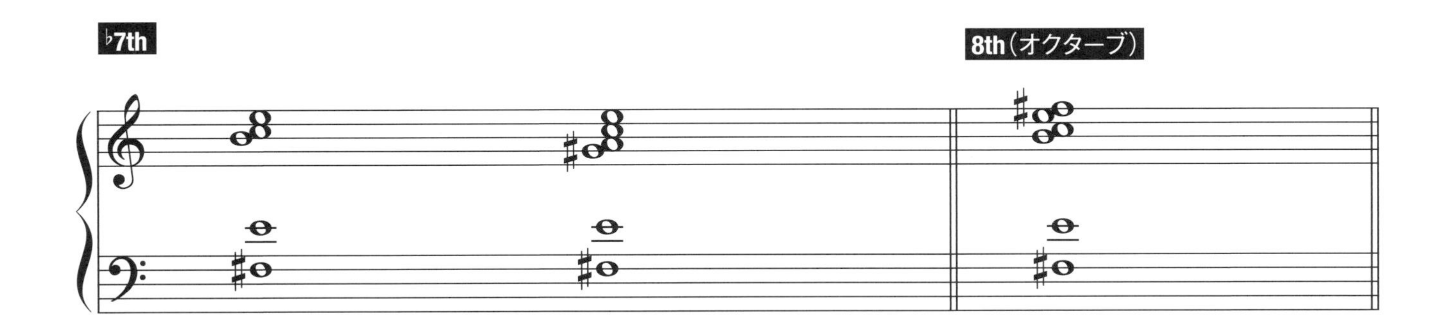

G7　Dominant 7th Chord

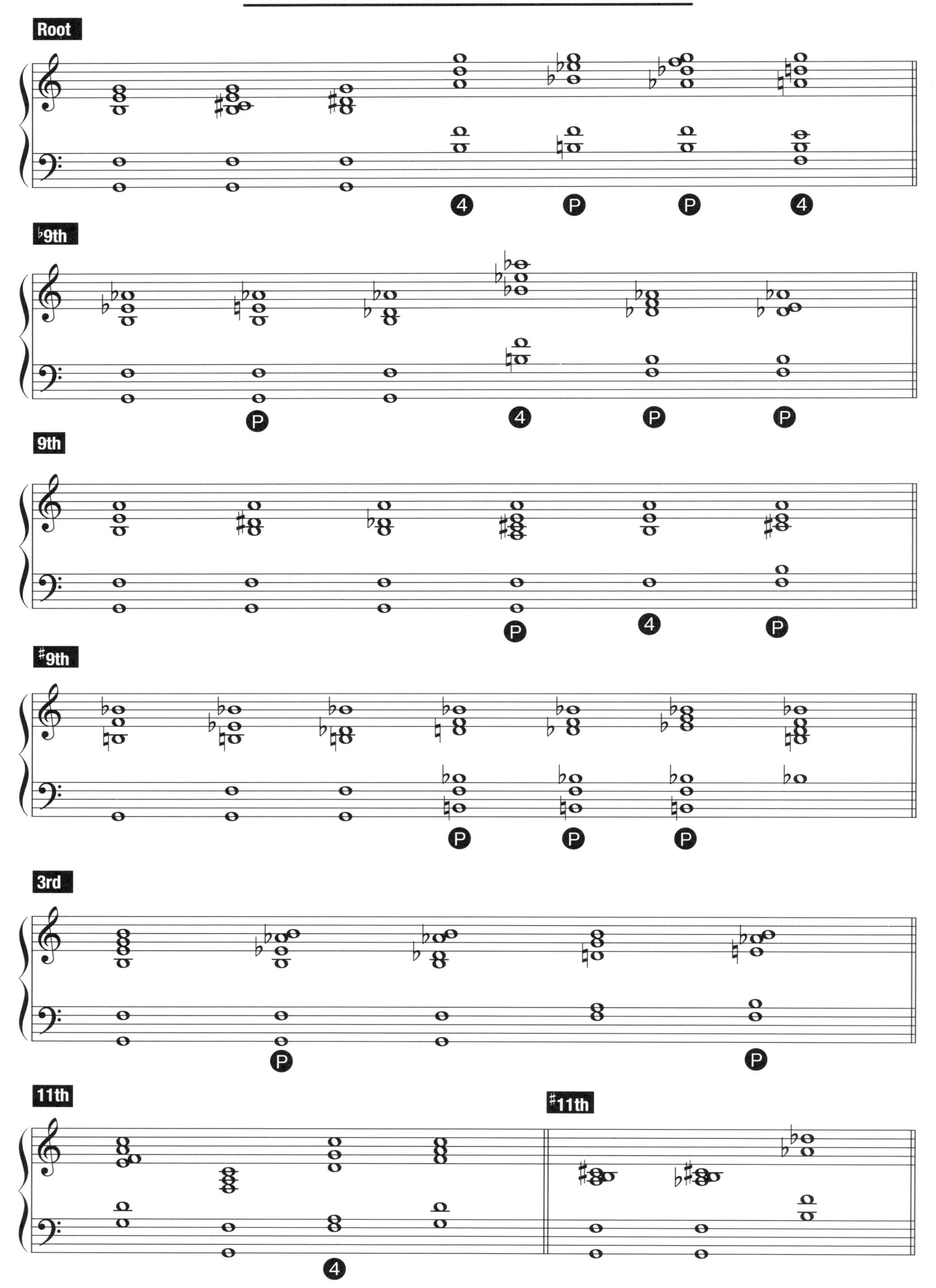

●Gをルートとしたときのテンション

♭9th	9th	♯9th	11th	♯11th	♭13th	13th
A♭(G♯)	A	B♭(A♯)	C	D♭(C♯)	E♭(D♯)	E

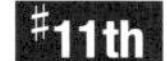

♯11th

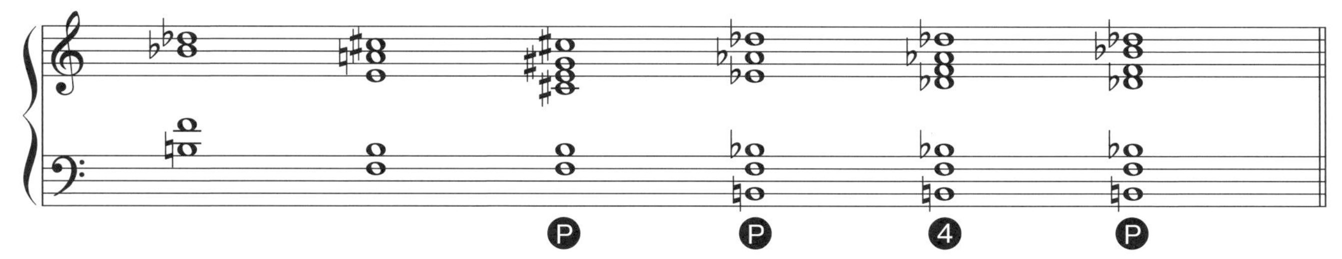

5th

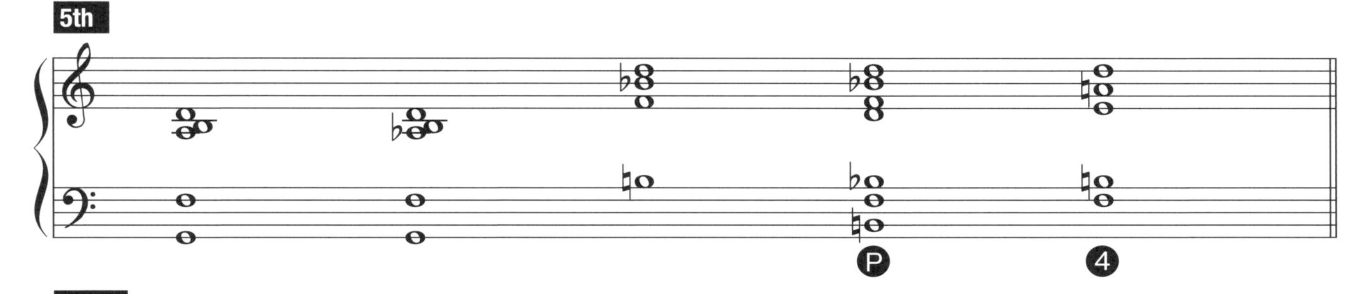

♭13th

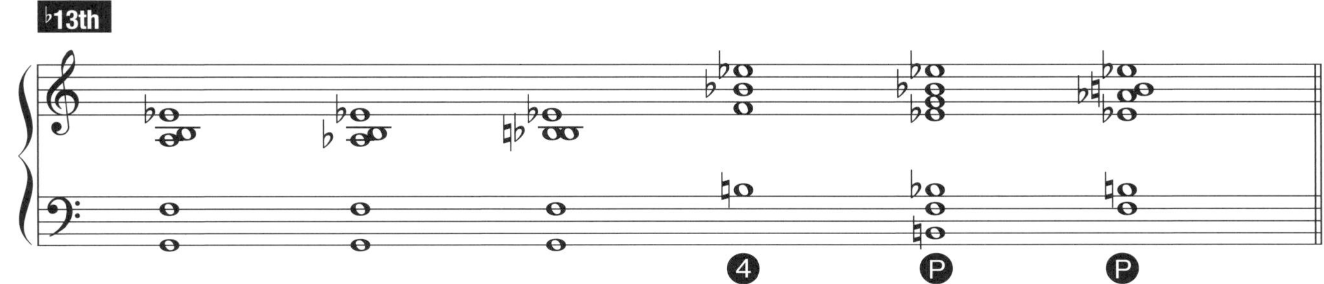

13th

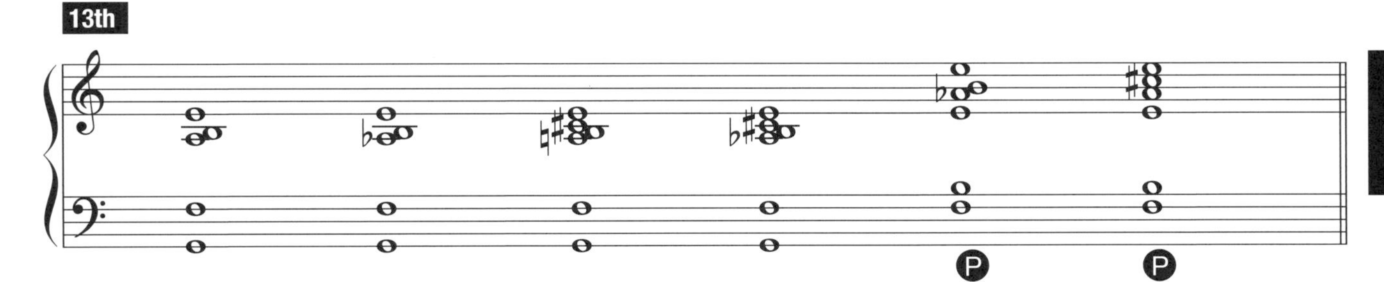

♭7th

G7(♭9) Diminished Note Harmonization

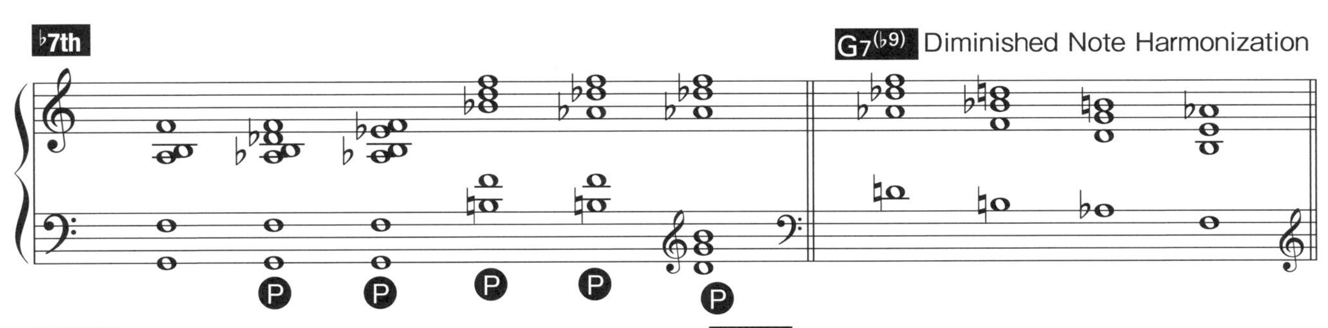

G7(♭9)

G7(♭9)

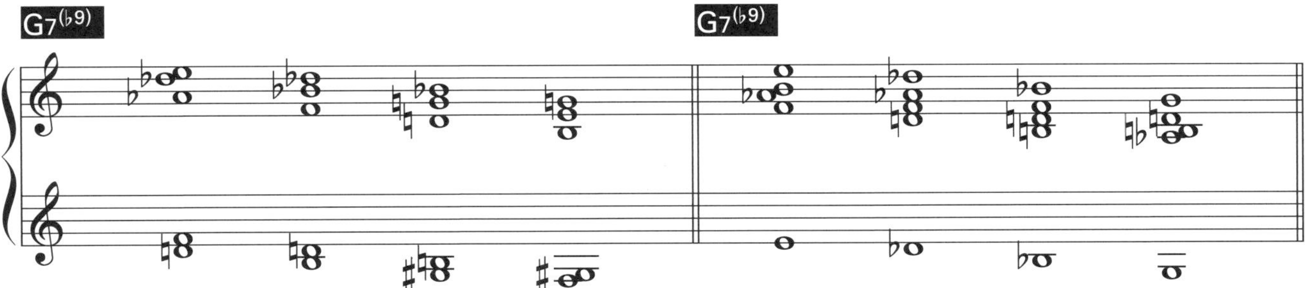

G

G　Tonic Major Chord（G Ionian,G Lydian）

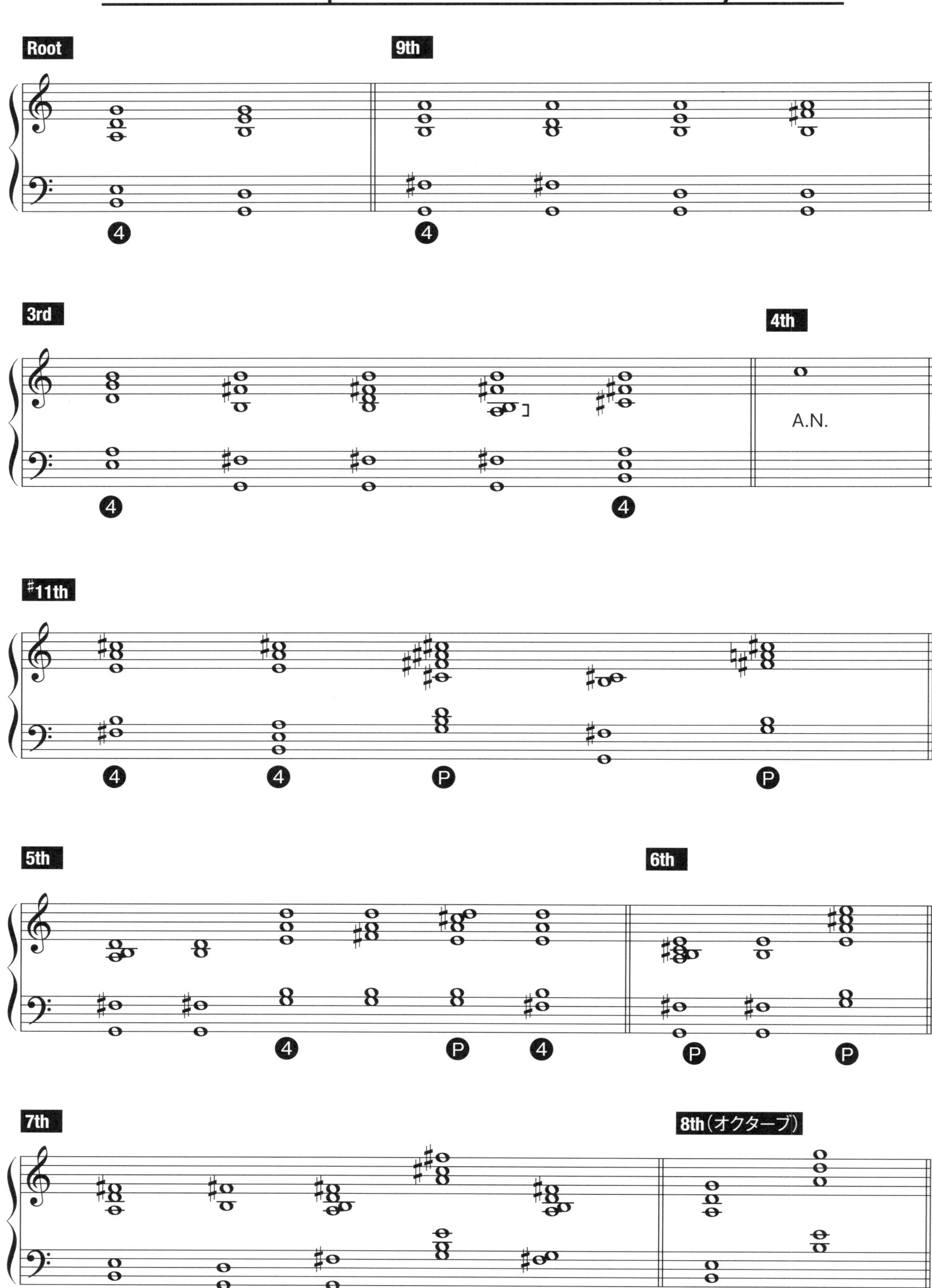

Gm Tonic Minor Chord（G Melodic Minor Scale）

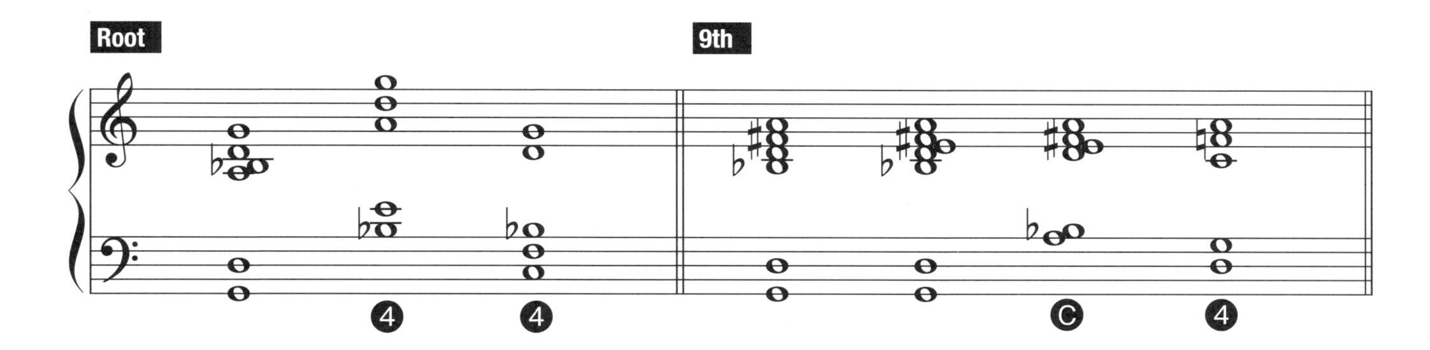

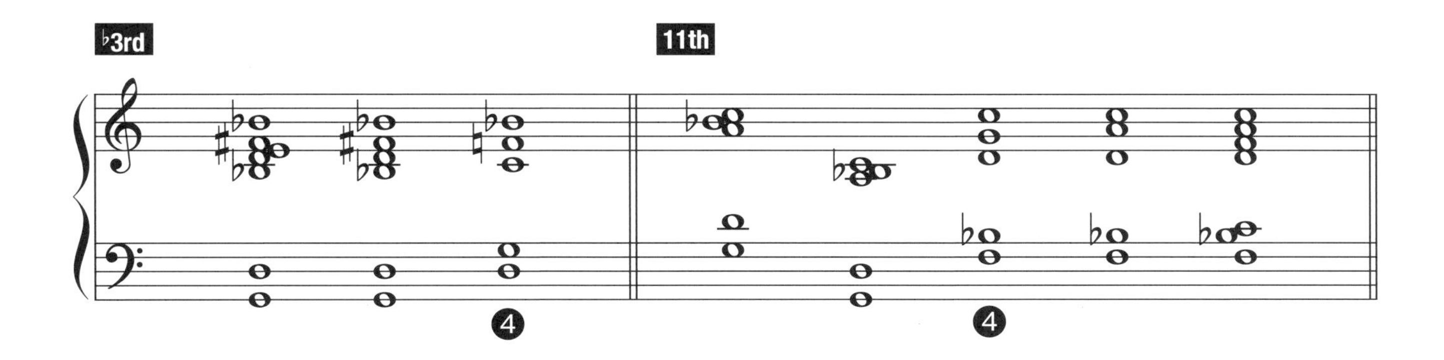

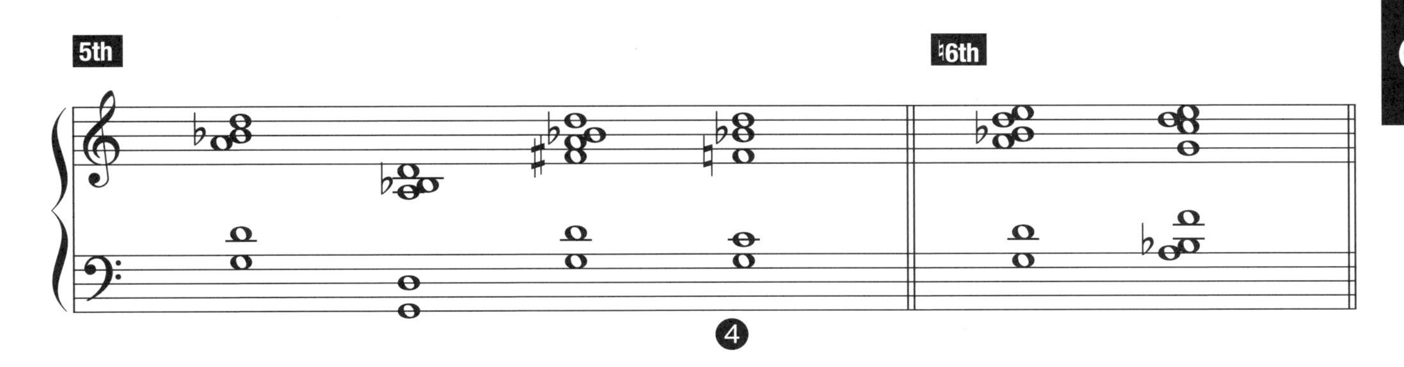

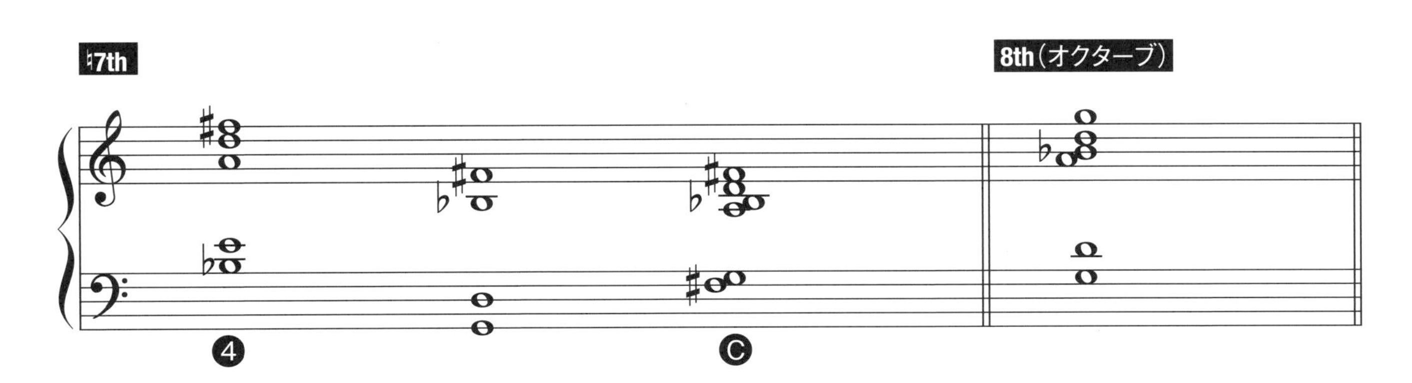

Gm7 Minor 7th Chord（G Dorian）

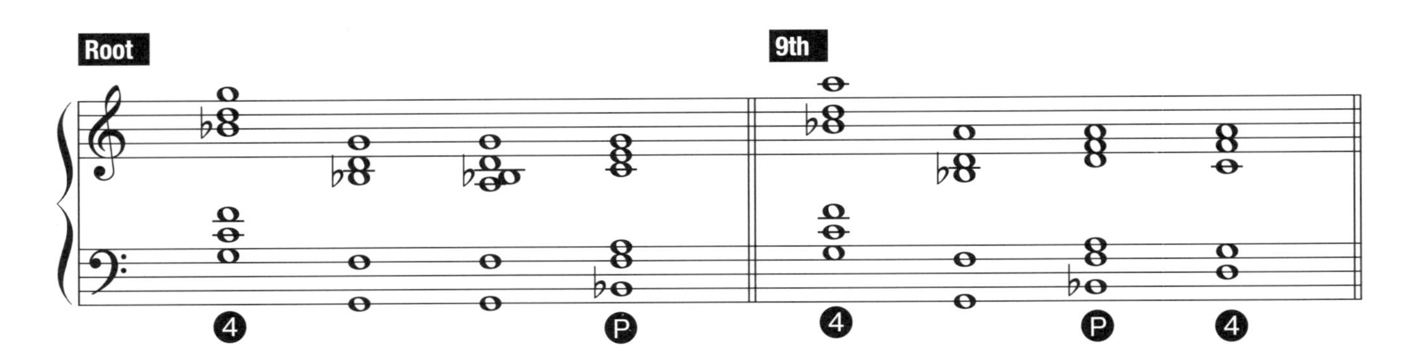

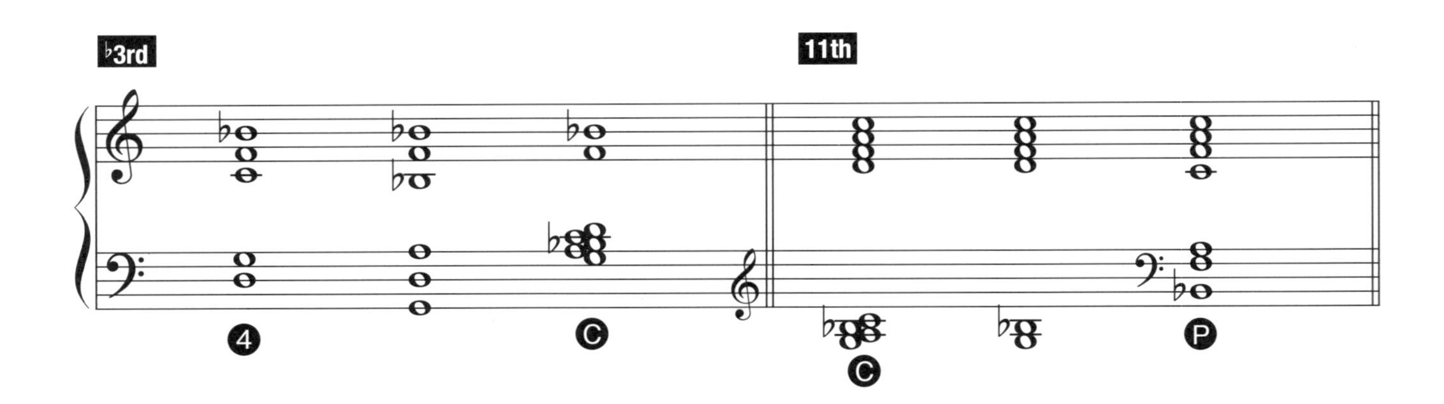

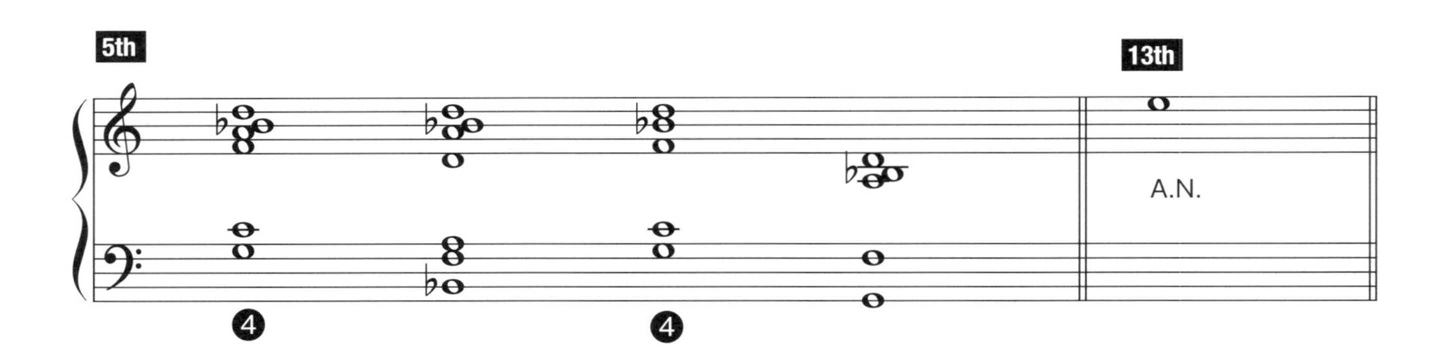

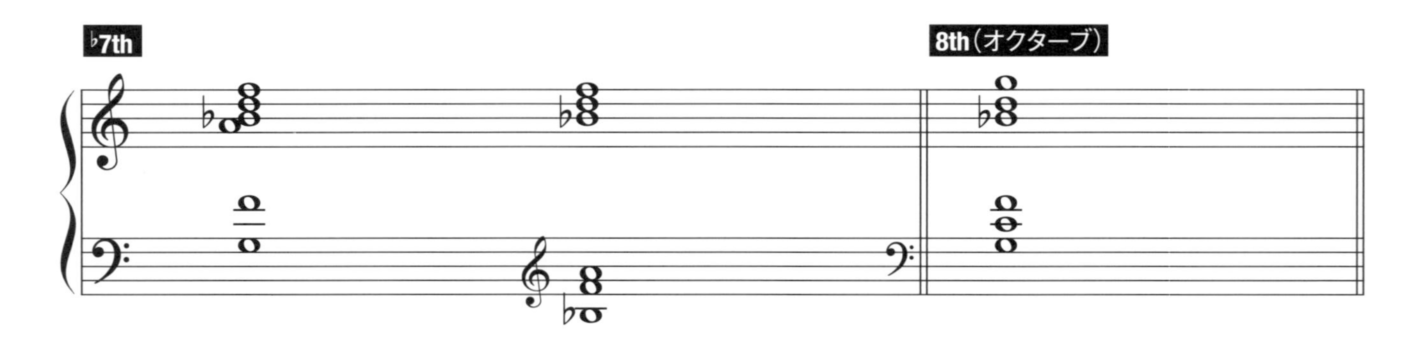

Gm7(♭5) Minor 7th Flatted 5th Chord（G Altered Dorian）

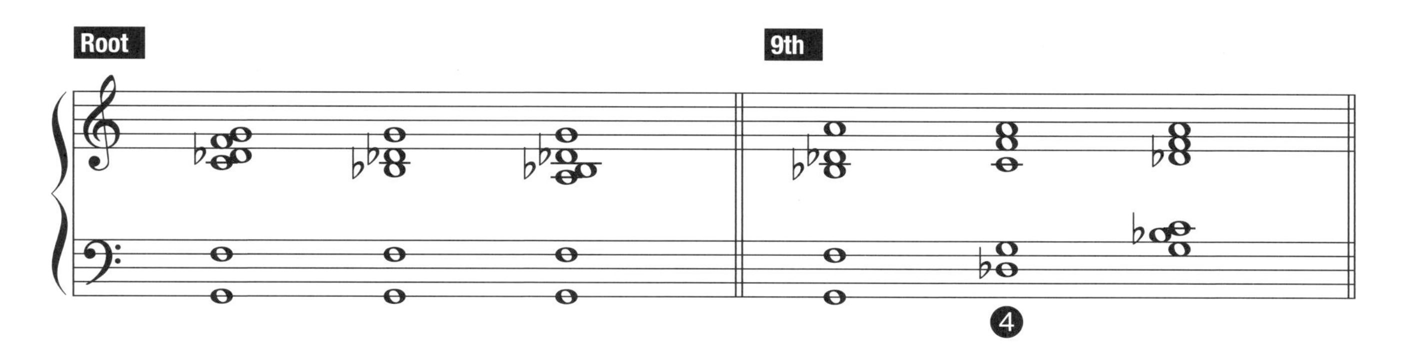

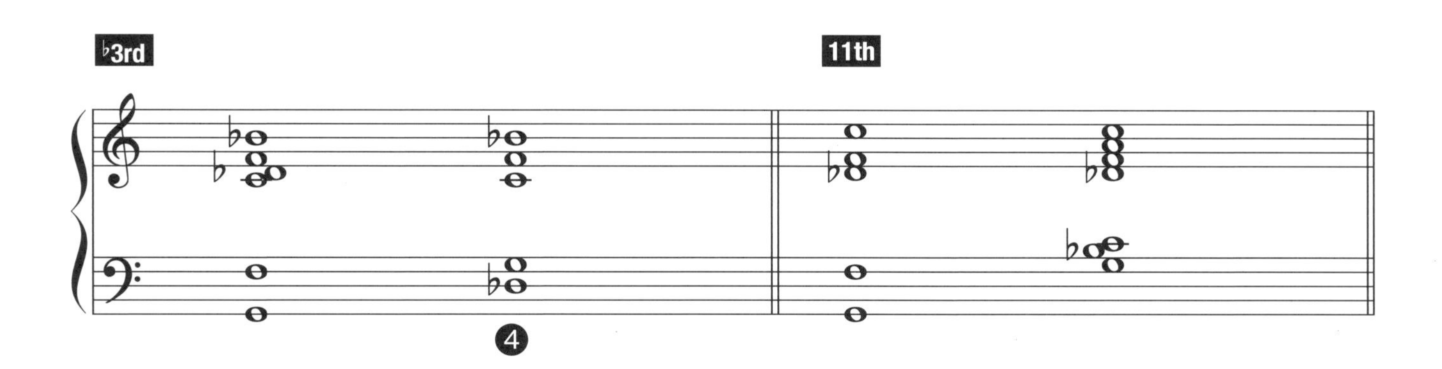

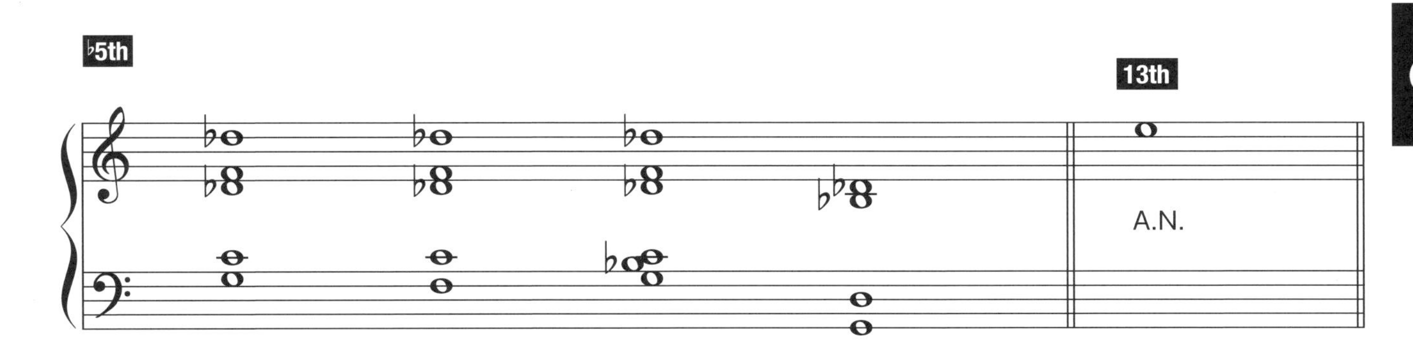

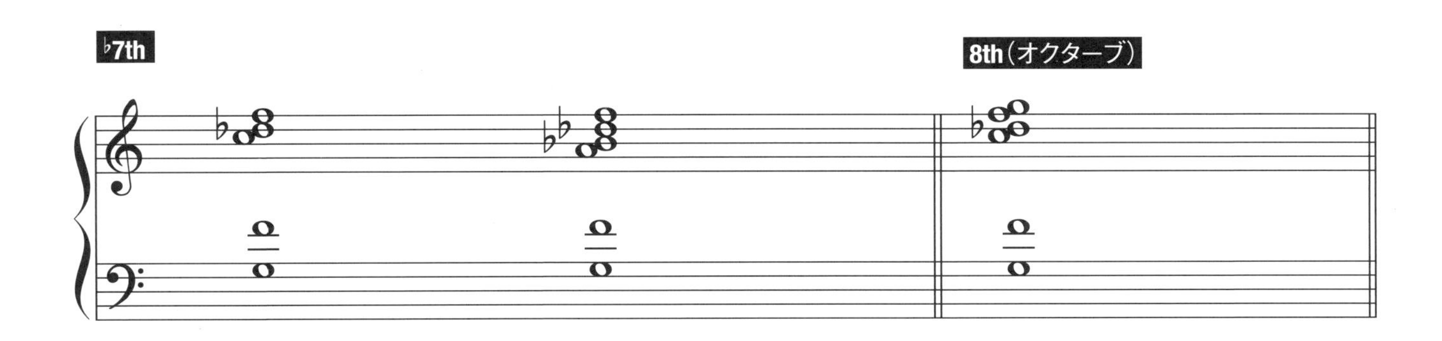

A♭7 Dominant 7th Chord

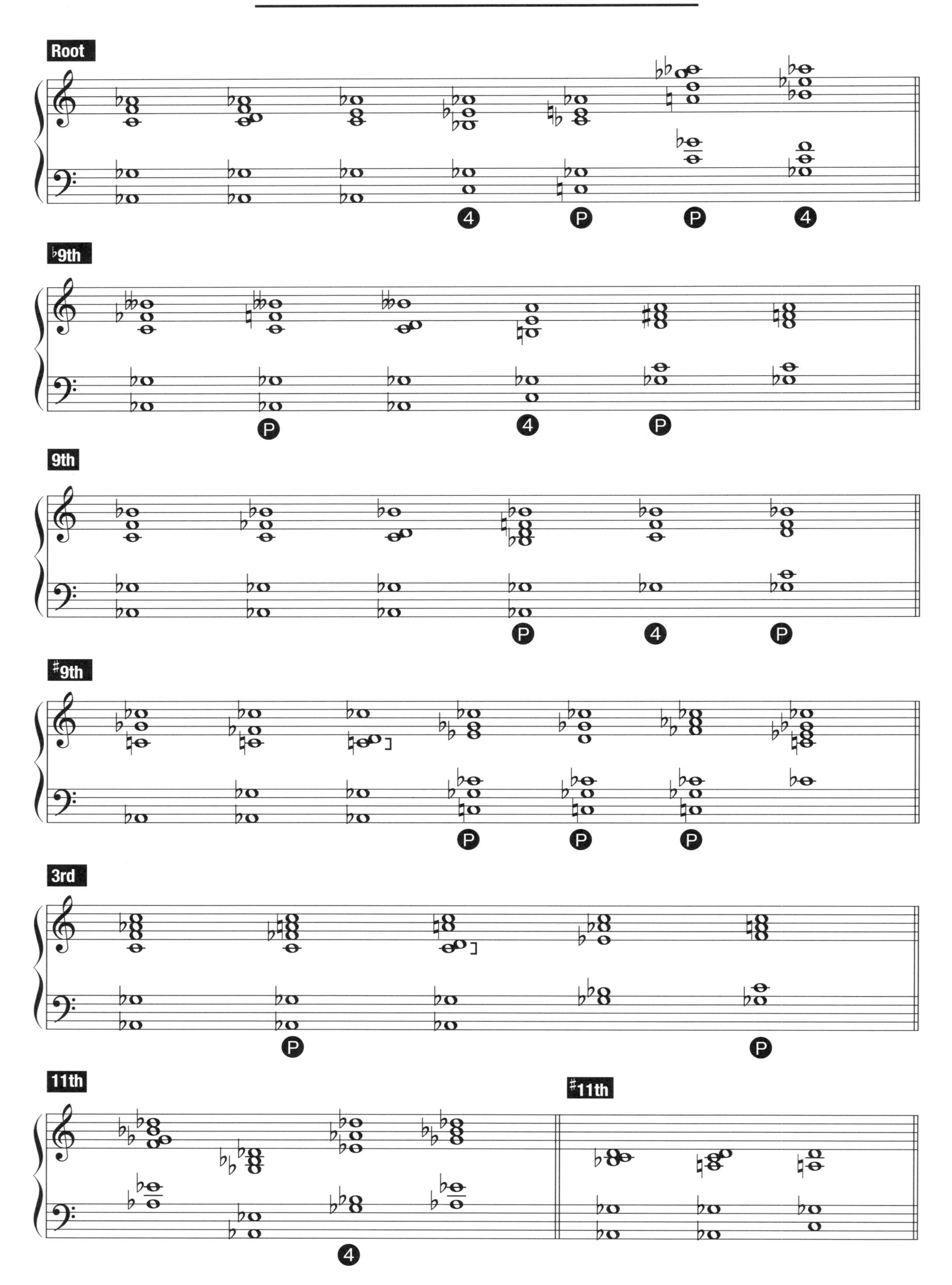

● A♭をルートとしたときのテンション

♭9th	9th	#9th	11th	#11th	♭13th	13th
B♭♭(A)	B♭	C♭(B)	D♭(C#)	D	E	F

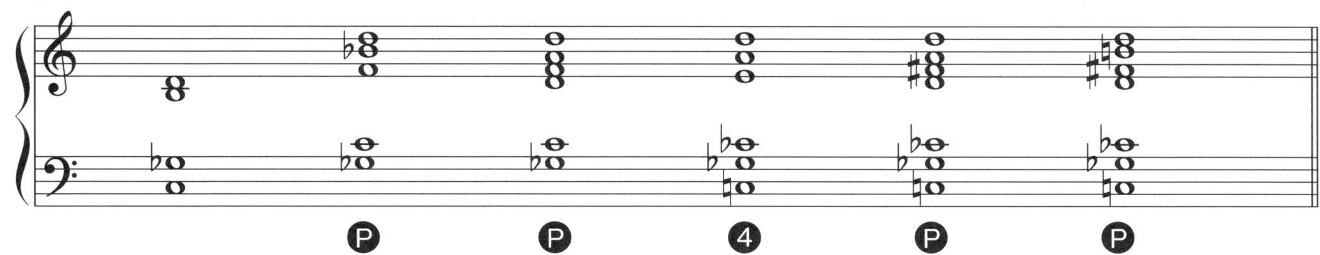

5th

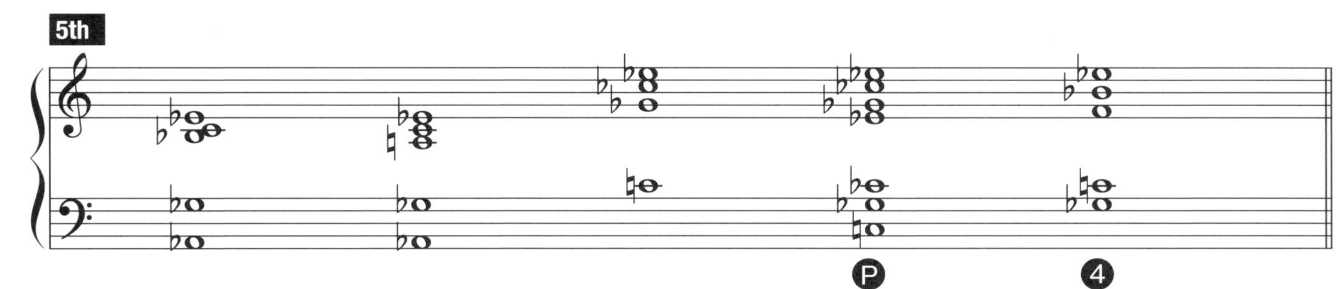

♭13th

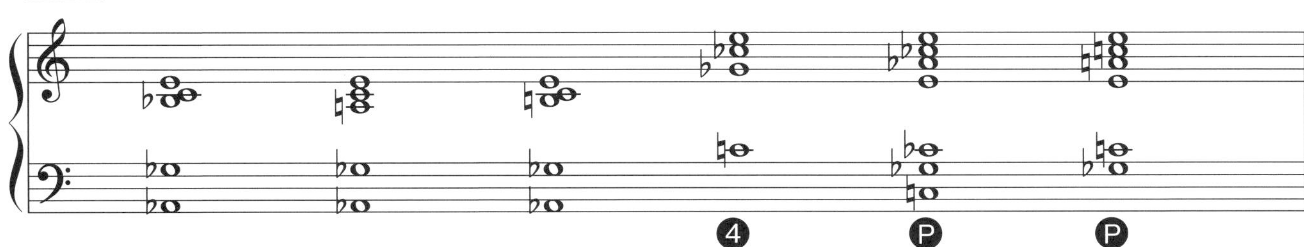

13th

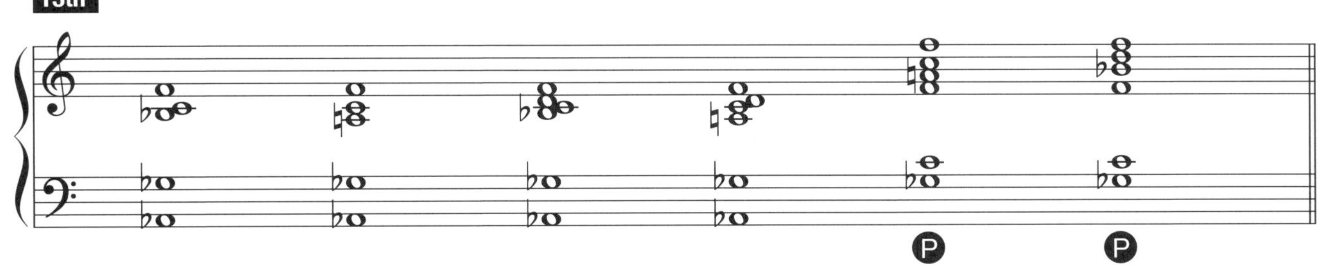

♭7th

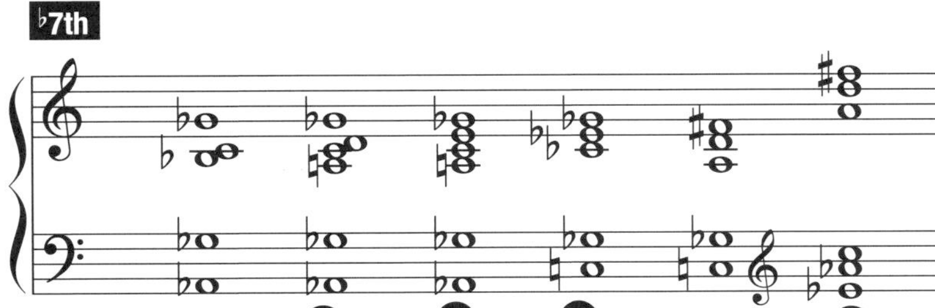

A♭7(♭9) Diminished Note Harmonization

A♭7(♭9)

A♭7(♭9)

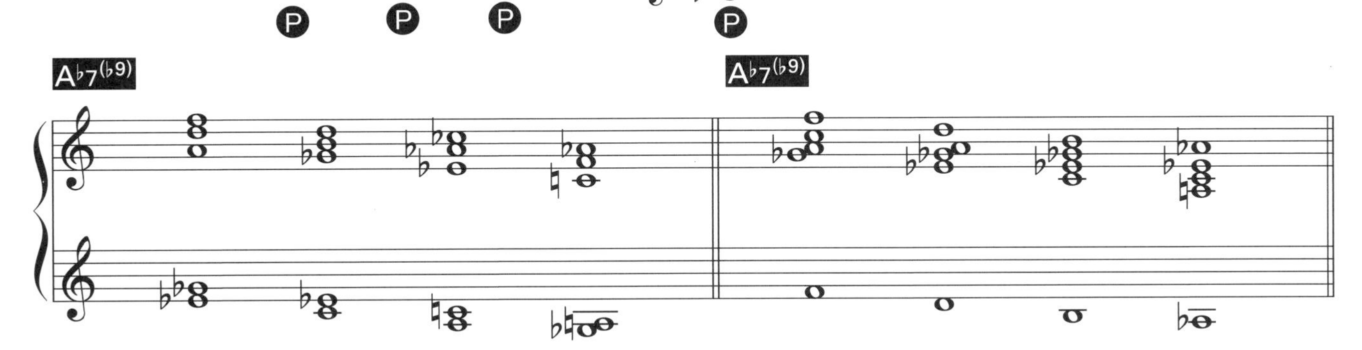

A♭　Tonic Major Chord（A♭ Ionian,A♭ Lydian）

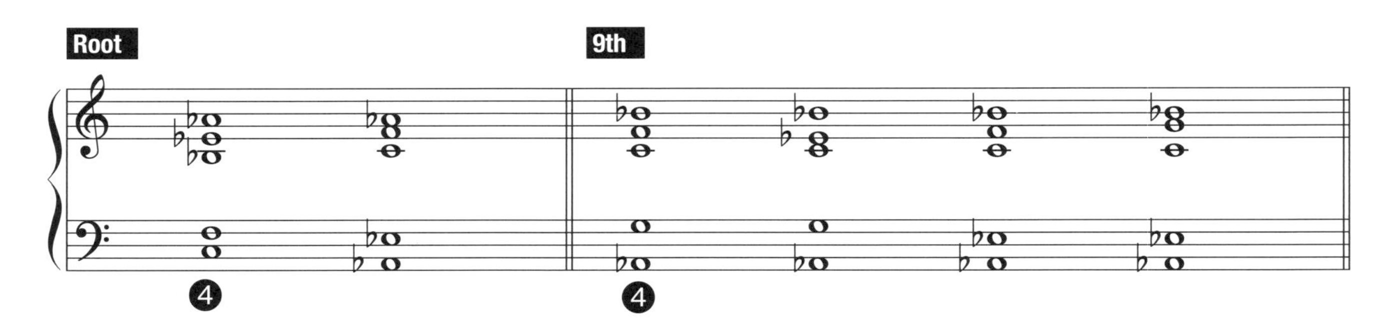

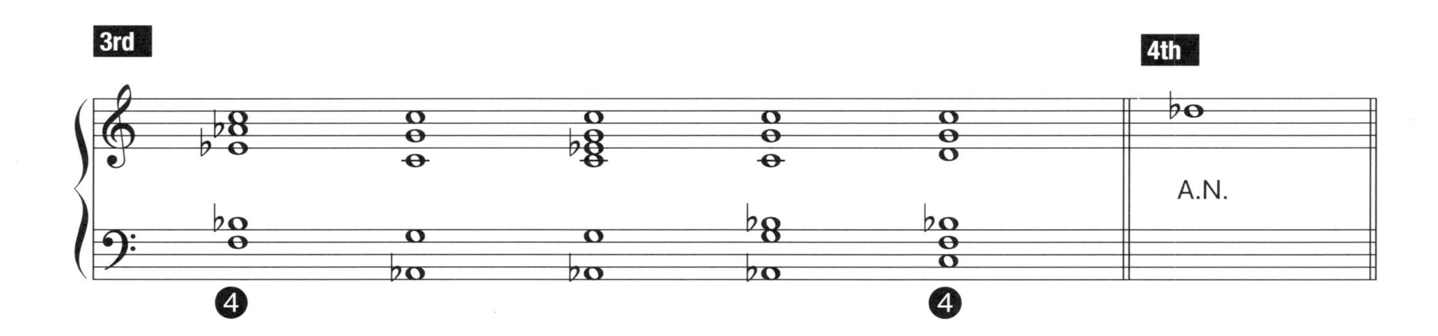

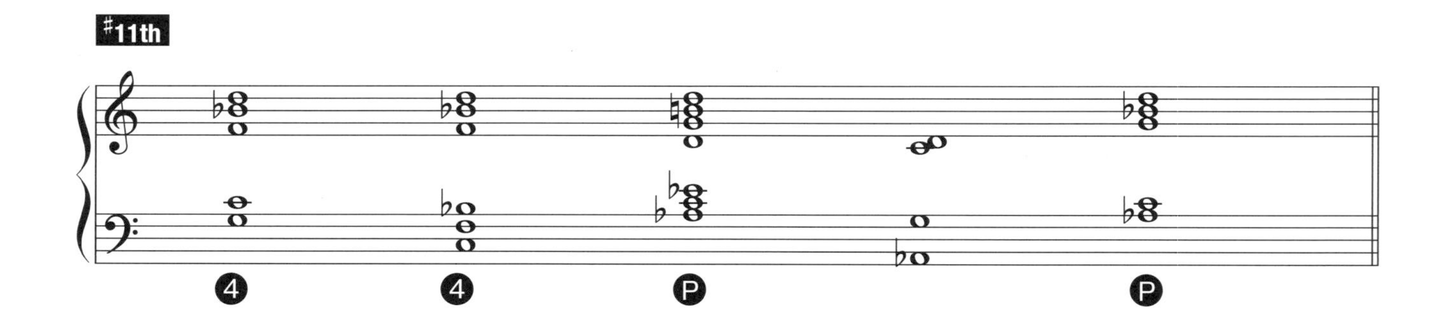

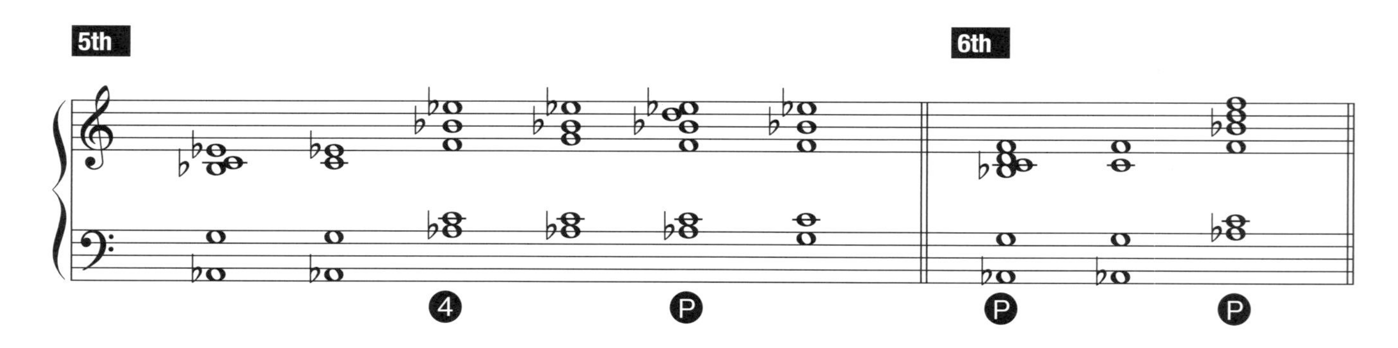

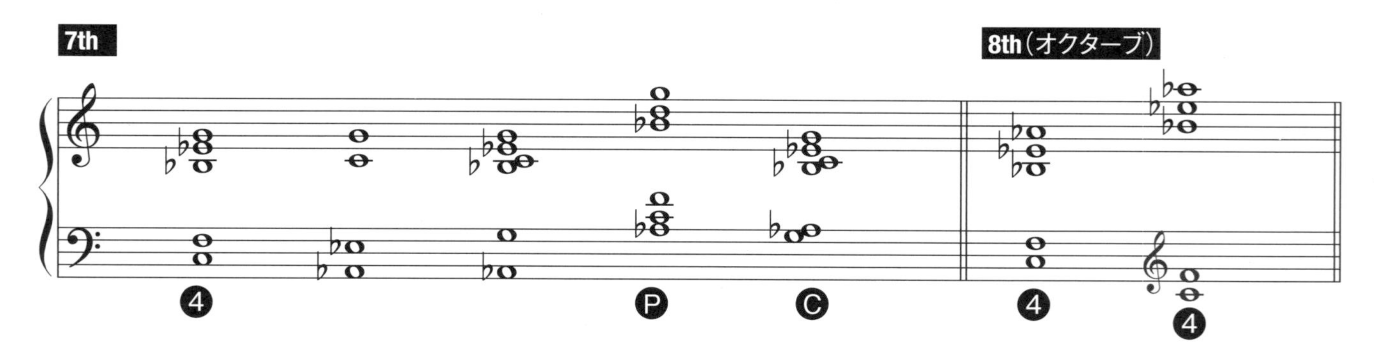

A♭m Tonic Minor Chord（A♭ Melodic Minor Scale）

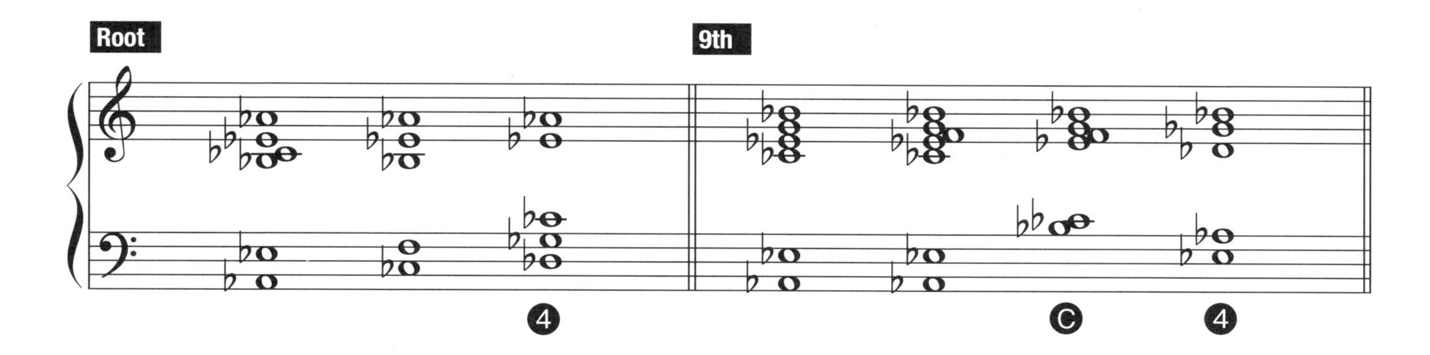

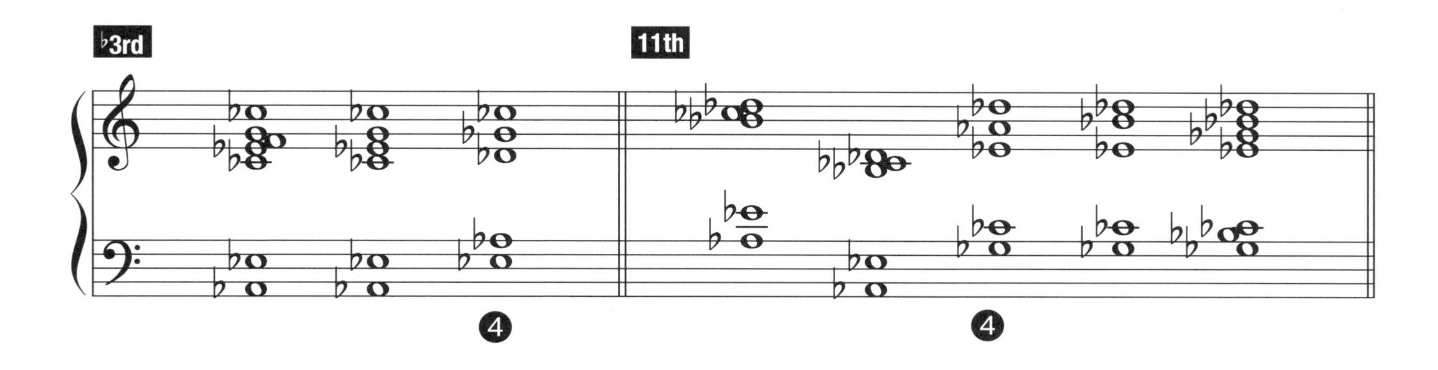

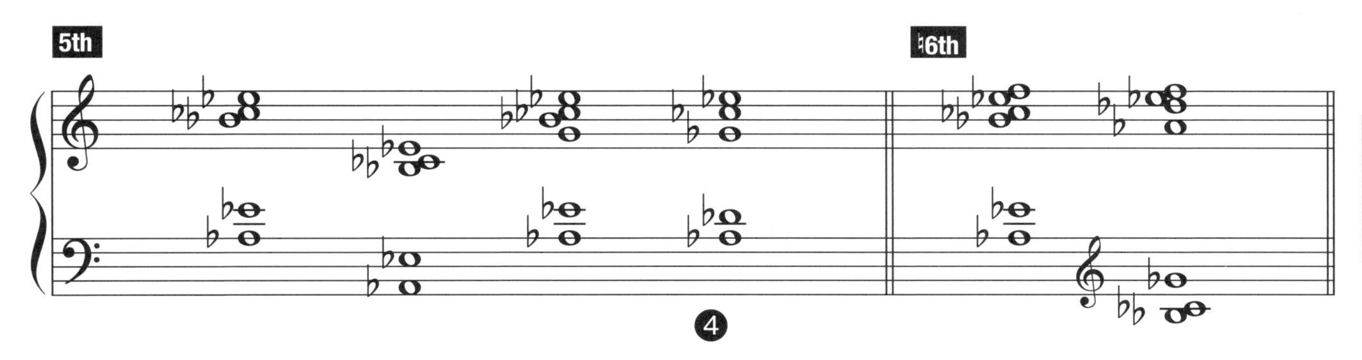

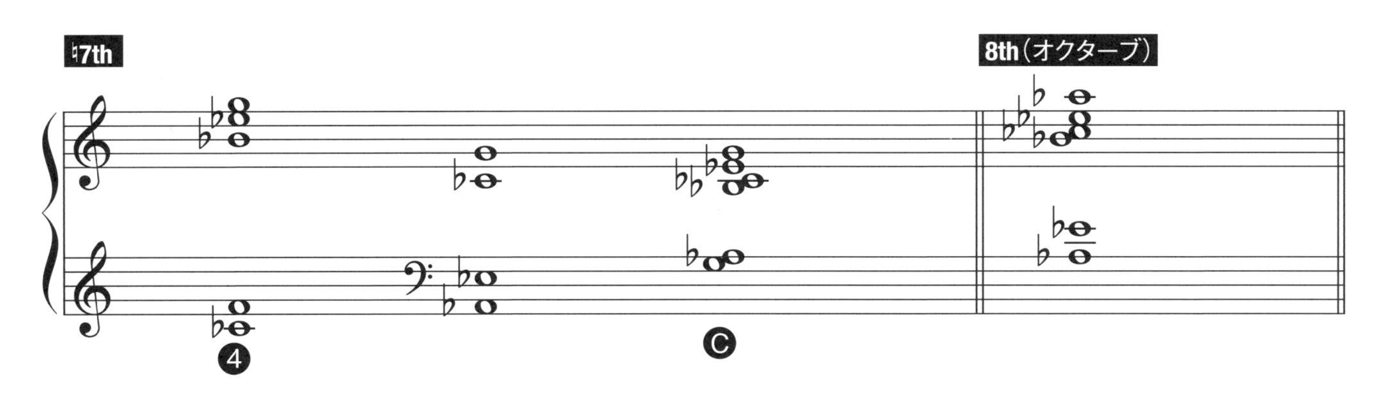

A♭m7　Minor 7th Chord（A♭ Dorian）

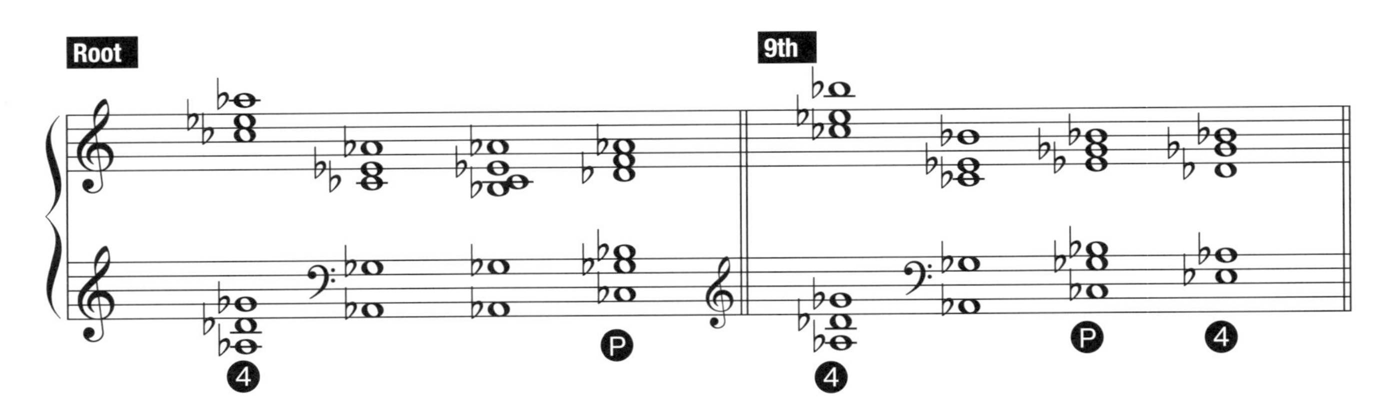

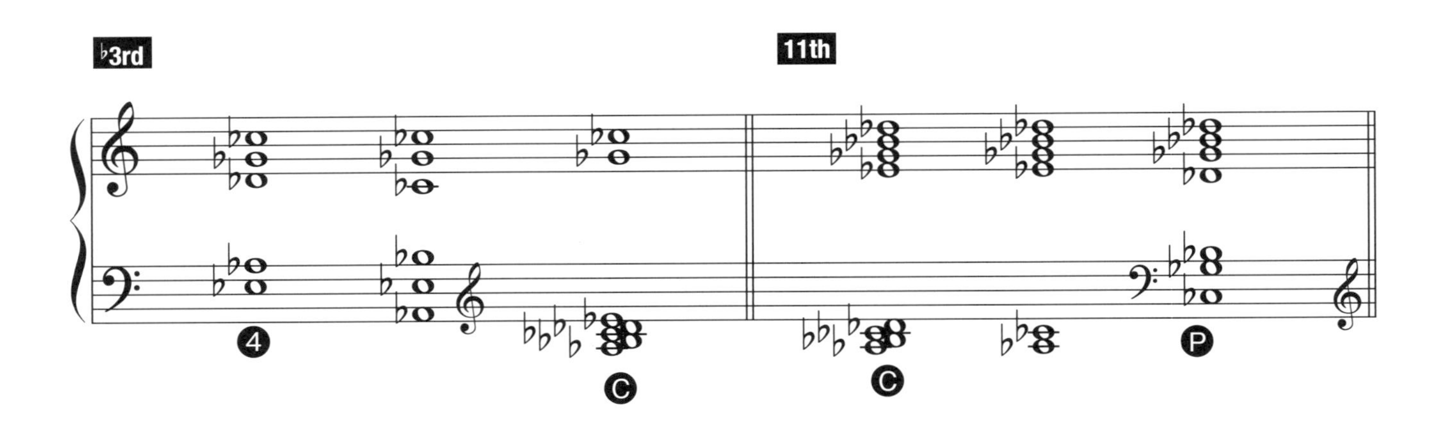

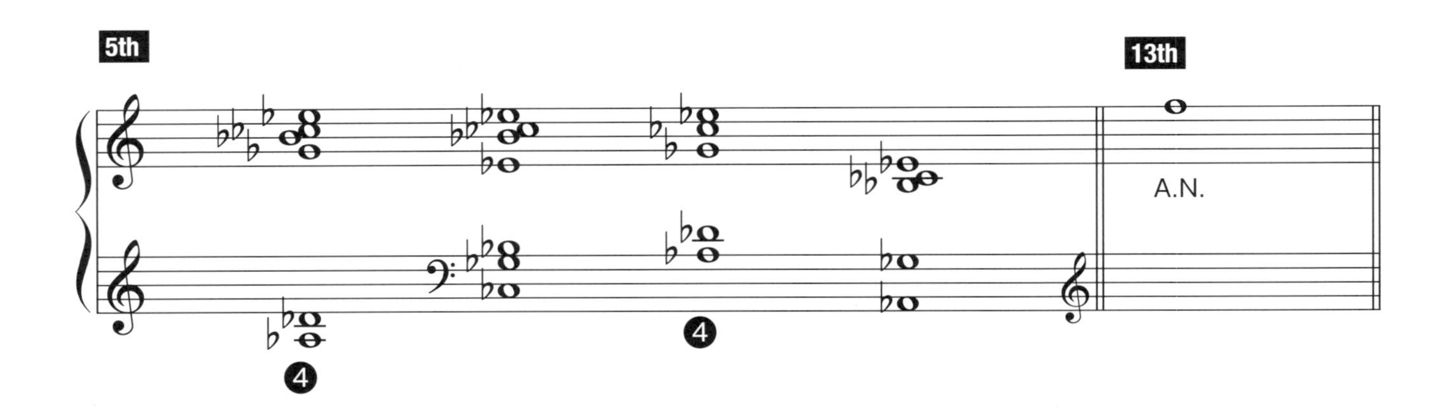

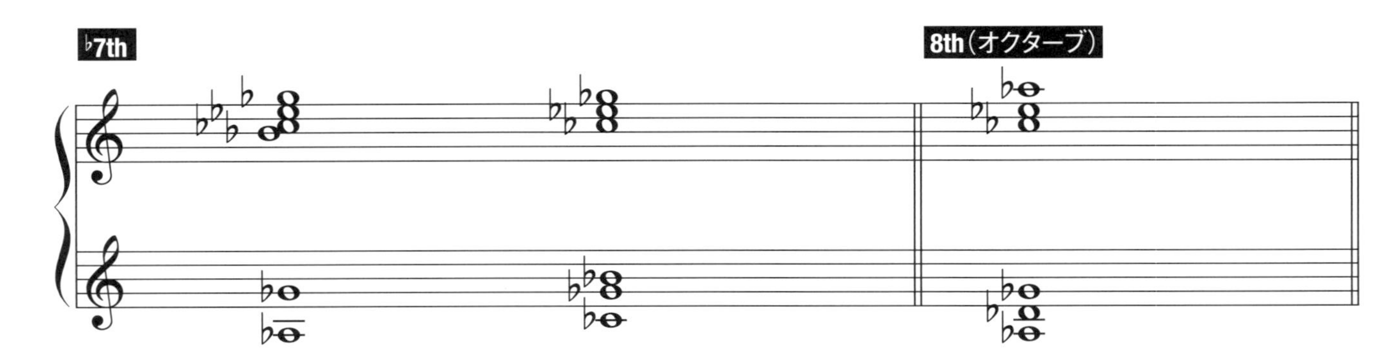

A♭m7(♭5) Minor 7th Flatted 5th Chord (A♭ Altered Dorian)

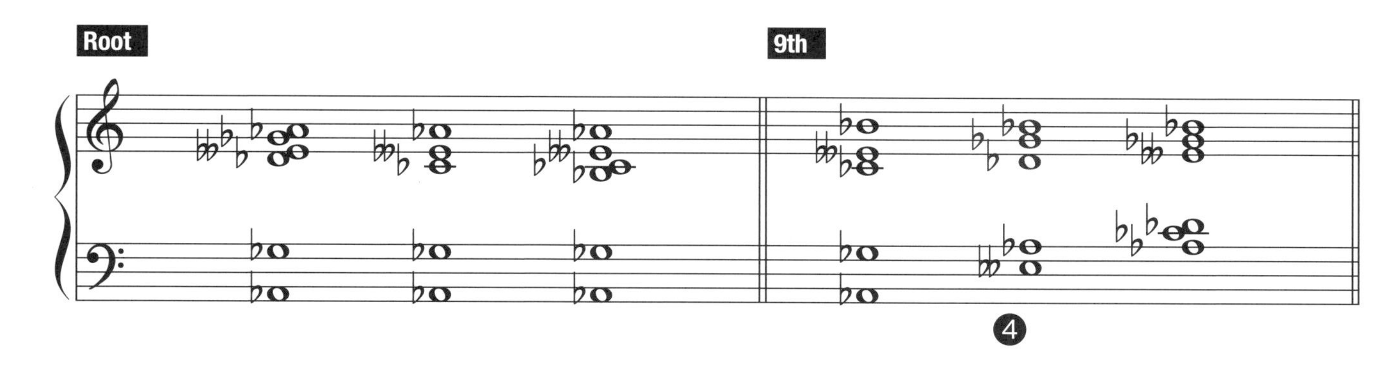

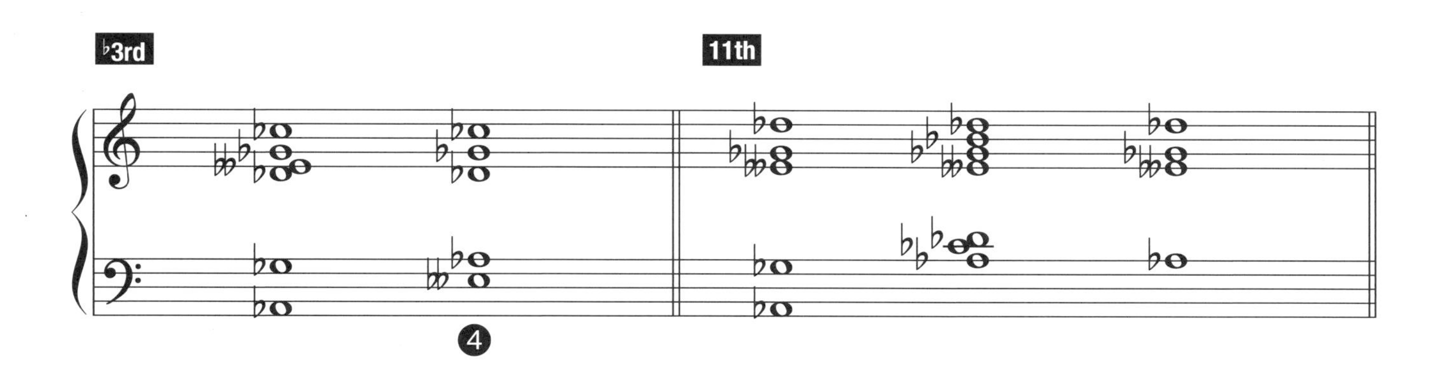

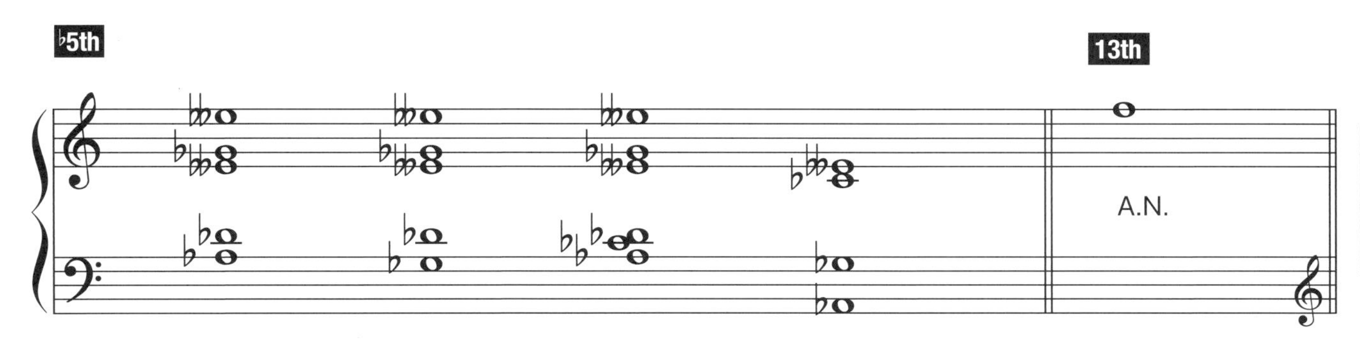

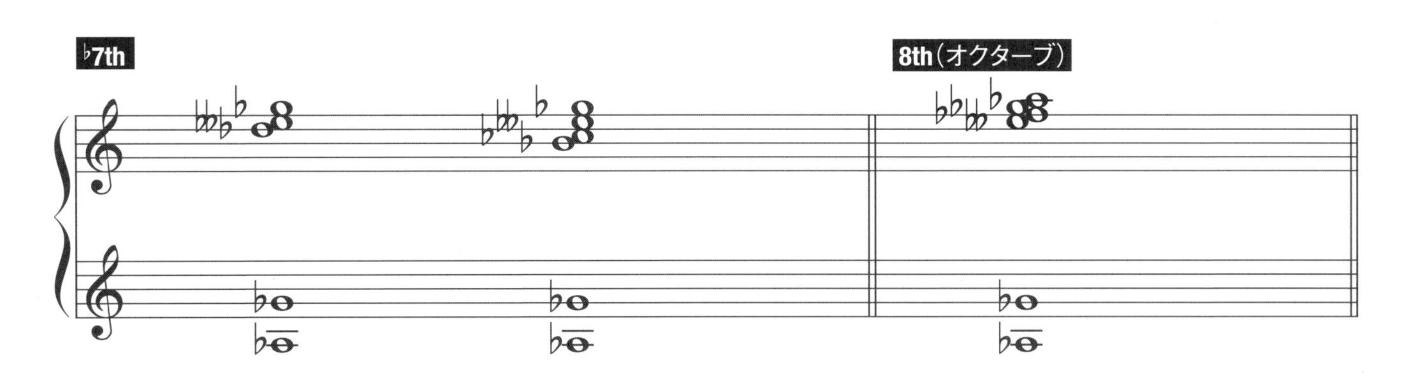

A7 Dominant 7th Chord

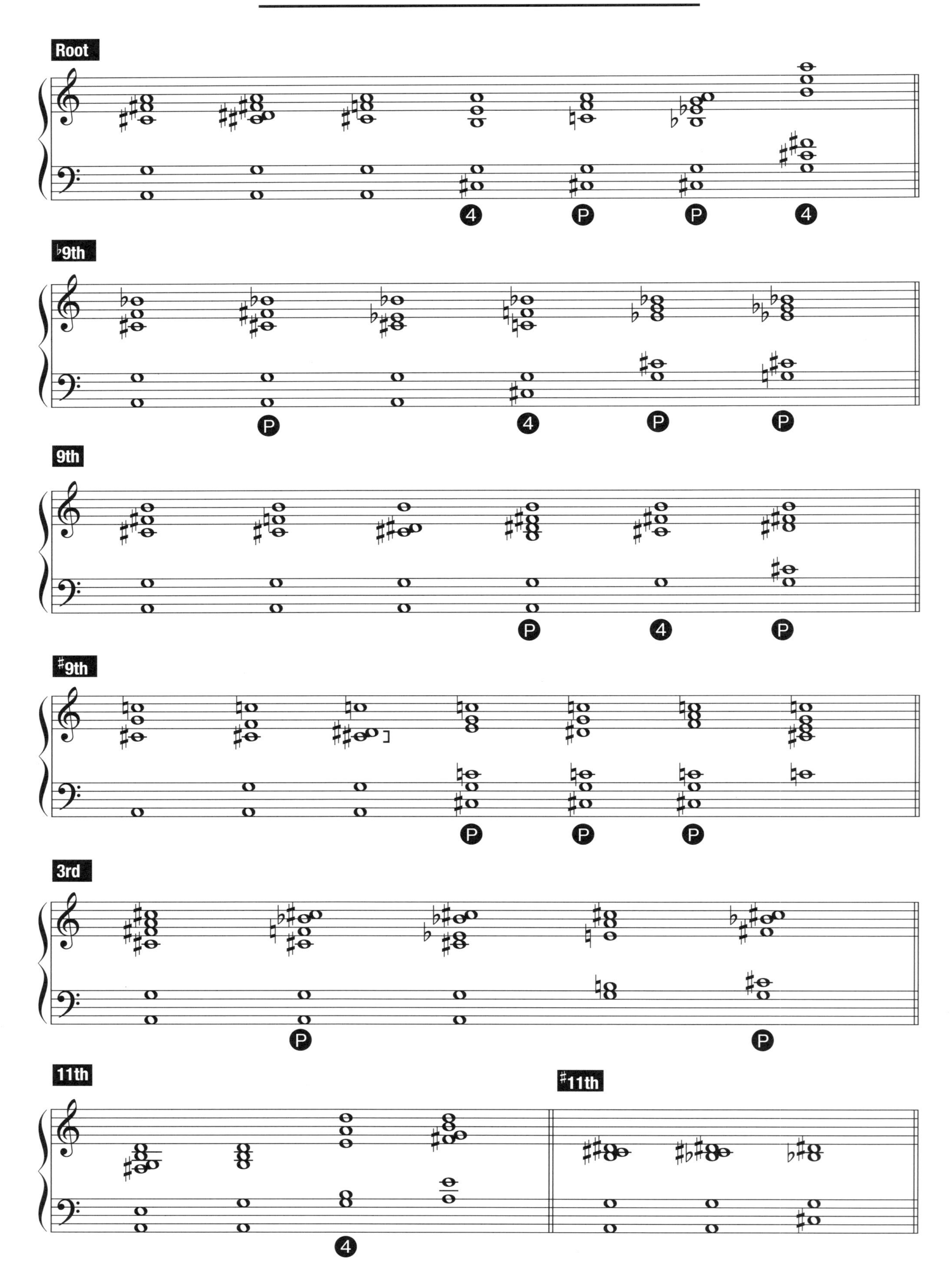

● A をルートとしたときのテンション

♭9th	9th	♯9th	11th	♯11th	♭13th	13th
B♭(A♯)	B	C	D	D♯(E♭)	F	F♯(G♭)

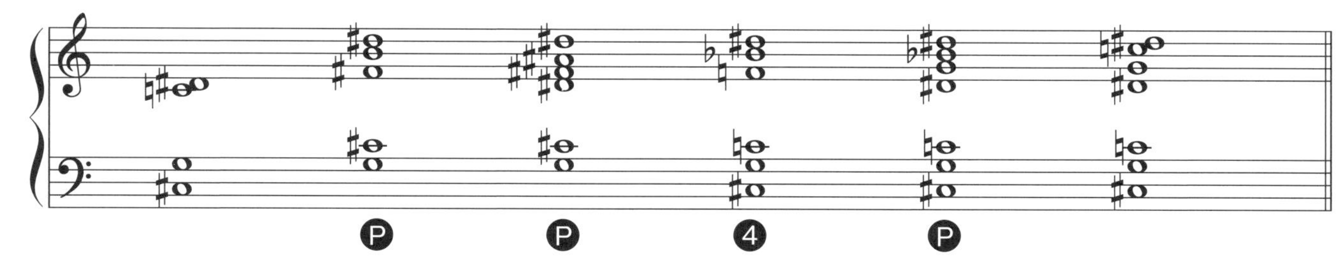

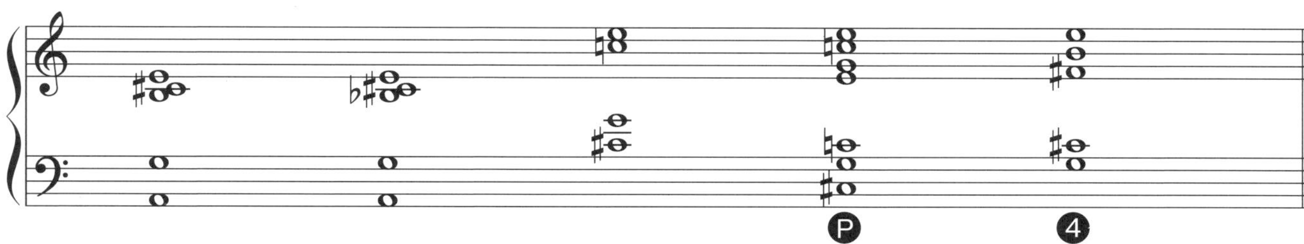

♭13th

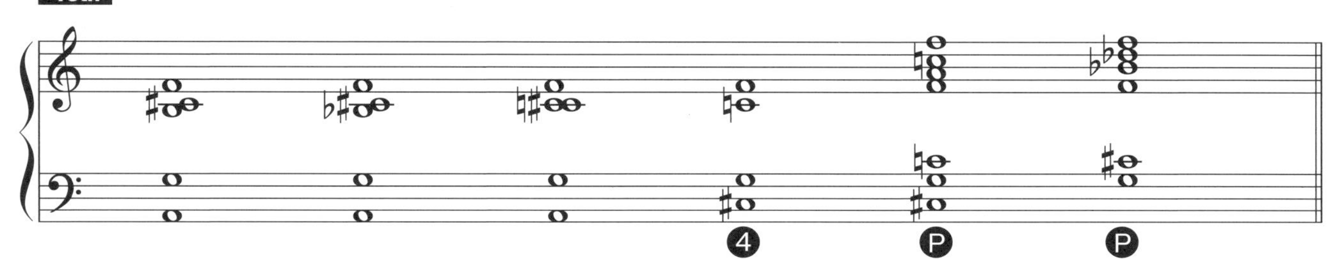

13th

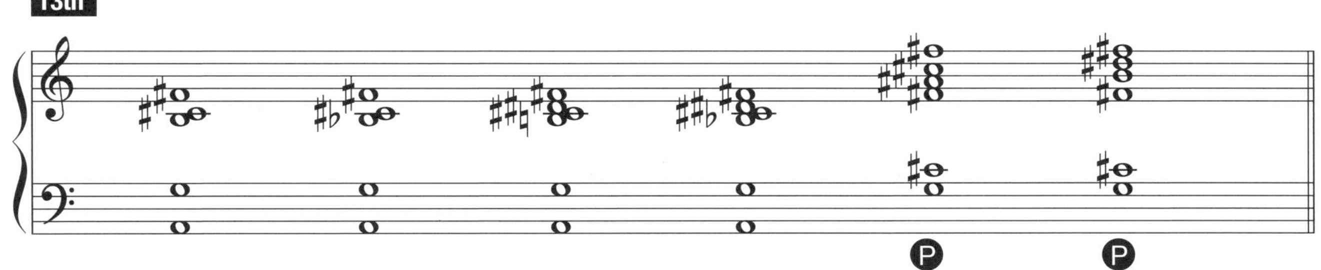

♭7th

A7(♭9) Diminished Note Harmonization

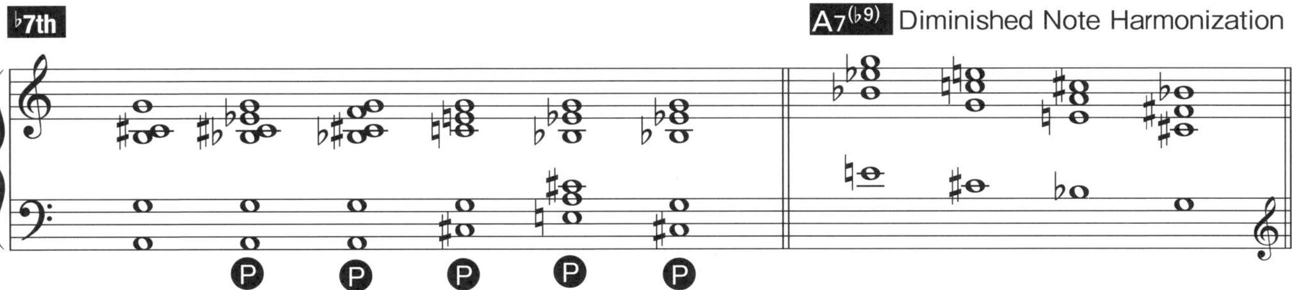

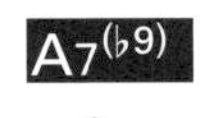

A7(♭9)

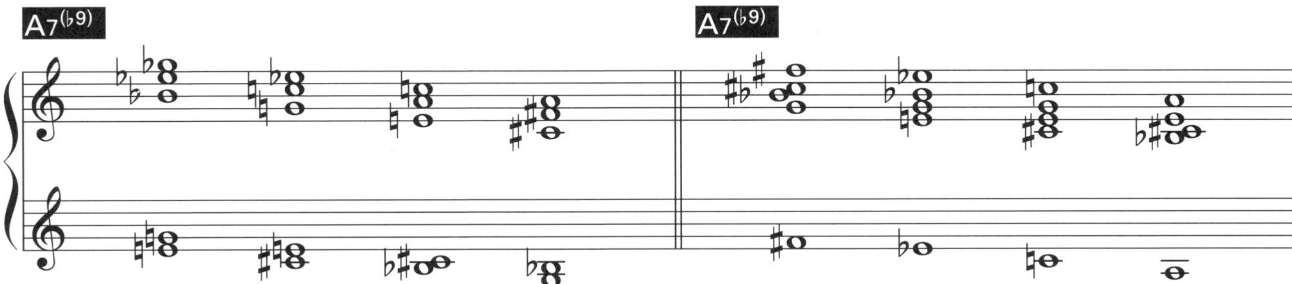

A

A Tonic Major Chord（A Ionian,A Lydian）

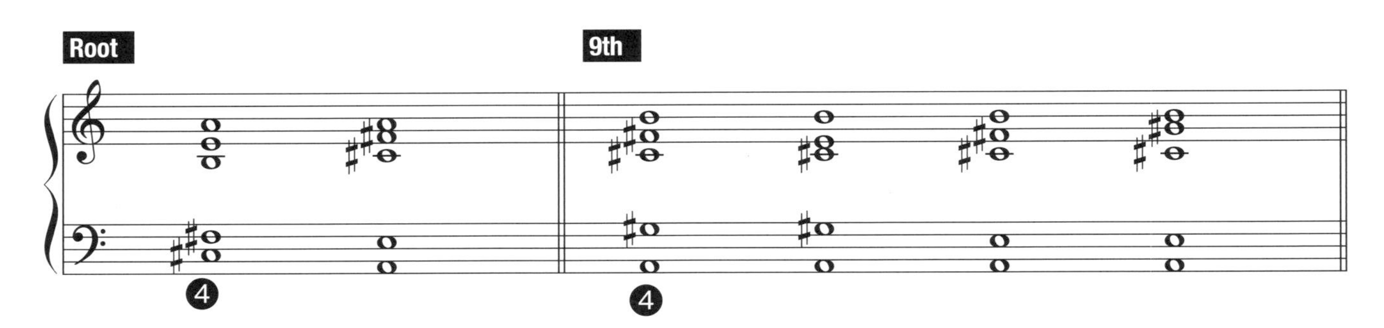

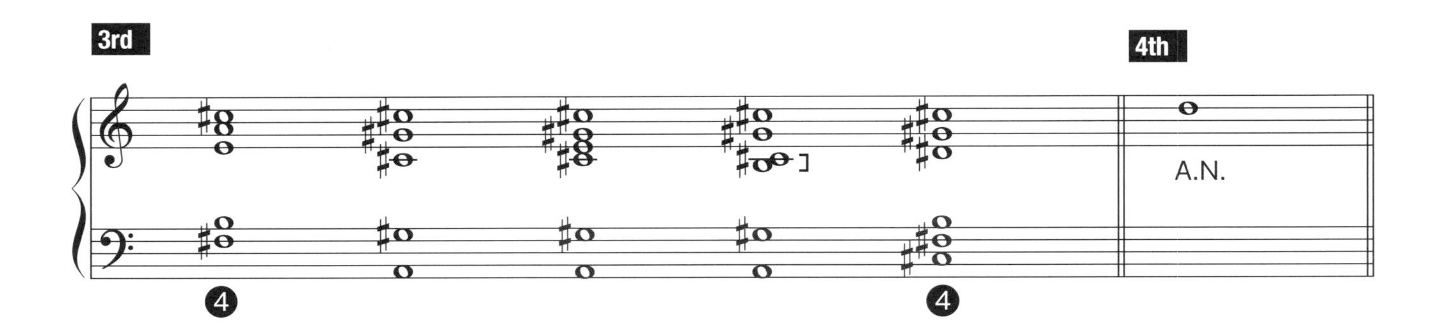

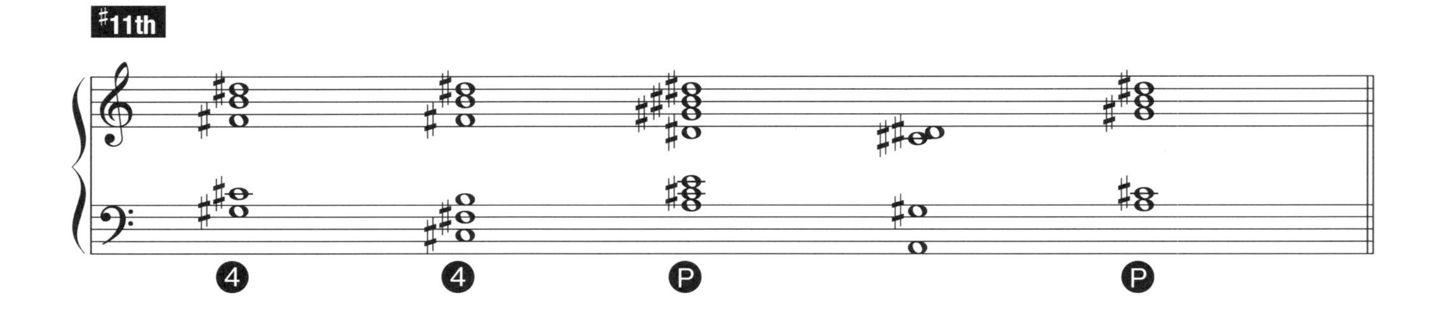

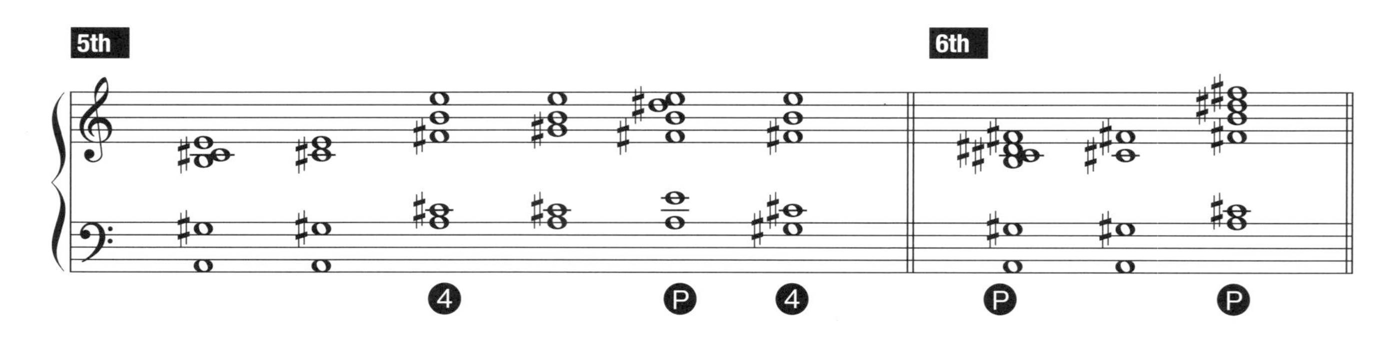

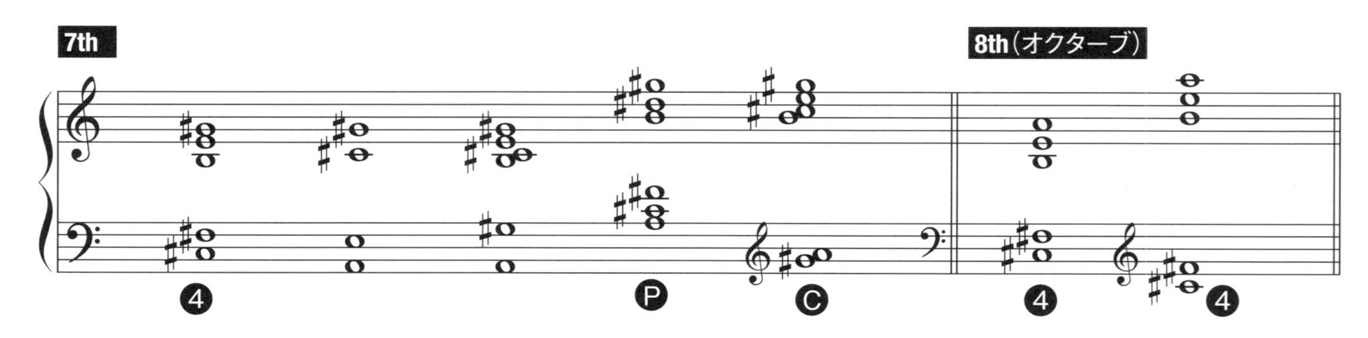

Am Tonic Minor Chord（A Melodic Minor Scale）

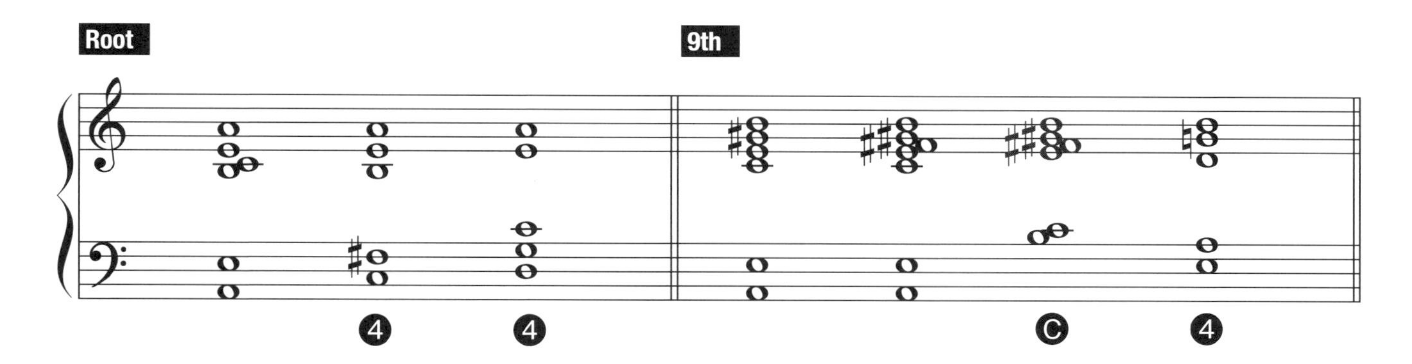

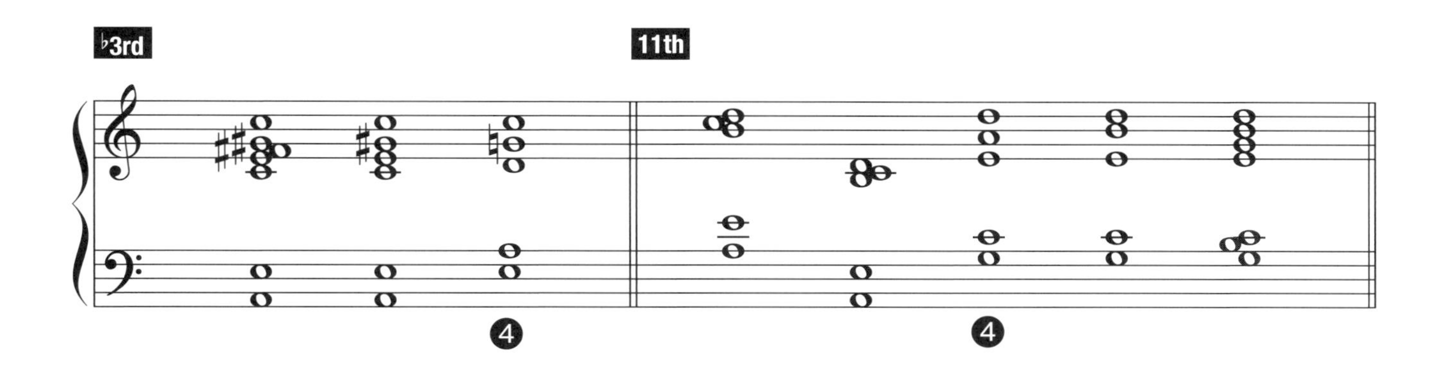

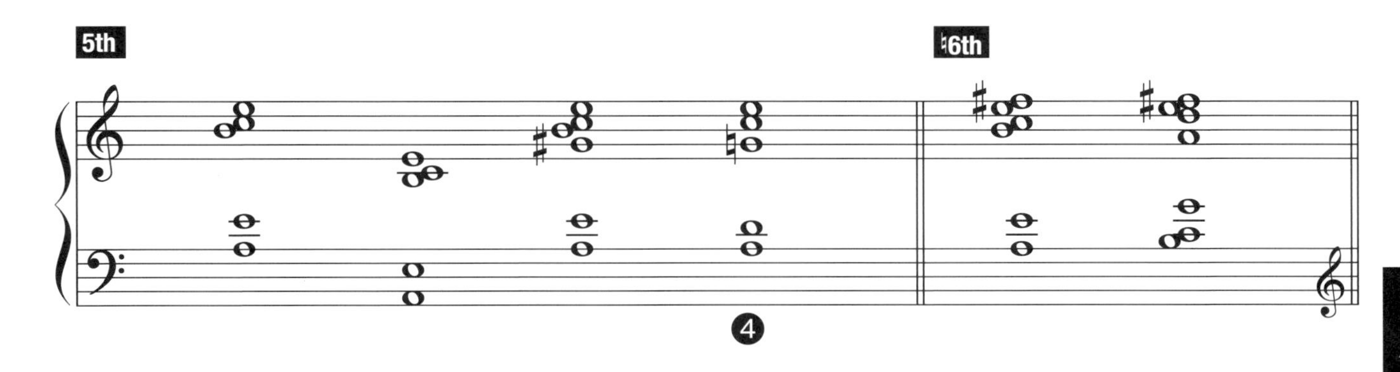

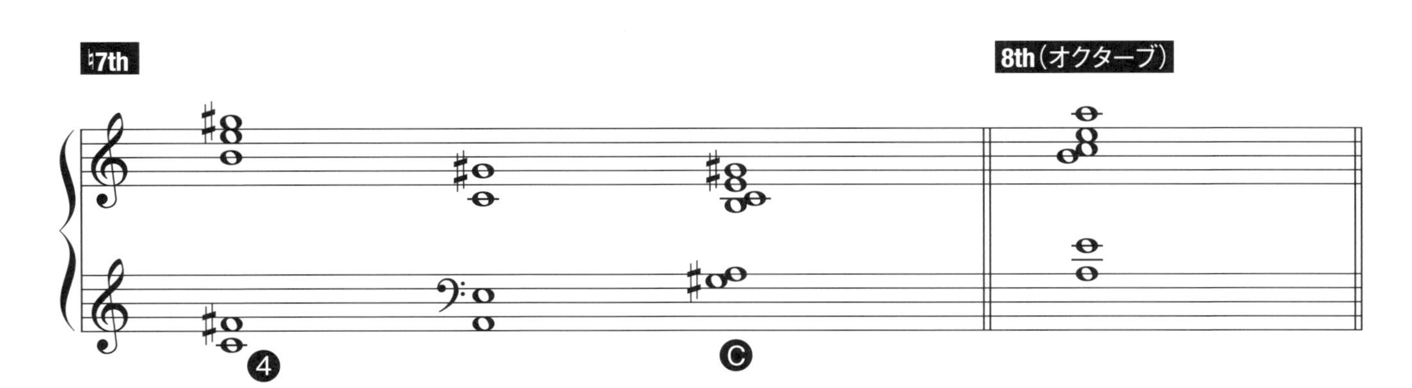

Am7　Minor 7th Chord（A Dorian）

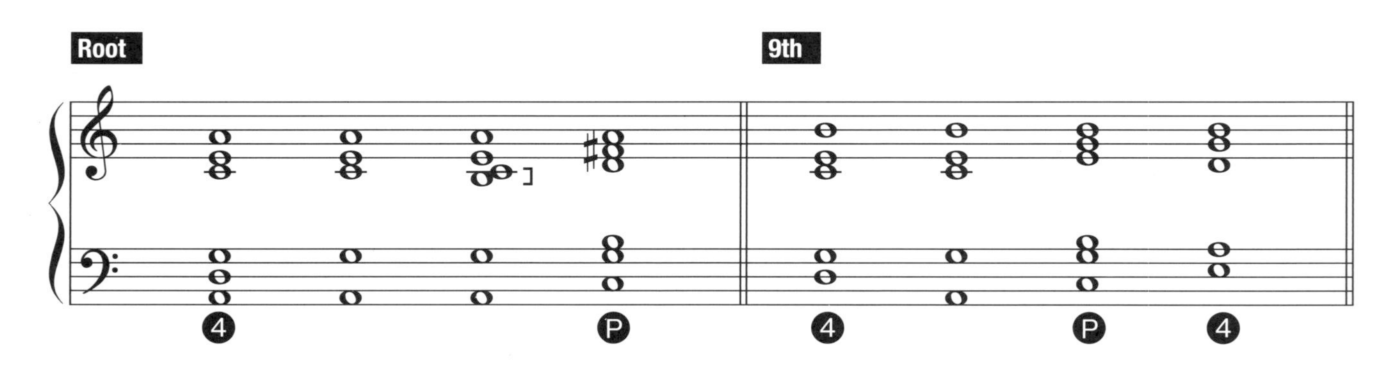

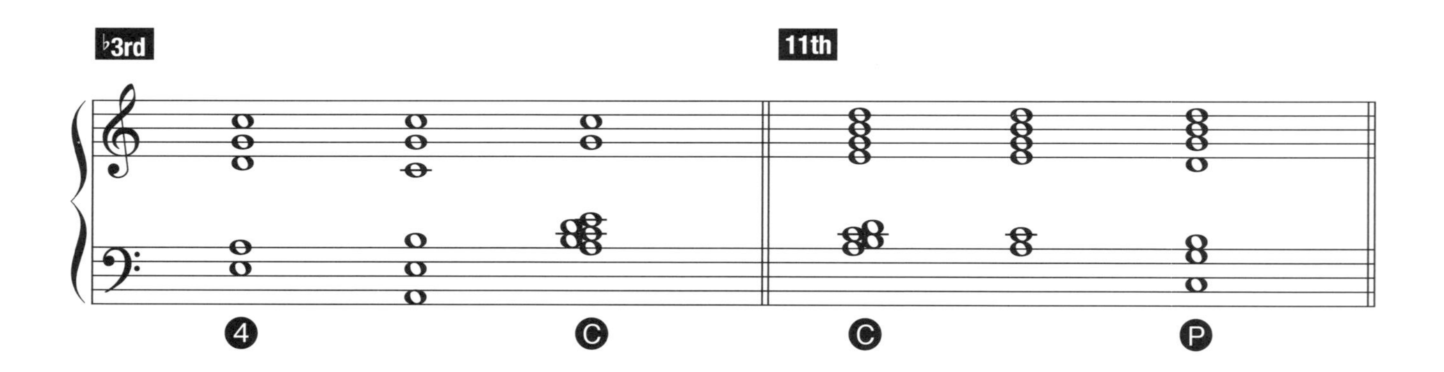

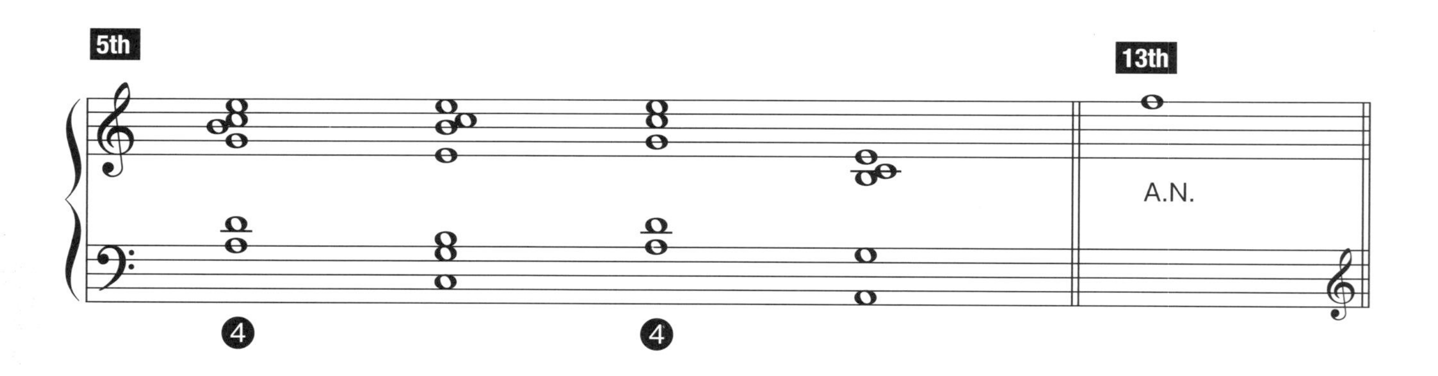

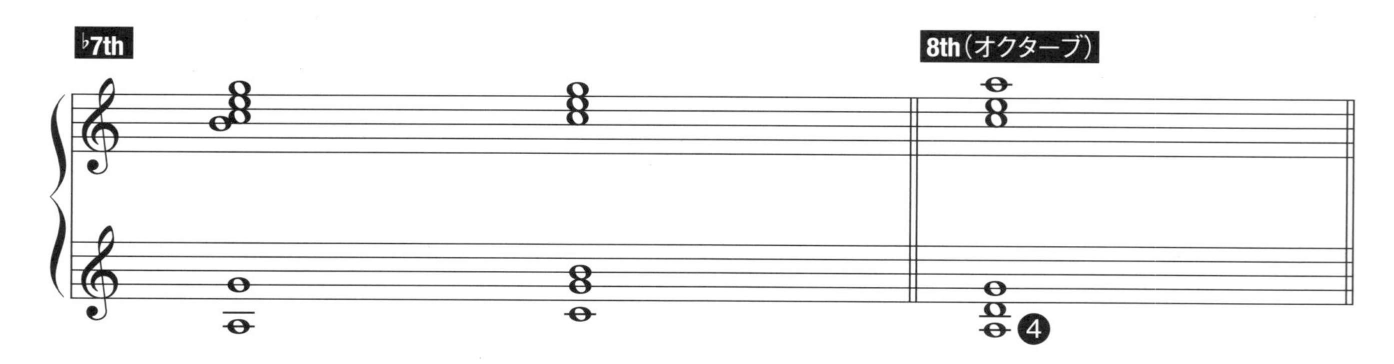

Am7(♭5) Minor 7th Flatted 5th Chord (A Altered Dorian)

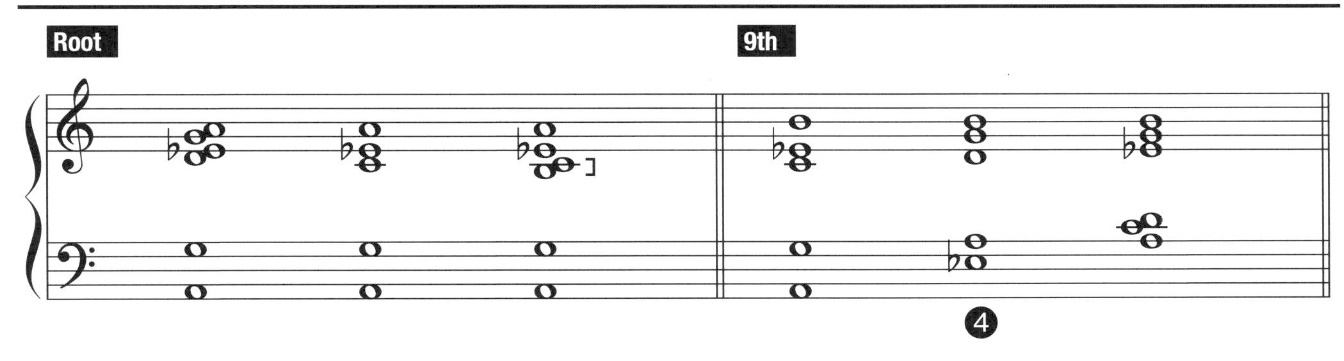

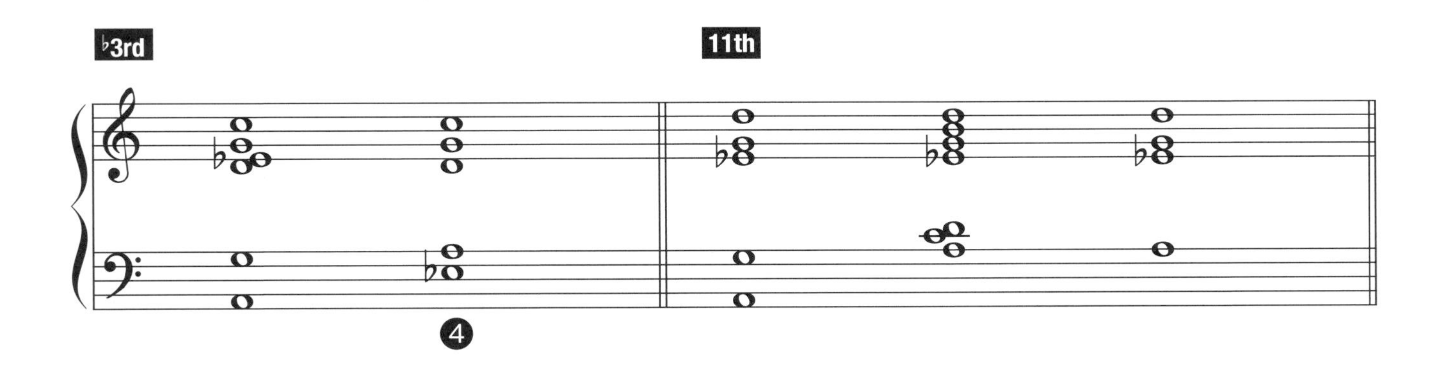

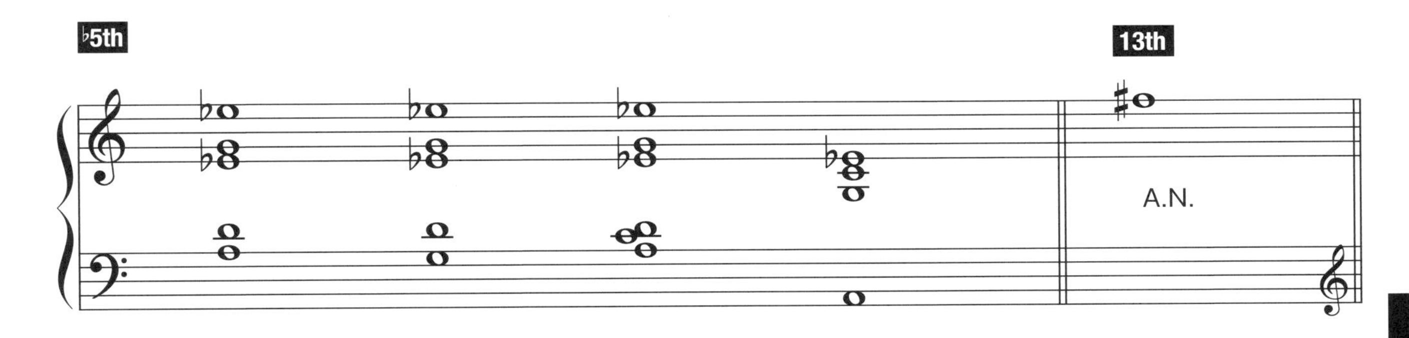

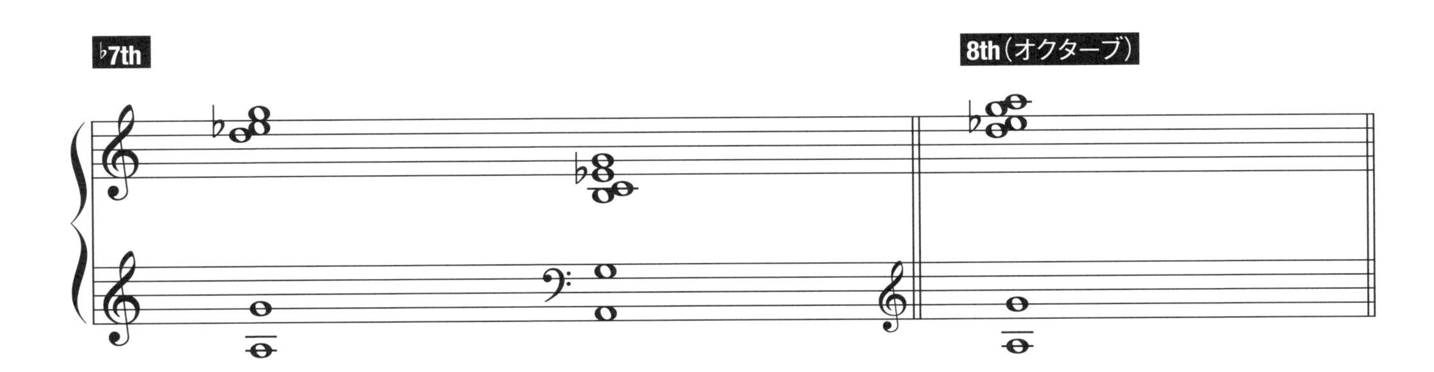

B♭7 Dominant 7th Chord

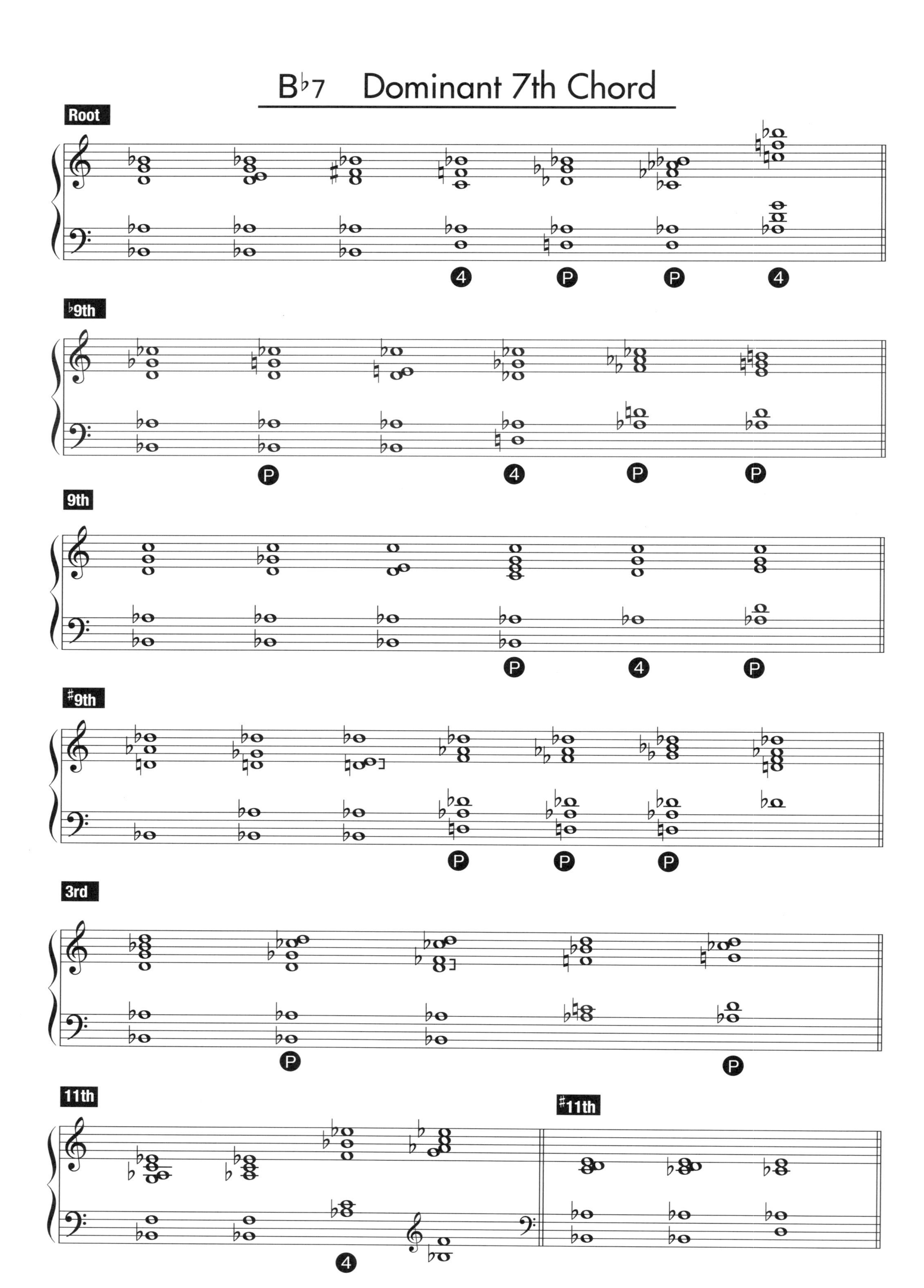

B♭をルートとしたときのテンション

♭9th	9th	♯9th	11th	♯11th	♭13th	13th
C♭(B)	C	D♭(C♯)	E♭(D♯)	E	G♭(F♯)	G

♯11th

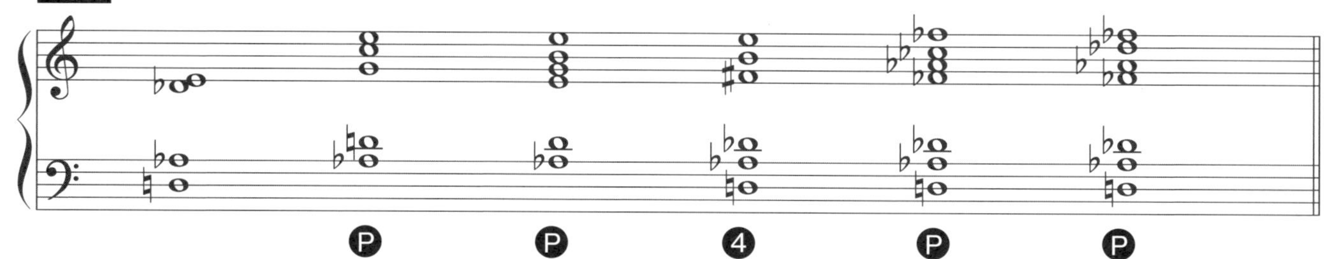

5th

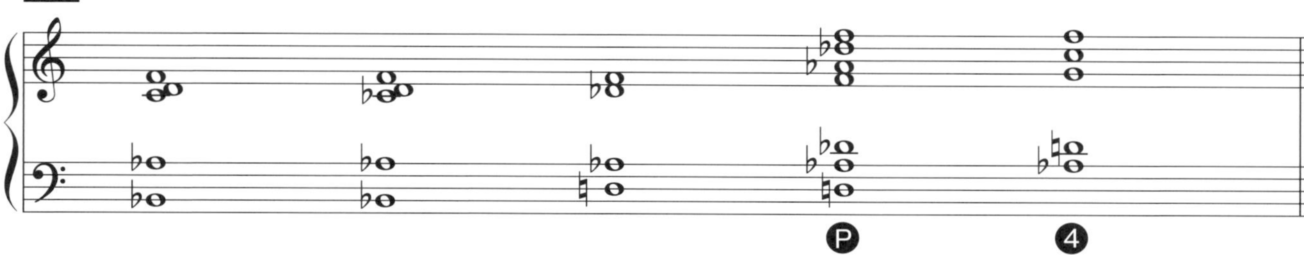

♭13th

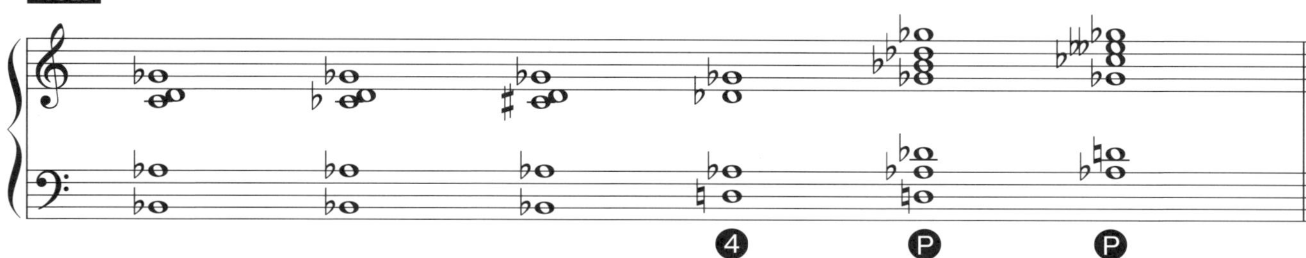

13th

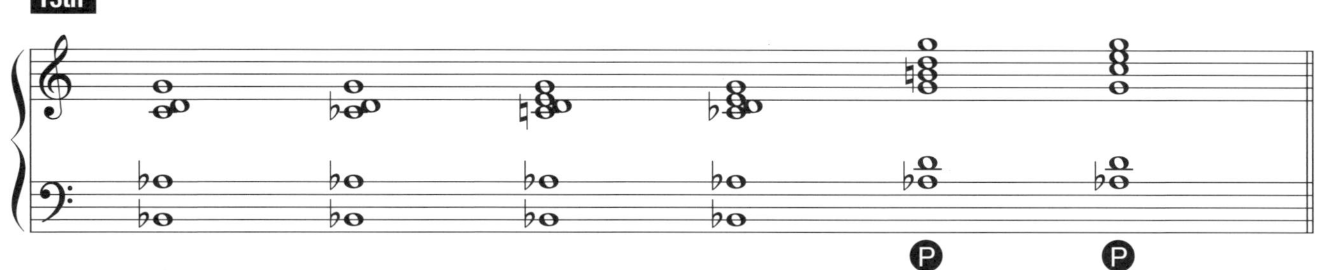

♭7th

B♭7(♭9) Diminished Note Harmonization

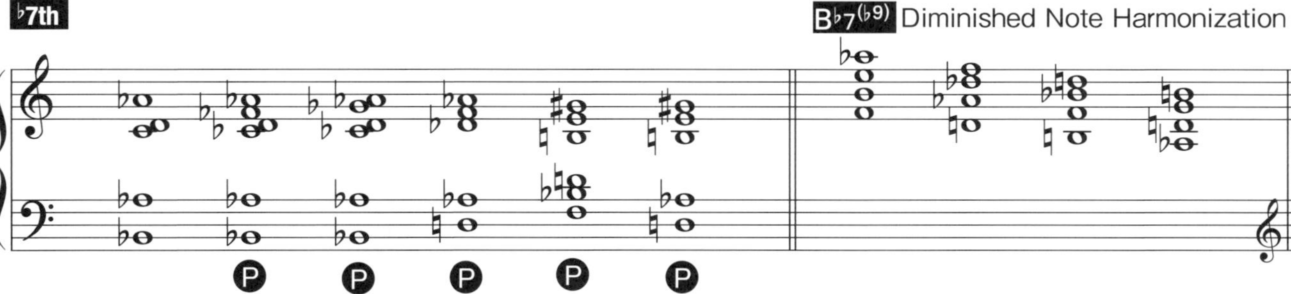

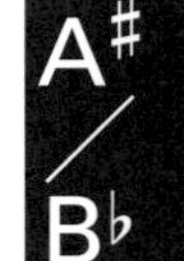

B♭7(♭9) **B♭7(♭9)**

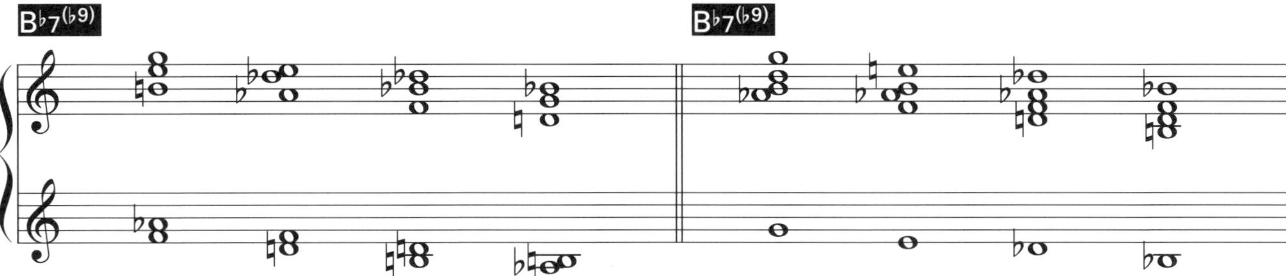

B♭　Tonic Major Chord（B♭ Ionian,B♭ Lydian）

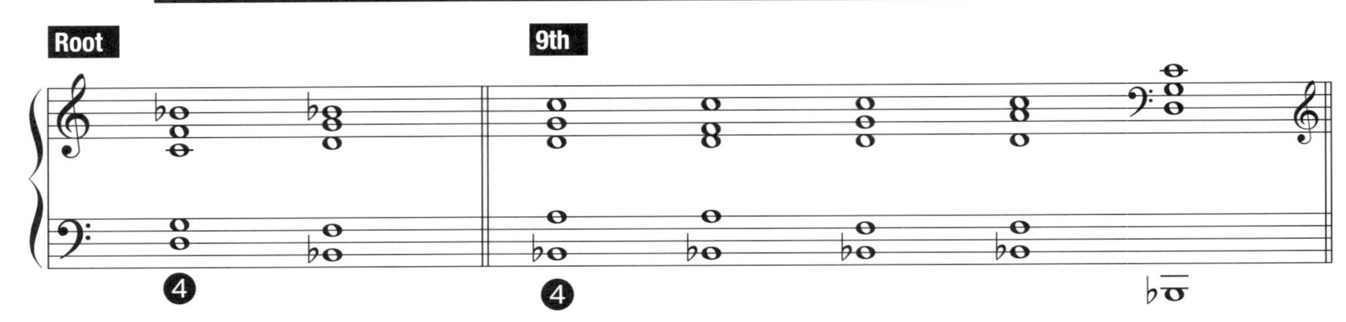

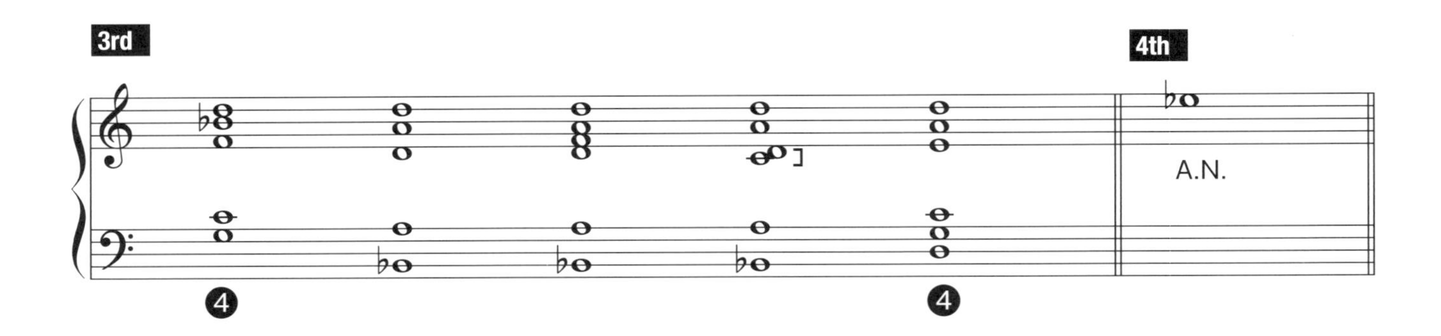

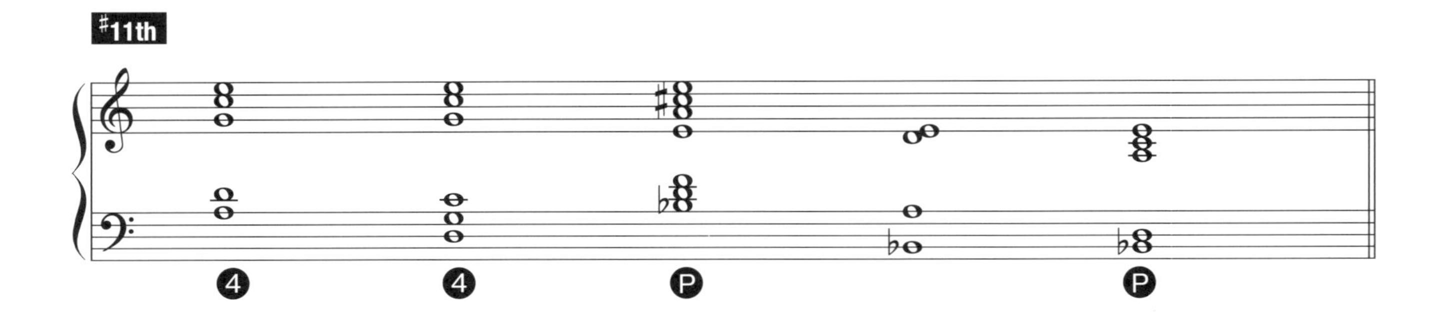

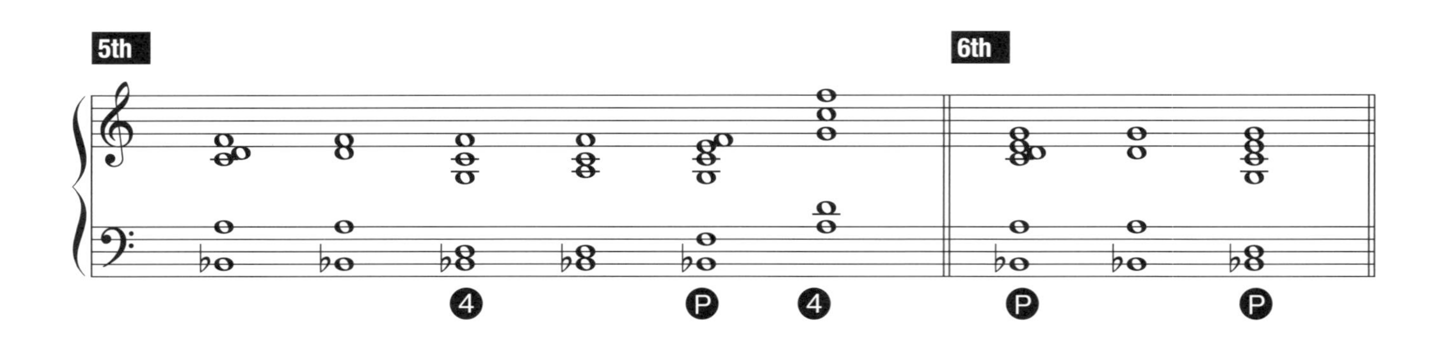

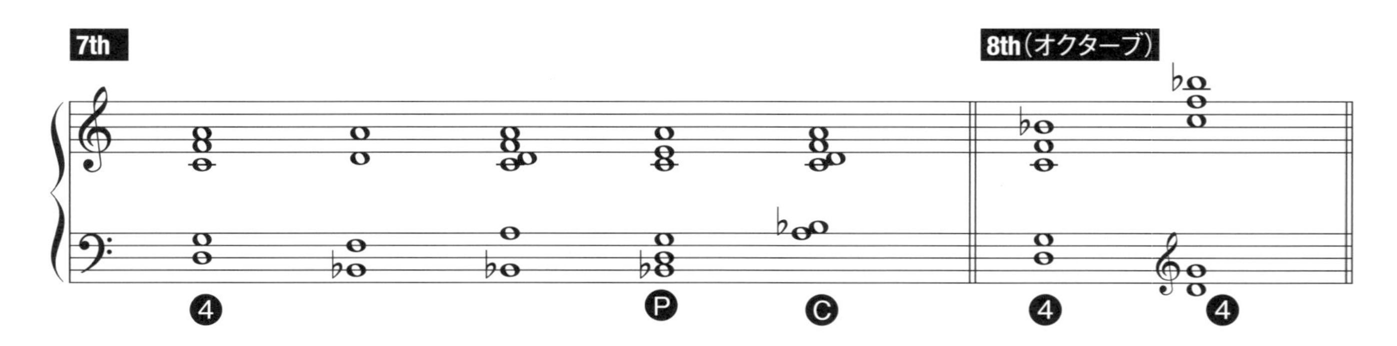

B♭m Tonic Minor Chord（B♭ Melodic Minor Scale）

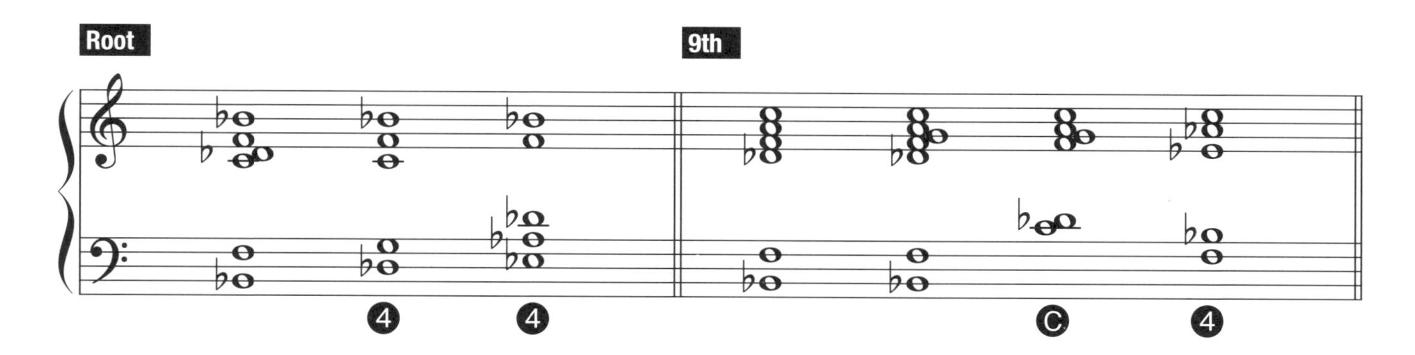

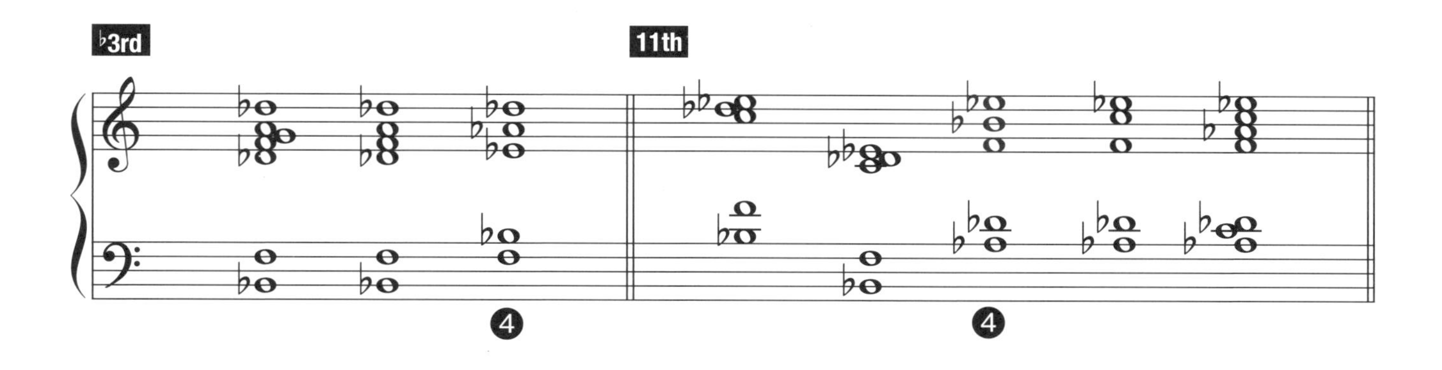

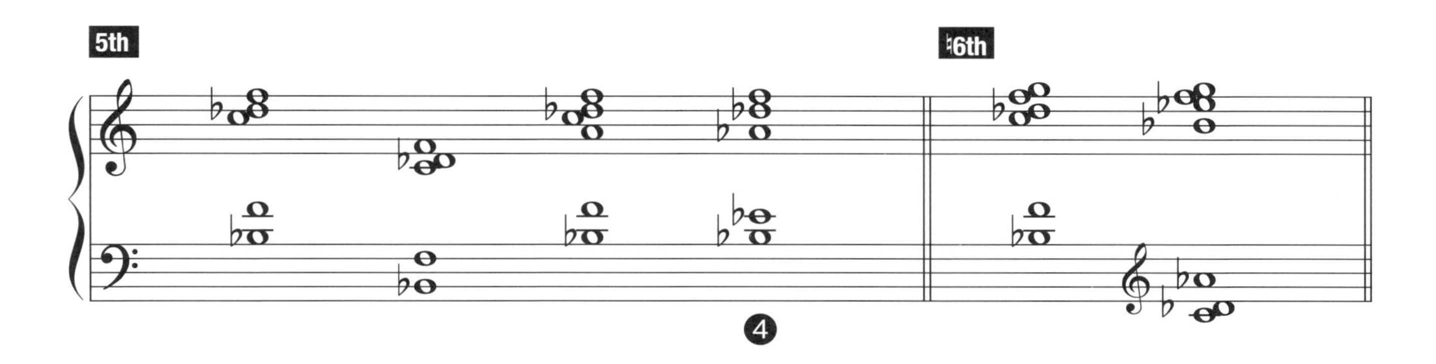

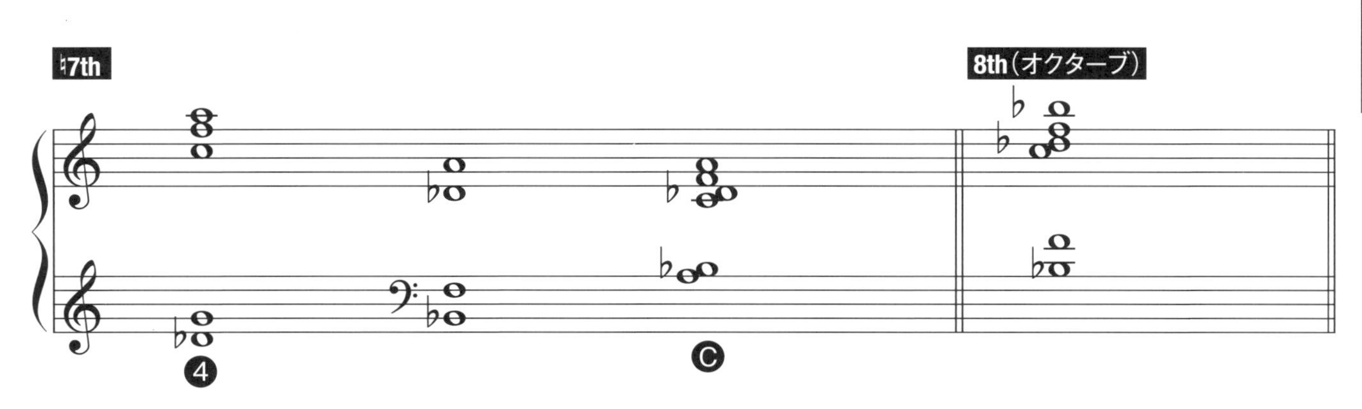

B♭m7 Minor 7th Chord（B♭ Dorian）

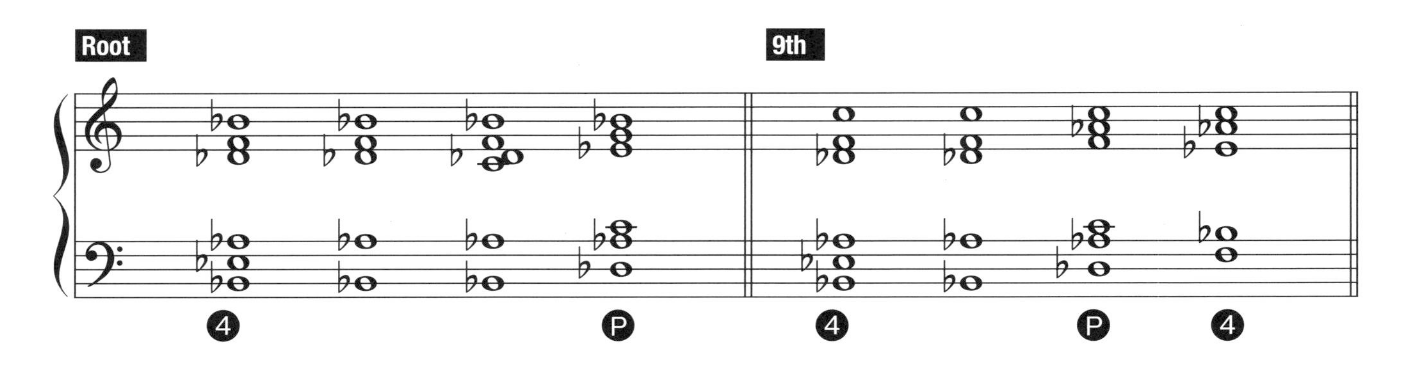

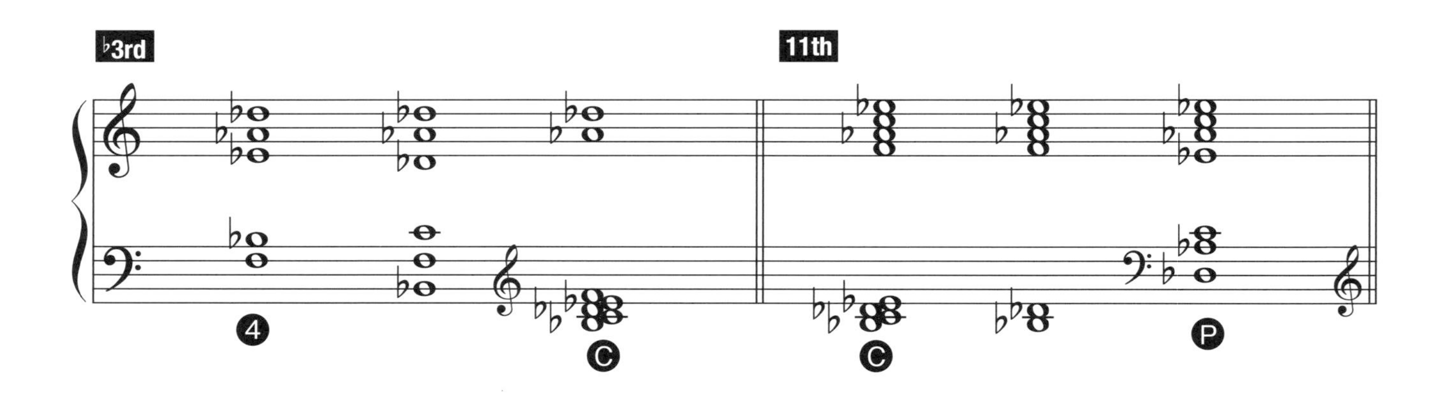

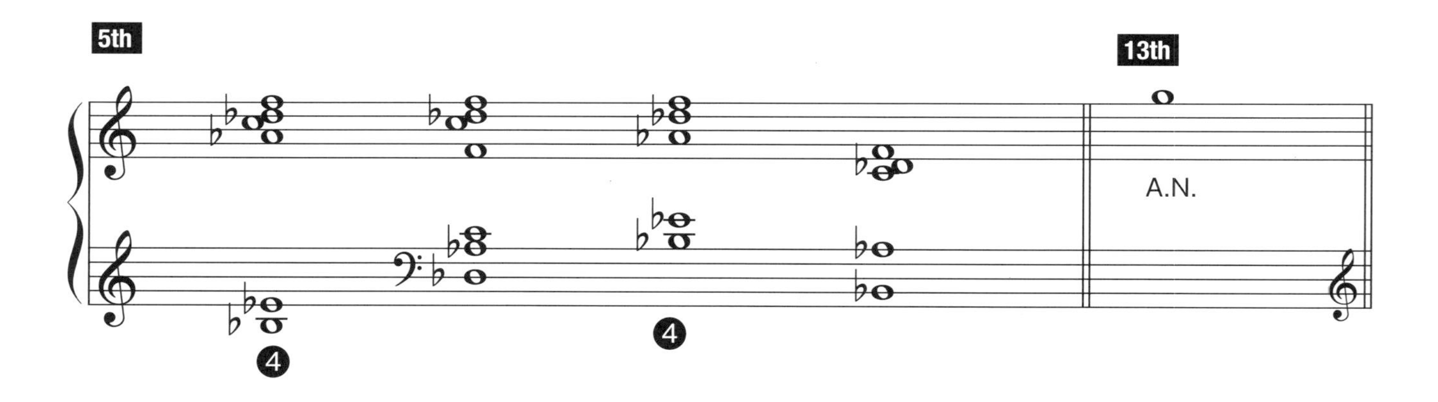

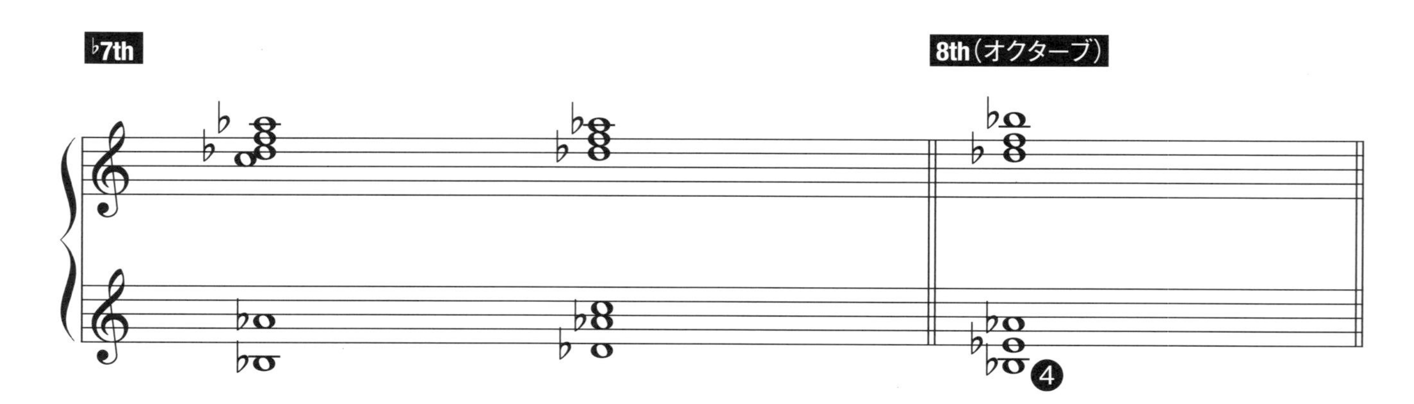

B♭m7(♭5) Minor 7th Flatted 5th Chord（B♭ Altered Dorian）

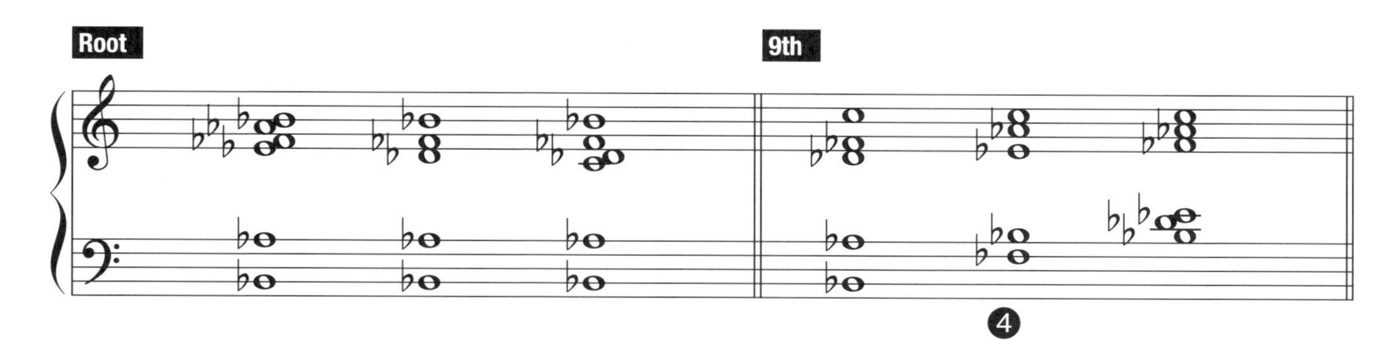

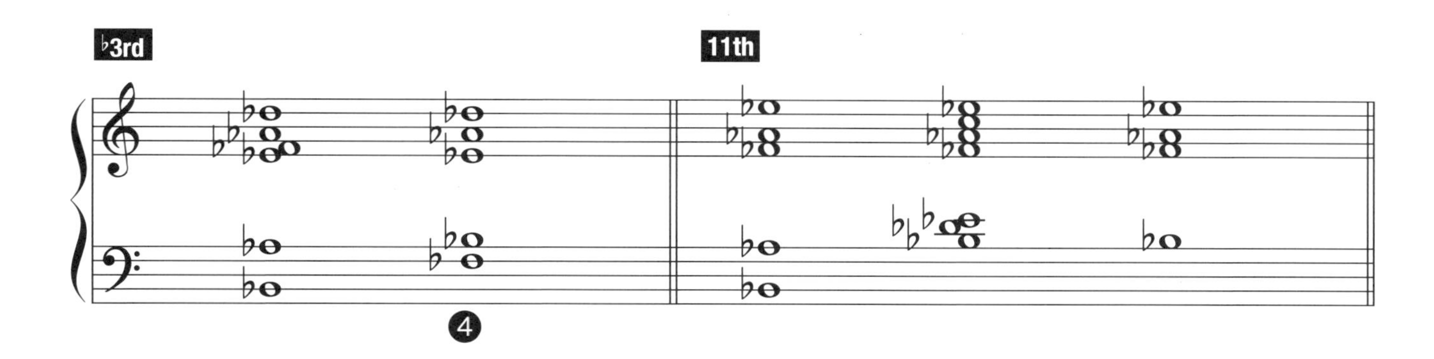

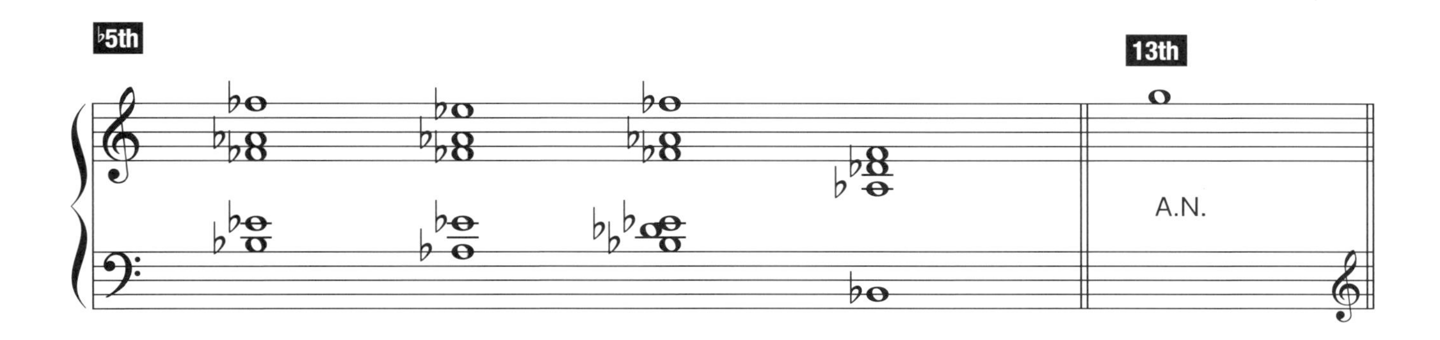

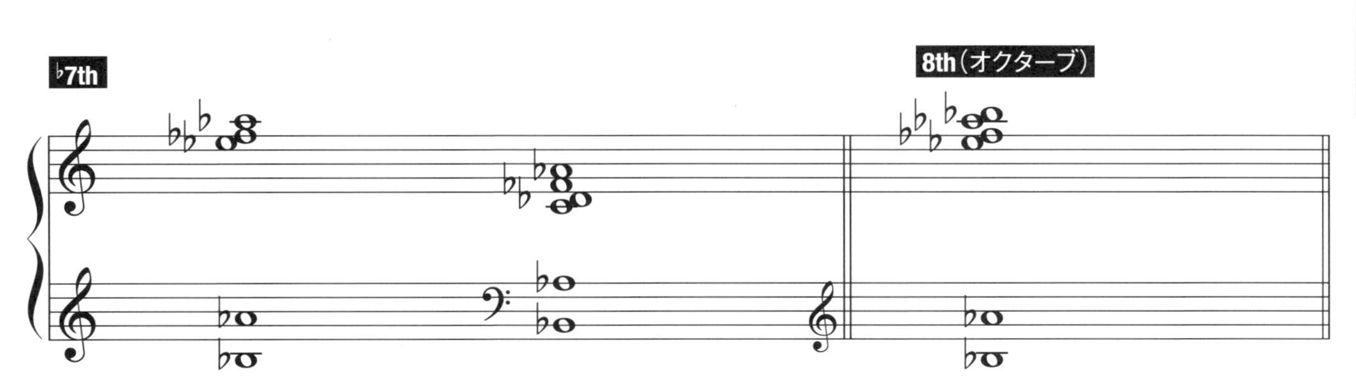

B7 Dominant 7th Chord

 Bをルートとしたときのテンション

♭9th	9th	♯9th	11th	♯11th	♭13th	13th
C	C♯(D♭)	D	E	F	G	G♯(A♭)

♯11th

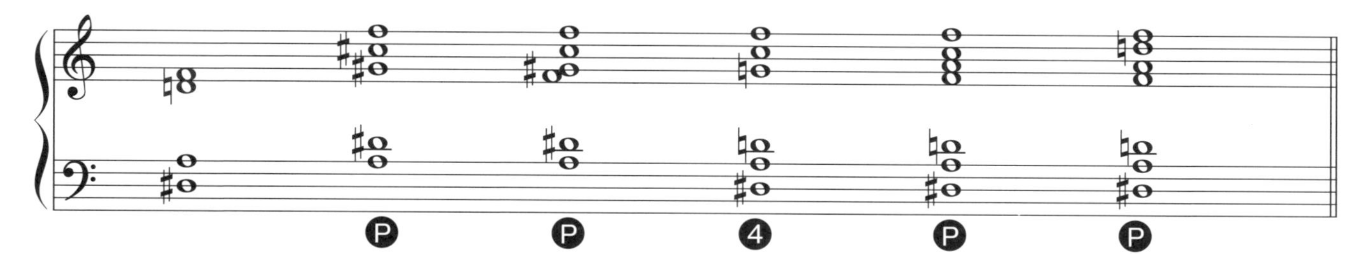

5th

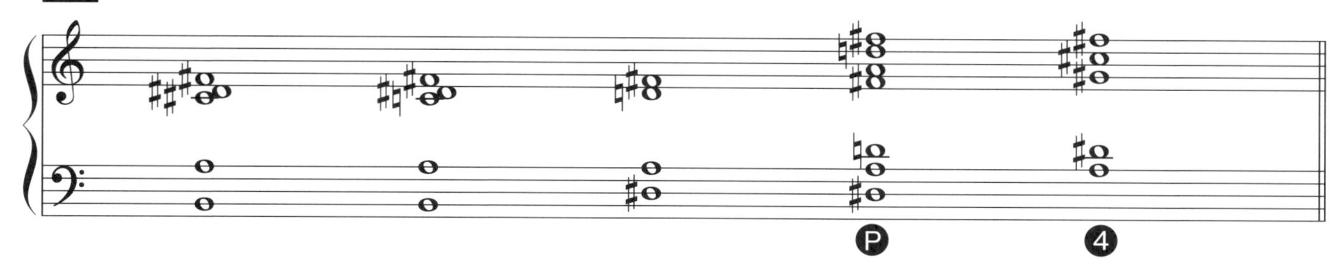

♭13th

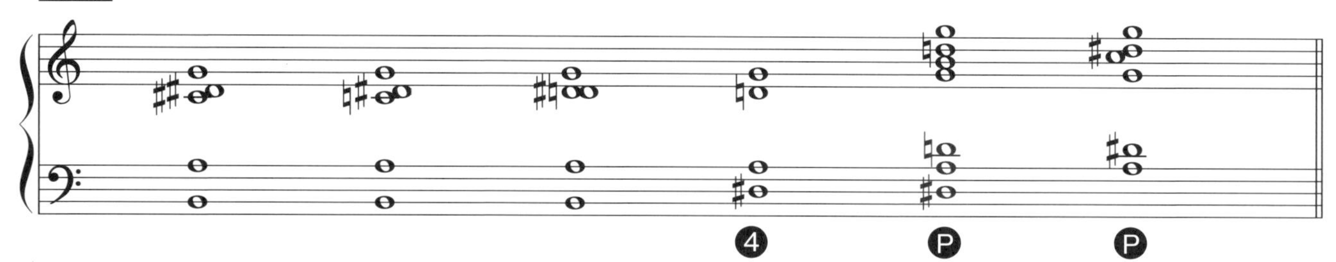

13th

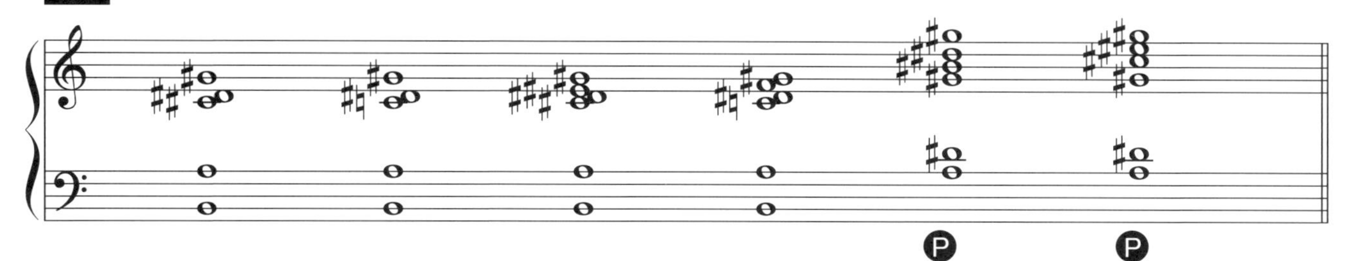

♭7th

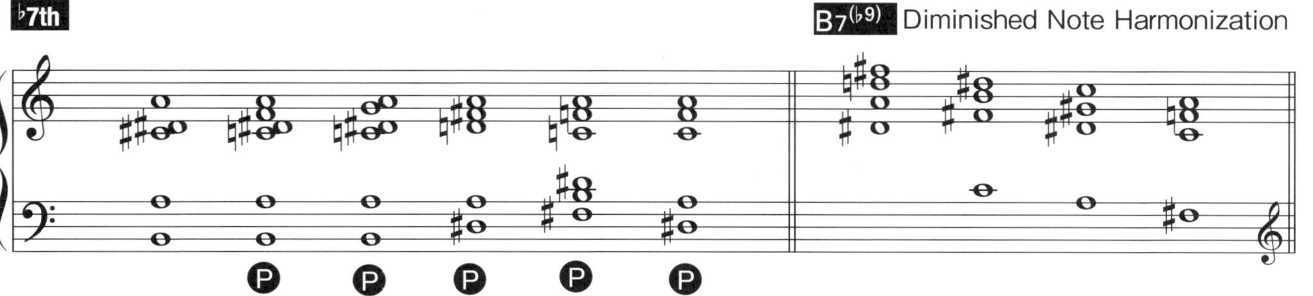

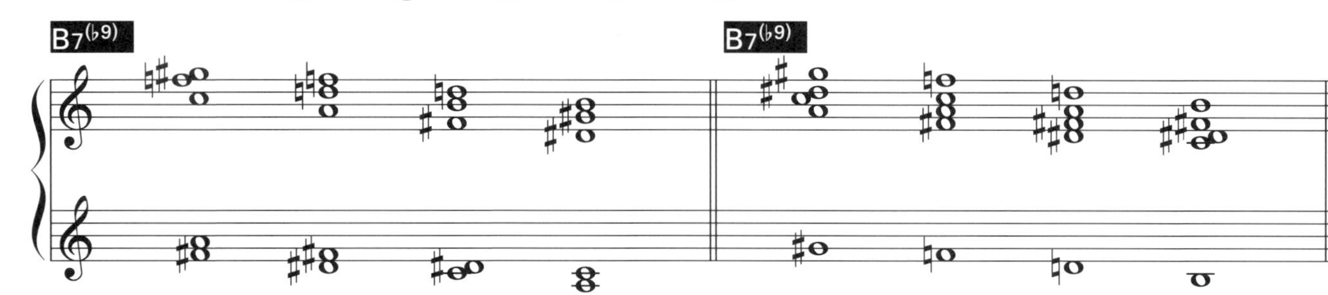

B

B　Tonic Major Chord（B Ionian,B Lydian）

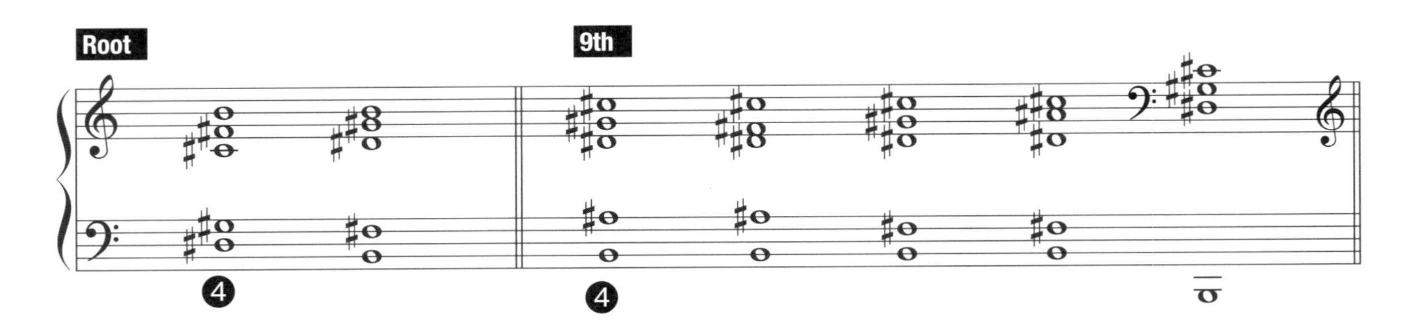

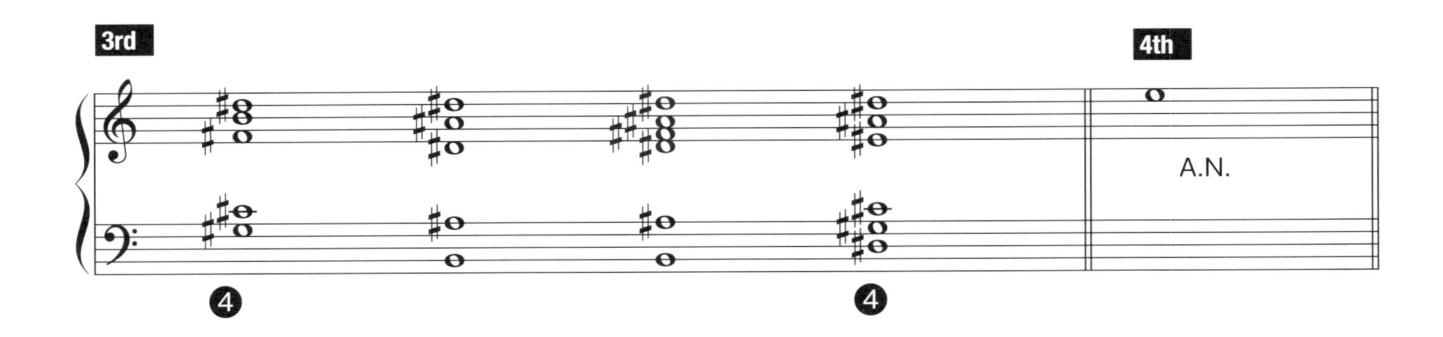

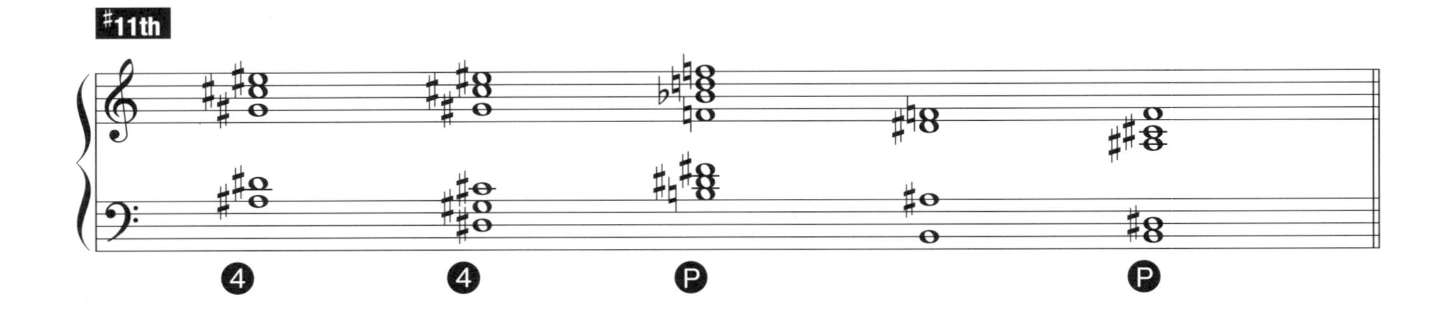

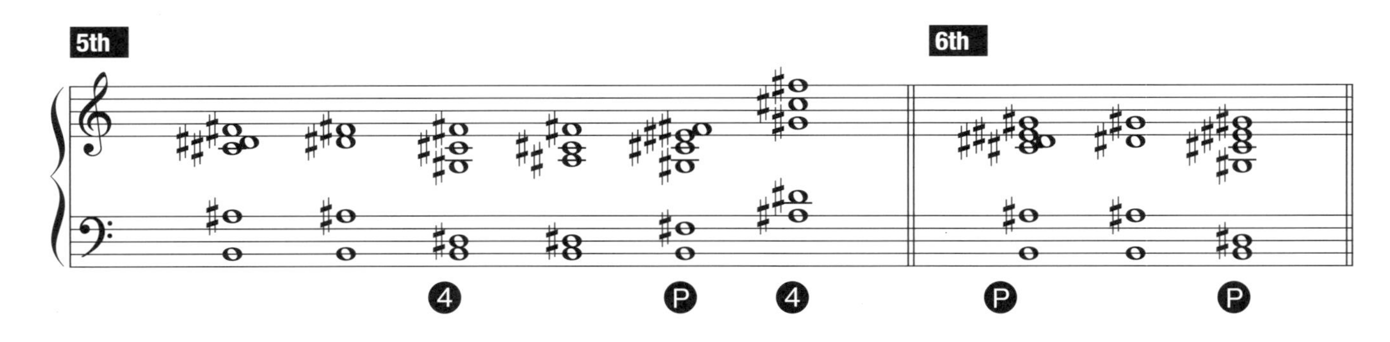

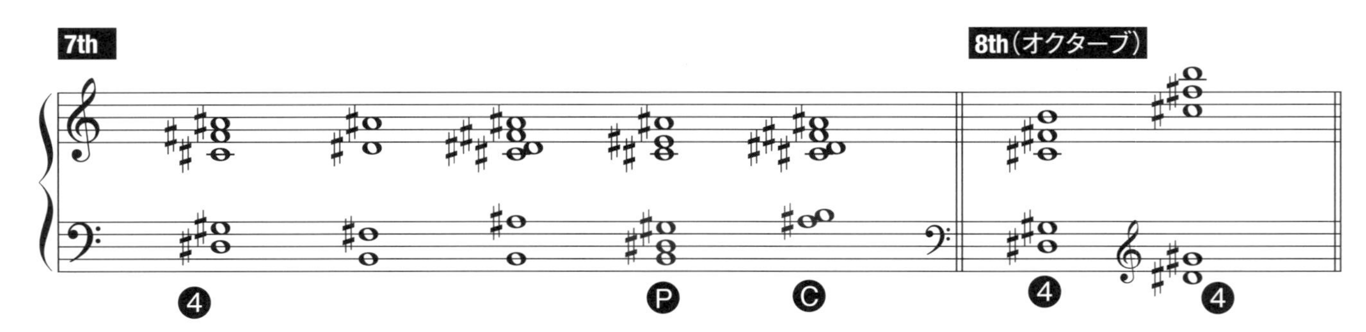

Bm Tonic Minor Chord (B Melodic Minor Scale)

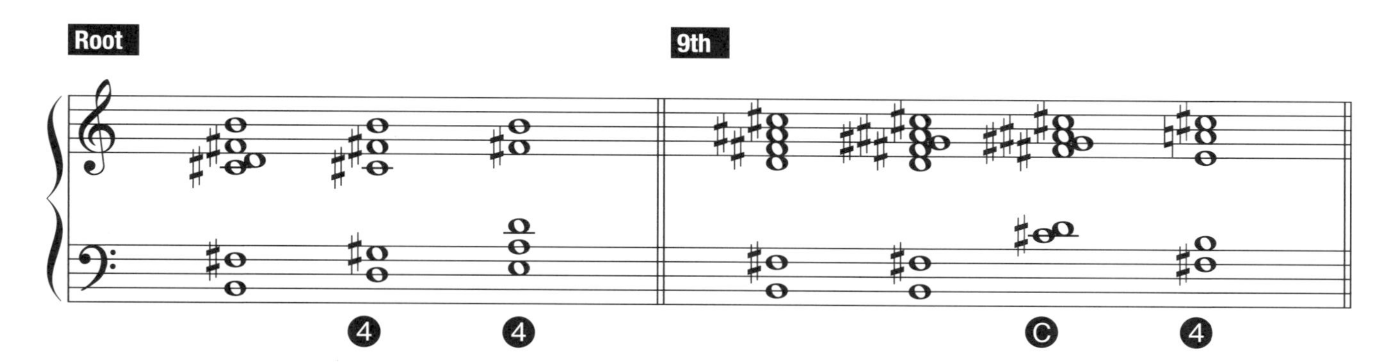

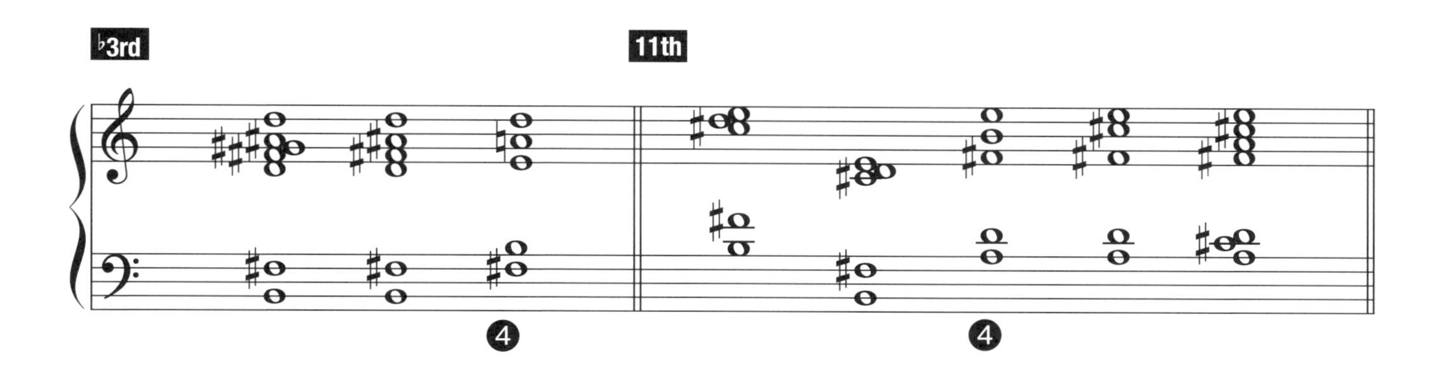

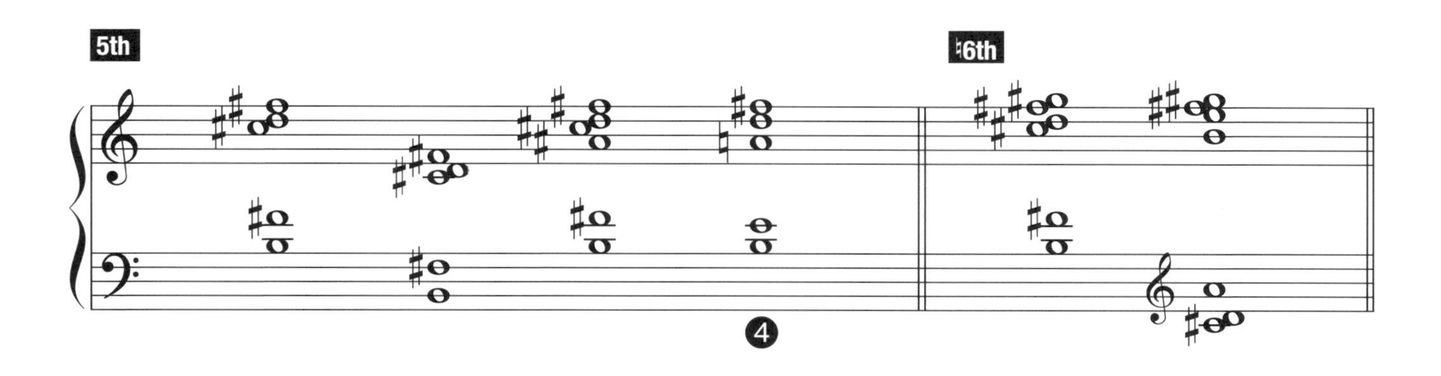

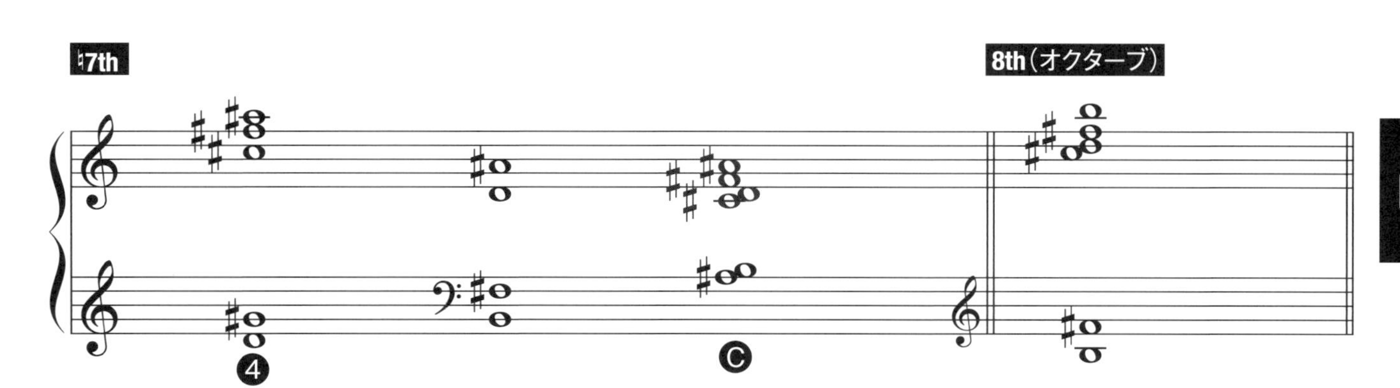

B

Bm7　Minor 7th Chord（B Dorian）

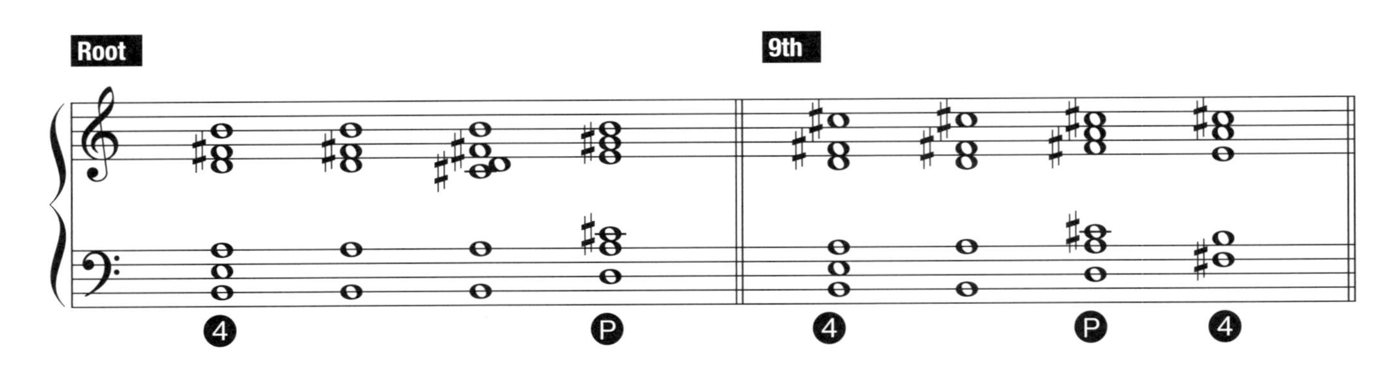

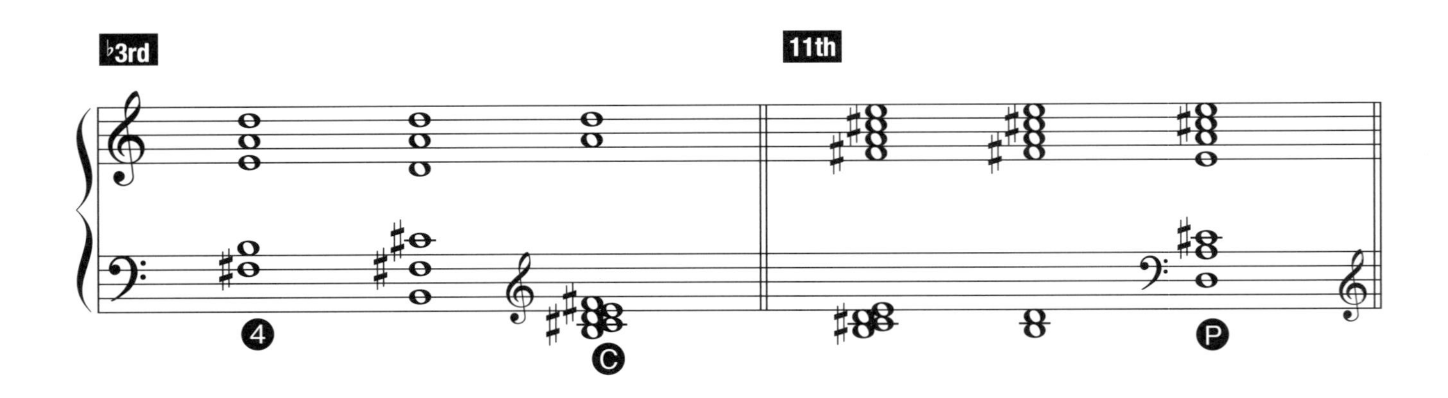

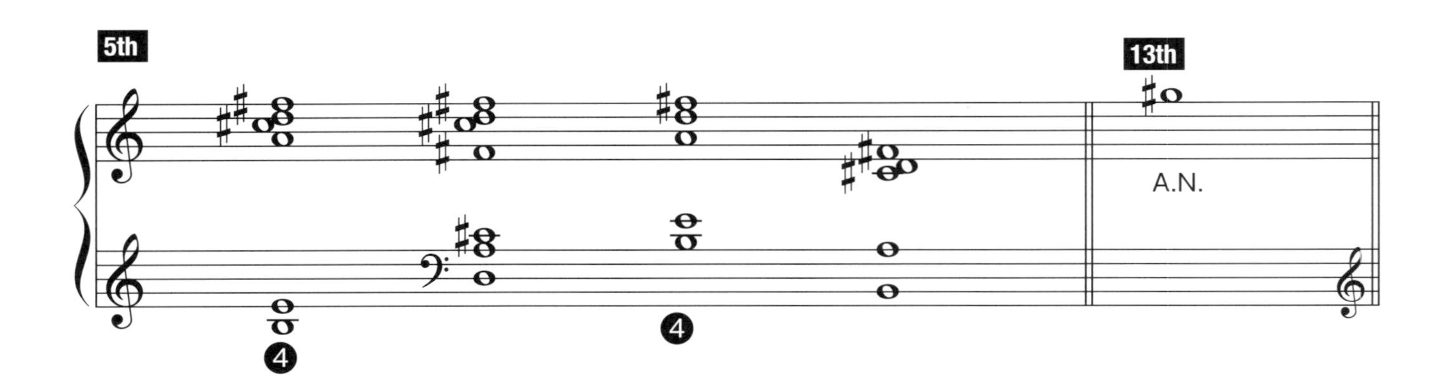

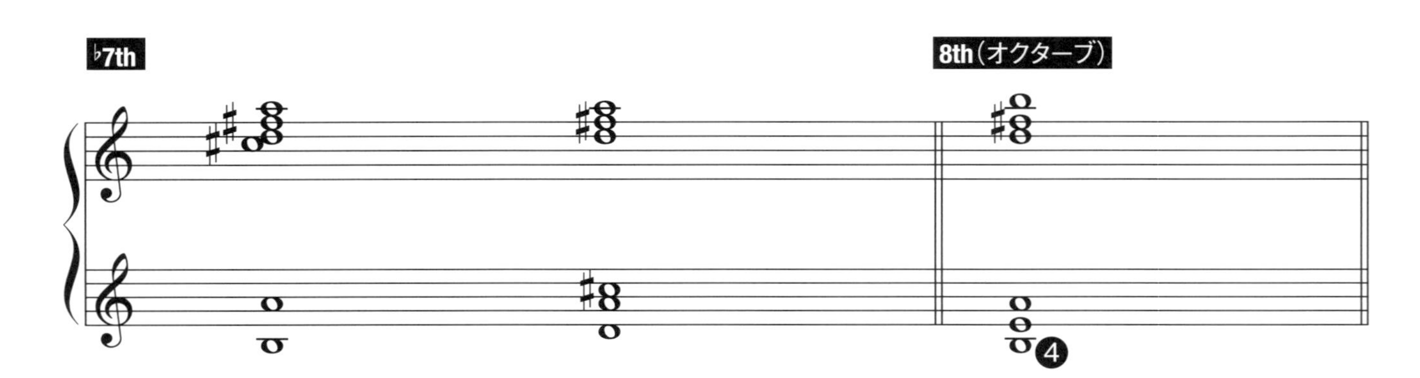

Bm7(♭5) Minor 7th Flatted 5th Chord (B Altered Dorian)

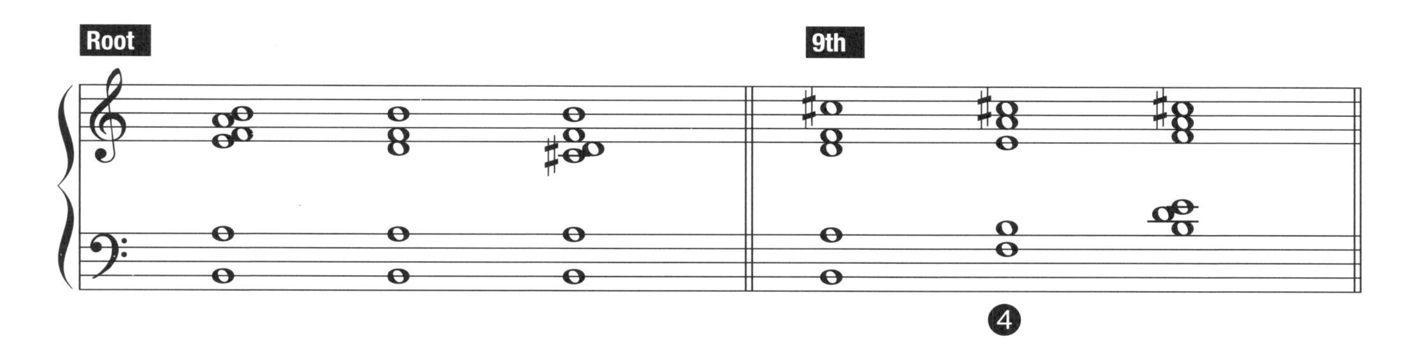

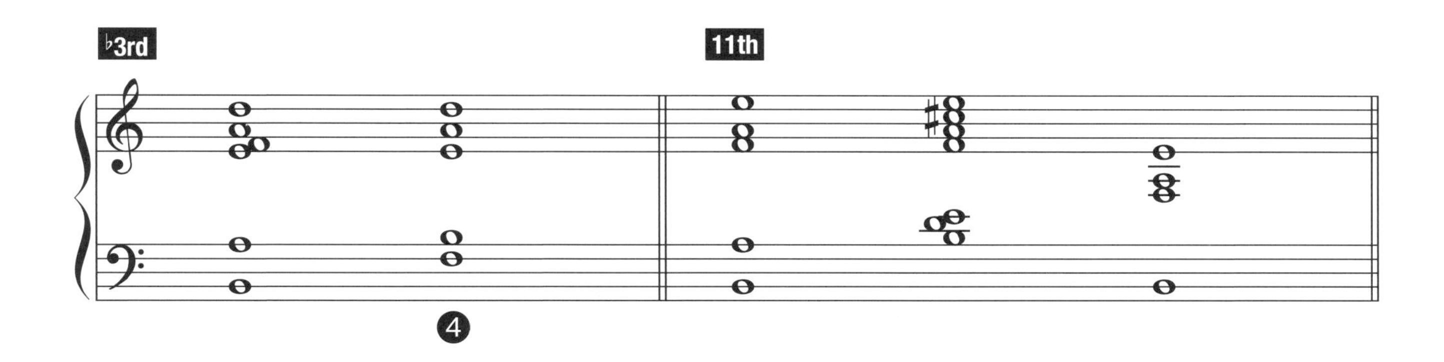

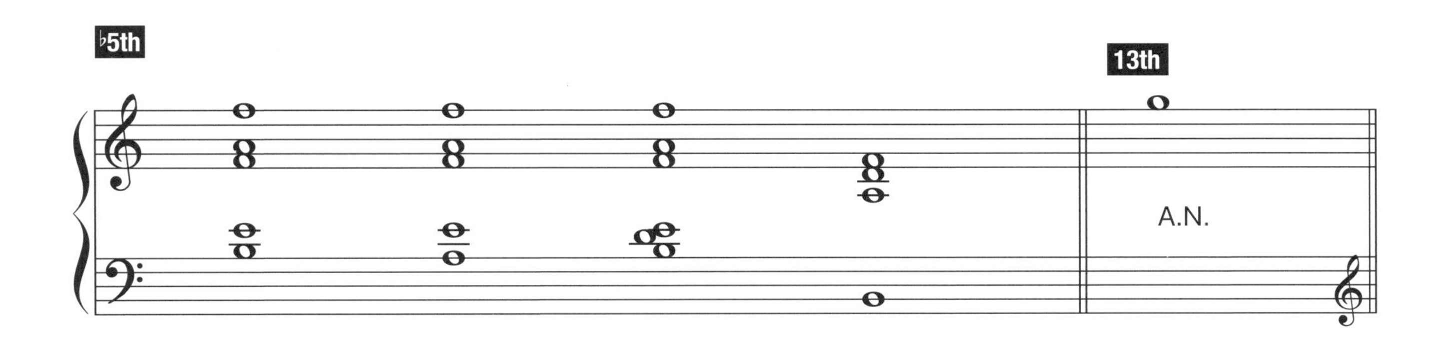

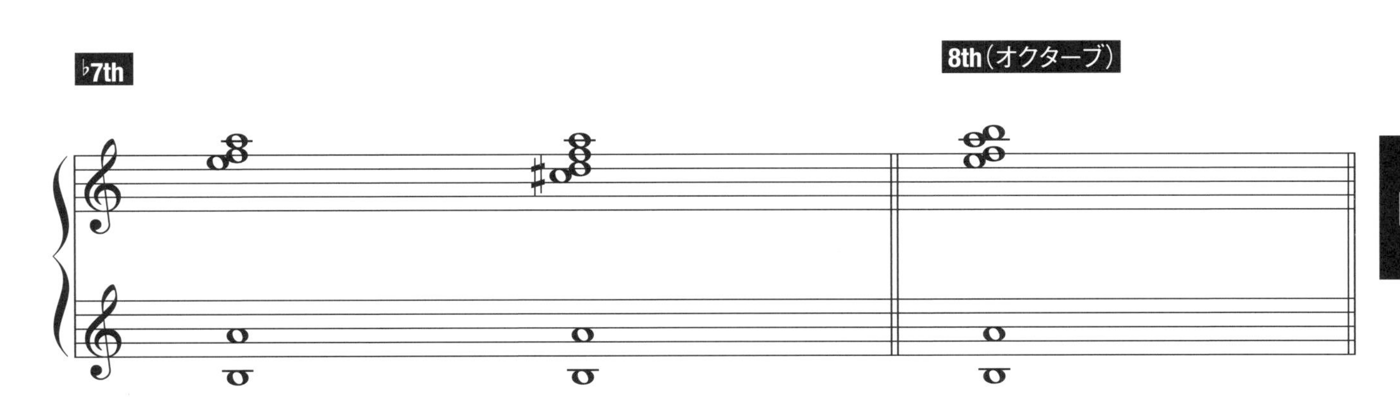

❍ Drop Voicing（ドロップ・ヴォイシング）

4Way Close ヴォイシング（P.4 参照）の一部を「**1 オクターブ下に配置**」してオープン・ヴォイシングにする方法がありますので、ここで紹介しましょう。

譜例 1 Drop2 ヴォイシング

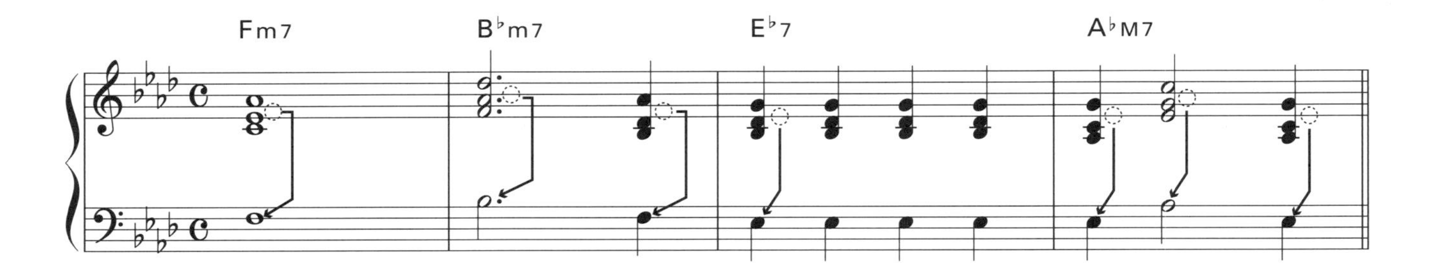

クローズ・ヴォイシングの上から「**2 つ目の音**」を 1 オクターブ下げます（落とす）。

譜例 2 Drop3 ヴォイシング

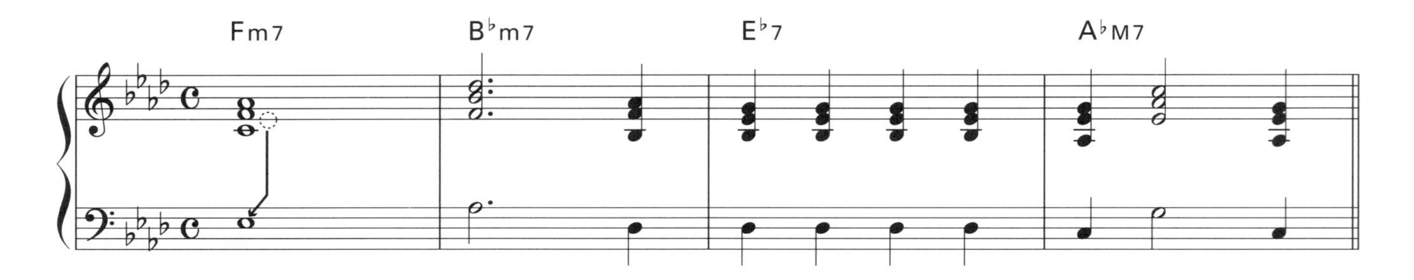

クローズ・ヴォイシングの上から「**3 つ目の音**」を 1 オクターブ下げます（落とす）。

譜例 3 Drop2&4 ヴォイシング

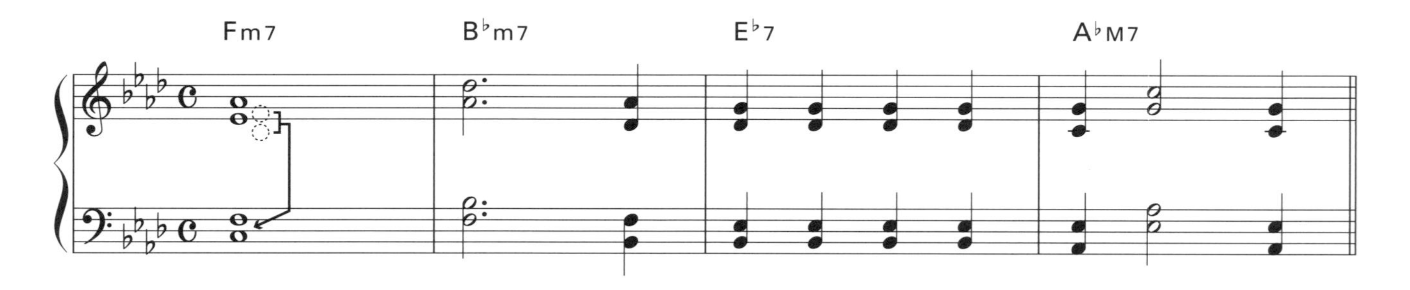

クローズ・ヴォイシングの上から「**2 つ目と 4 つ目**」を 1 オクターブ下げます（落とす）。

❍ Basic Chord Voicing（ベーシック・コード・ヴォイシング）

「**3ノート・ヴォイシング**」とも言いますが、メロディに「**ルートと3度、7度**」を付けた3声のハーモニーのことです。

譜例4 ║ All The Things You Are（アレンジ例①）／ Jerome Kern

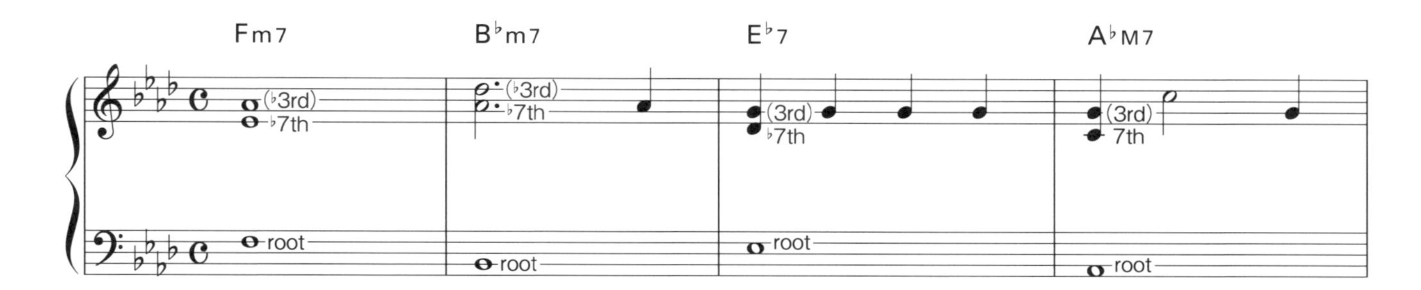

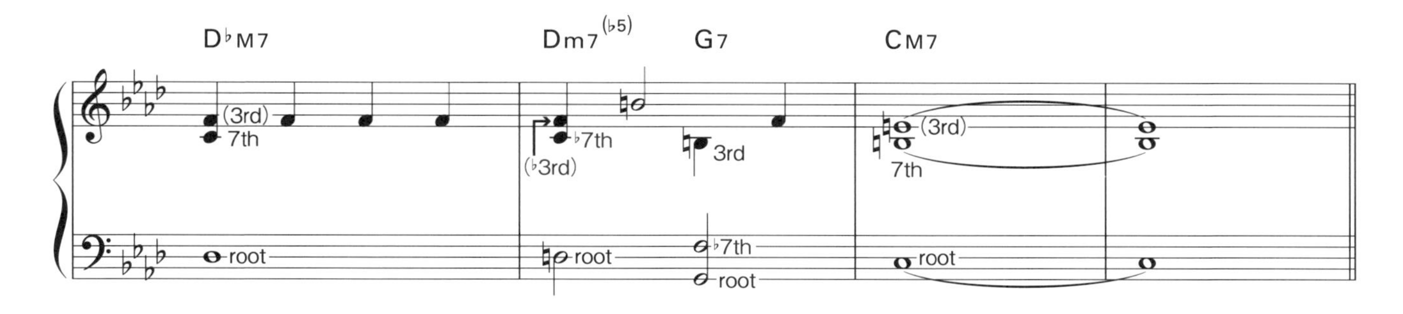

譜例5 ║ Danny Boy（アレンジ例②）／アイルランド民謡

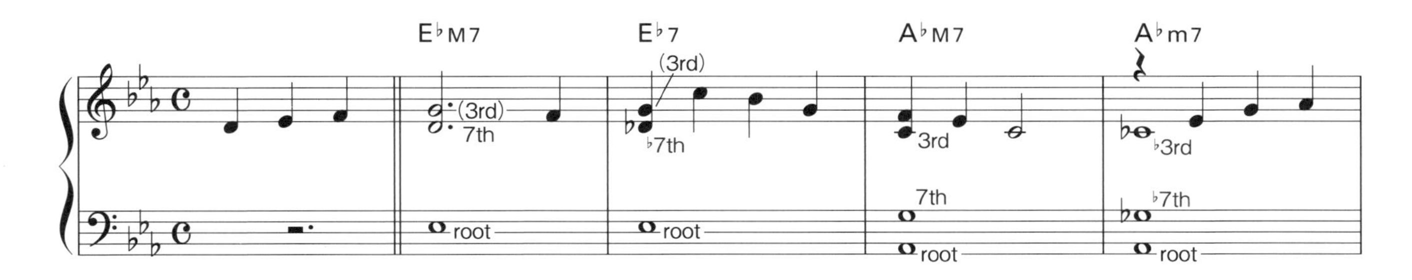

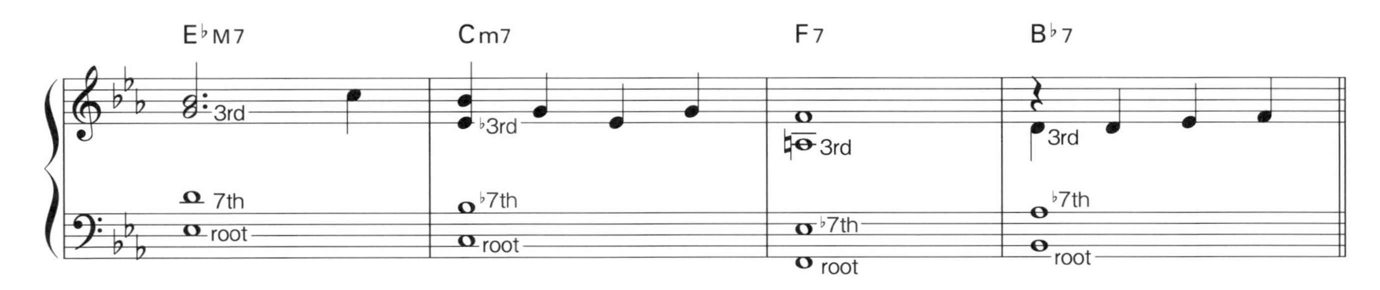

○ Spread Voicings（スプレッド・ヴォイシング）

P.117 のベーシック・コードヴォイシングに、残りのコード・トーンやテンションを 1 音加えたものを「**4Way スプレッド**」といい、2 音加えたものを「**5Way スプレッド**」といいます。

譜例 6 ║ Danny Boy（アレンジ例③）／アイルランド民謡

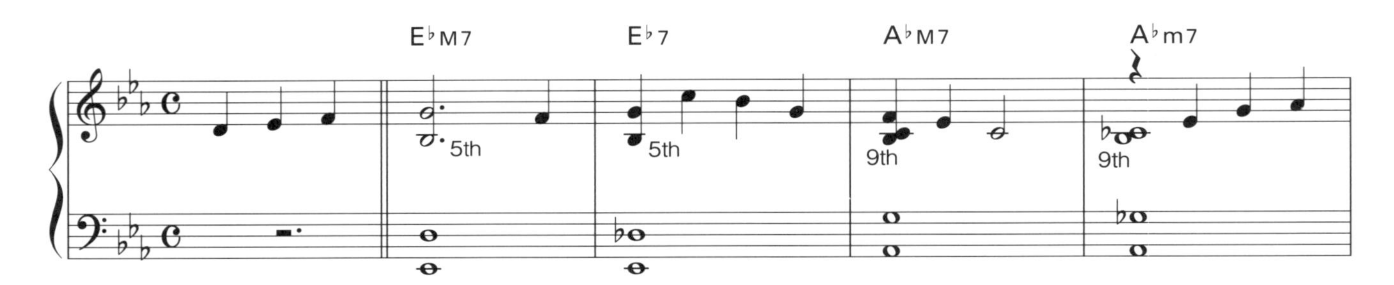

以上、ここまでヴォイシングについて説明してきましたが、本書のトゥ・ハンド・ヴォイシングでは多くの考えうる組み合わせでヴォイシングを載せてあるので、上手に活用していただけたらと思います。

また、本来ならばコードの説明とともにリハモナイズの仕方や代理コードの使い方等の説明に入るべきですが、この本ではジャズ・ピアノ・コードのヴォイシングに焦点を充てたいのと、アレンジに関わる説明はページを要するため、割愛させていただきます。

COLUMN　ジャズの聴き方とマナー

ジャズの演奏はアドリブが醍醐味です。アドリブはテーマを演奏した後、各楽器ごとに演奏して回しますが、奏者によって長さがまちまちです。聴き手は、各奏者がアドリブを終えて次の奏者にバトンタッチしたタイミングで、拍手をします。大抵の場合は良い演奏だったことを讃えて拍手を送るのですが、内容によっては満足いかない、構成がハッキリしない演奏など曖昧なときがあります。そういったときは、拍手するタイミングを逃してしまいますね。

アドリブを回し終えた最後に、4 小節（または 8 小節）ずつ各楽器が交互にアドリブを演奏することがあります。間にドラムを挟んだり、とにかく目まぐるしくグルグル回します。これは、軽快な曲の時に演奏することがほとんどです。例えば、次のようになります。

ピアノ 4 小節　→ ドラム 4 小節 → ピアノ 4 小節 →ドラム 4 小節…
サックス 4 小節 → ドラム 4 小節 → ピアノ 4 小節 →ドラム 4 小節 → サックス 4 小節 →ドラム 4 小節…

このような楽器の順番はバンドで決めます。上記の例では、旋律を奏でる楽器とドラムが交互にアドリブをしています。これがアドリブを退屈にさせないもので、盛り上がります。こういった形式のことを「**4 バース**」といい、演奏後は拍手喝采でしょう！

押し付けるわけではありませんが、何となく聴くのではなく中身をしっかりと聴くことが大事です。

❍ Passing Diminished Chord（パッシング・ディミニッシュ・コード）

よく、ディミニッシュ・コードの使い方がわからないと耳にすることがありますが、ジャズではディミニッシュ・コードが役に立ちますので、ここで使い方を大まかに説明しておきましょう。次の２つの譜例を見てください。

譜例７ パッシング・ディミニッシュ

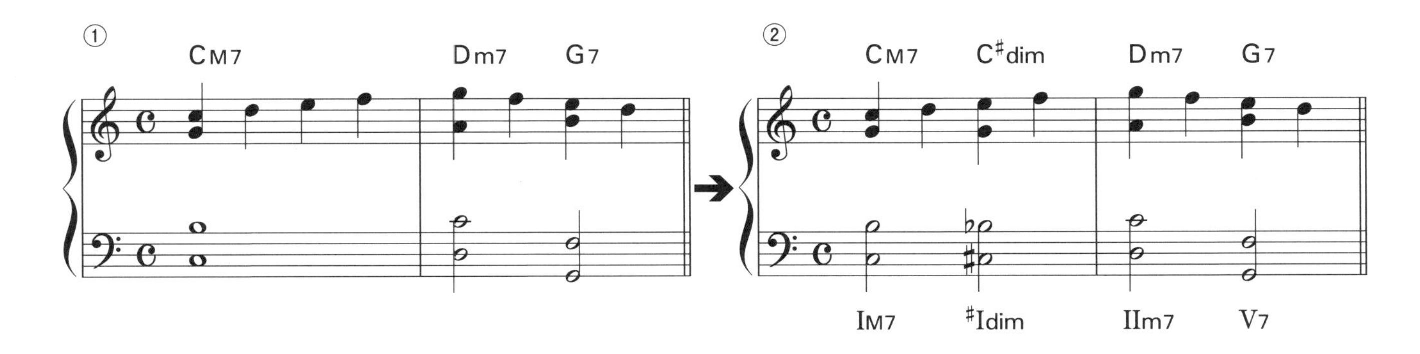

②の譜例は CM7 と Dm7 の間をディミニッシュ・コードでリハモナイズしたものです。また、この C♯dim はセカンダリー・ドミナントセブン（副属七）の A7 を代理コードとして使われるものです。なぜ代理できるのかというと、A7 に ♭9th を加えてルートを省略すると C♯dim になるからです。

譜例８ セカンダリー・ドミナントに代理

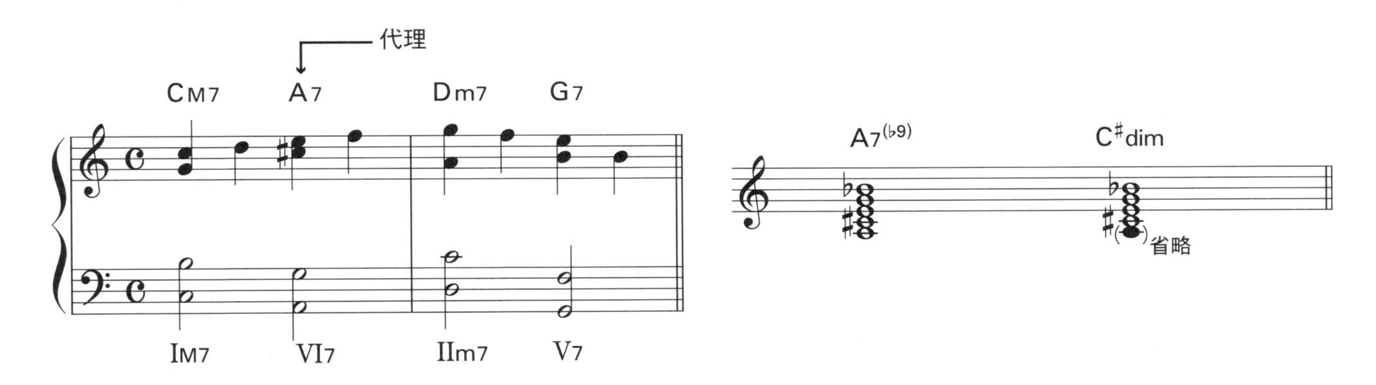

ディミニッシュ・コードをドミナント・セブンスの代理コードとして使うのは、**【譜例９】**で示すように「**VIIm7(♭5) 以外のダイアトニックコード**（音階上のコード）**に進むとき**」に使えます。単に、ディミニッシュ・コードから半音上に上がって進行すると覚えても良いでしょう。「黒い音符の部分」も含めるとドミナント・コードの ♭9th にあたるもので、この譜例からも代理コードの関係がわかります。

譜例９ Key=C、ダイアトニック・コードでのパッシング・ディミニッシュ（上行形）

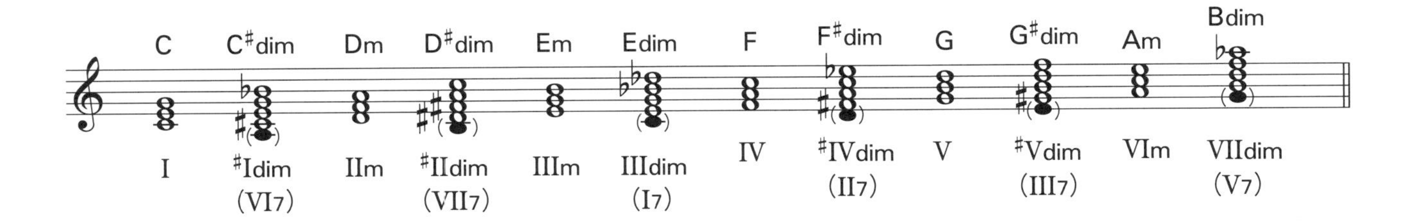

次の譜例は、パッシング・ディミニッシュ・コードの使い方の例です。実際に弾いて練習してみましょう。

譜例 10 パッシング・ディミニッシュ例

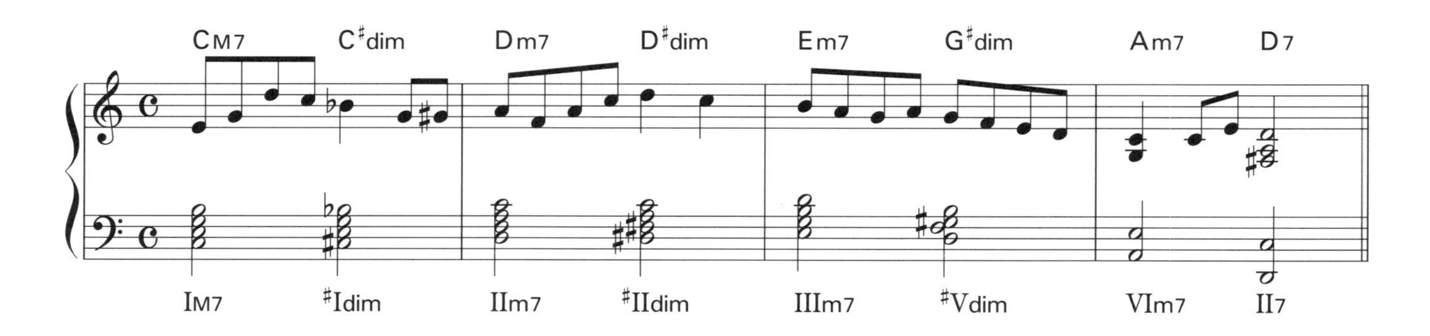

次の**【譜例 11】**のパッシング・ディミニッシュ・コードは、半音上から IIm7 に「**下がって**」います。

譜例 11 下行のパッシング・ディミニッシュ①

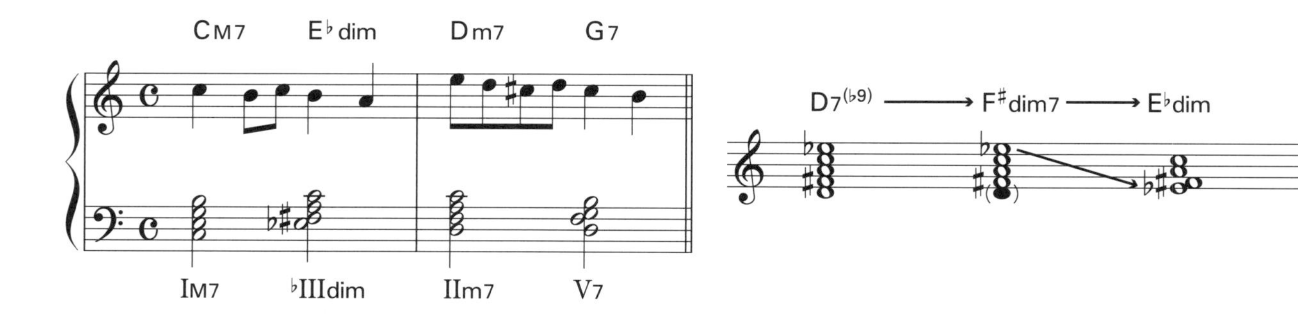

このE♭dimもドミナントコードにすることができます。D7(♭9)のルートを省略して転回するとE♭dimになります**【譜例 11】**。結果、D7(♭9)と置き換えることもできます**【譜例 12】**。

譜例 12 ディミニッシュを置き換える

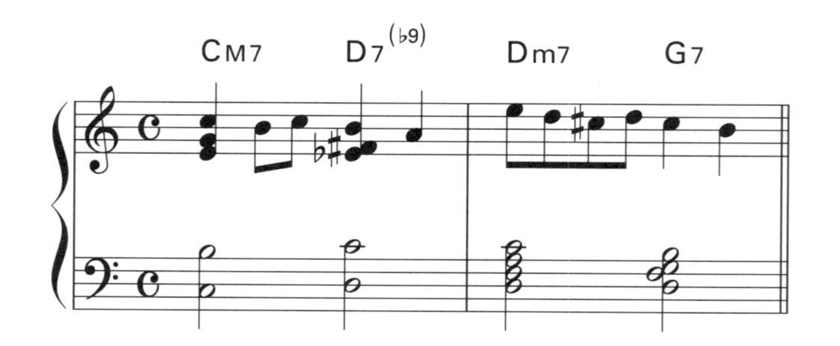

そして、先ほどのディミニッシュ・コードは IIm7 に向かって下がるときに使うことができます。

譜例 13 下行のパッシング・ディミニッシュ②

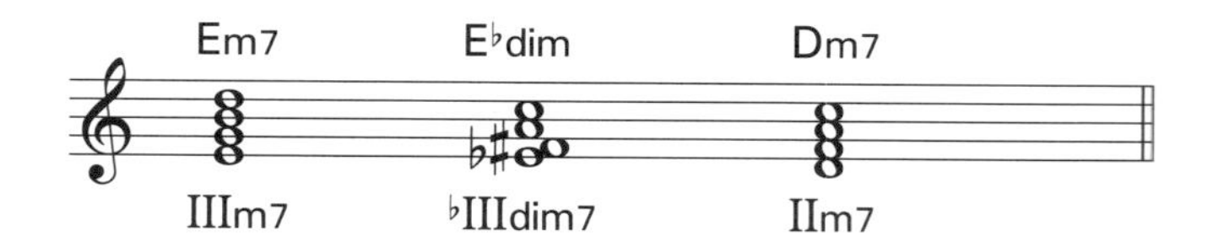

以上、上行形のパッシング・ディミニッシュ・コードは「**6 つ**」あり、下行形のパッシング・ディミニッシュ・コードは「**1 つ**」ということになります。

○ Block chord（ブロック・コード）

ブロック・コードとは、和音をかたまりで弾くことをいいます。ここではメロディをハーモナイズして弾く方法を説明します。まず、次の 4Way Close コードを弾いてみてください。

譜例 14 **メジャー・シックス・コード**

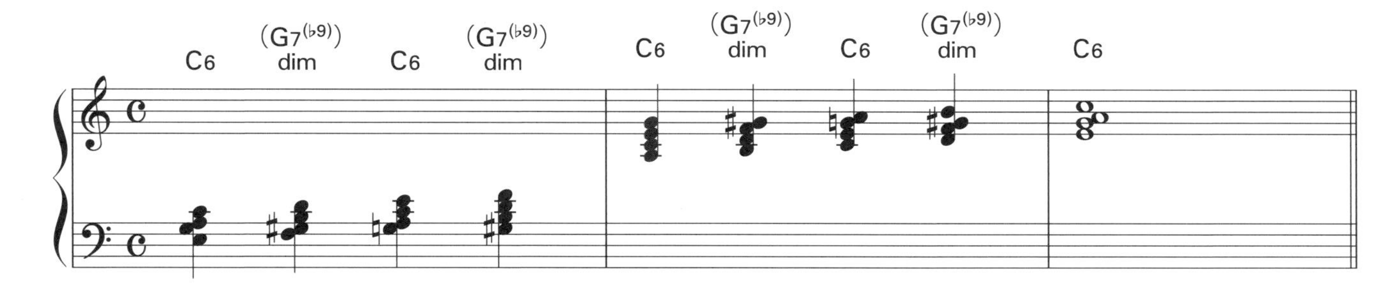

譜例 15 **マイナー・シックス・コード**

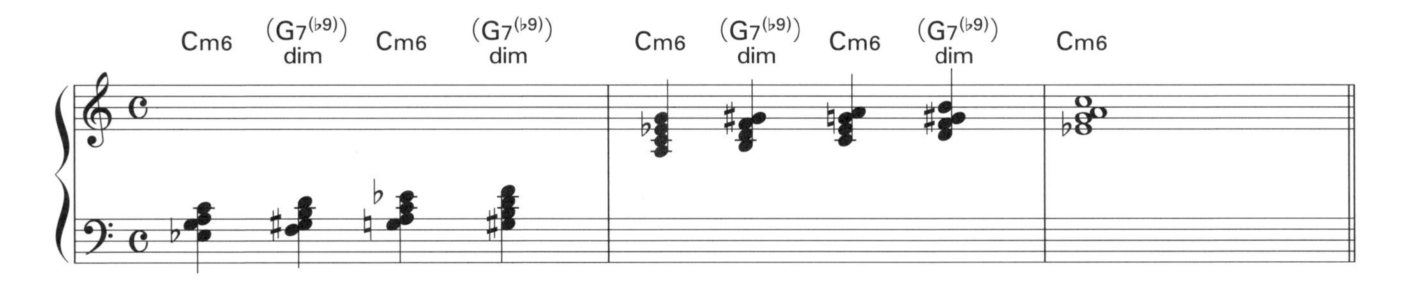

譜例 16 **マイナー・セブンス・コード**

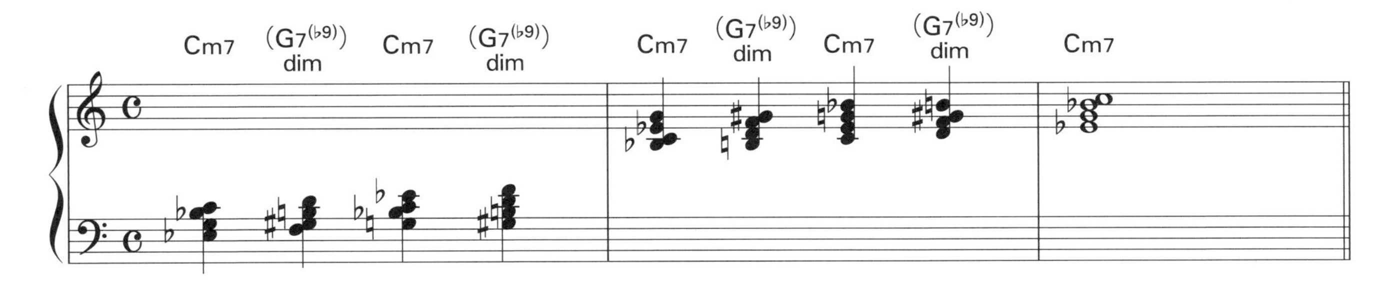

譜例 17 **ドミナント・セブンス・コード**

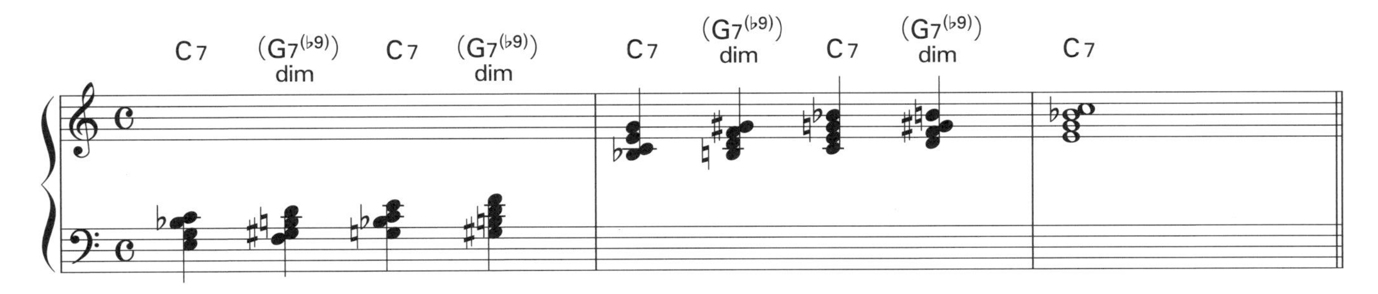

さきほどの 4 種類の 4Way Close コードをそれぞれドロップ 2 で弾いてみましょう。

譜例 18 例：C6 の場合（4Way Close コードをドロップ 2）

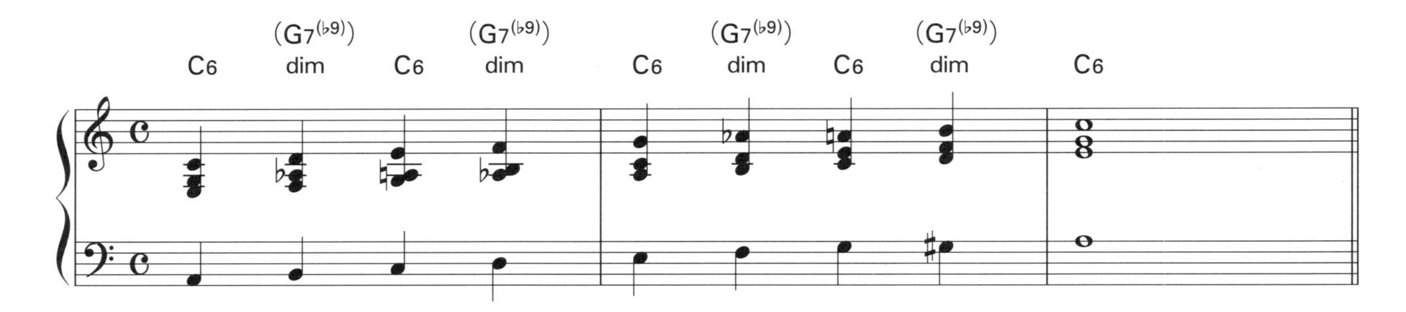

C6 のコード・トーンでないメロディの部分は、ディミニッシュ・コードが使われています。パッシング・ディミニッシュ・コードでも説明したように、経過音としてディミニッシュを挟んでいます。G7(♭9) ということは、ルートが違うだけで Bdim ということになりますね。早速、**【譜例 19】**のメロディをハーモナイズしてみましょう。

譜例 19 メロディをブロック・コードで

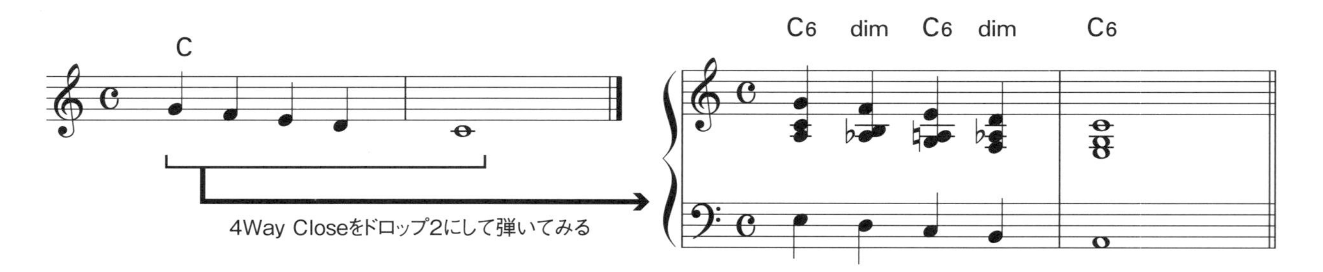

また、4Way Close コードのメロディを「**1 オクターブ下げてメロディと同じ旋律**」を弾くと（ダブル・メロディ）、有名なジャズピアニストのジョージ・シアリングの名前がついた「**シアリング・スタイル**」と言う独特のブロック奏法になります。

譜例 20 シアリング・スタイル

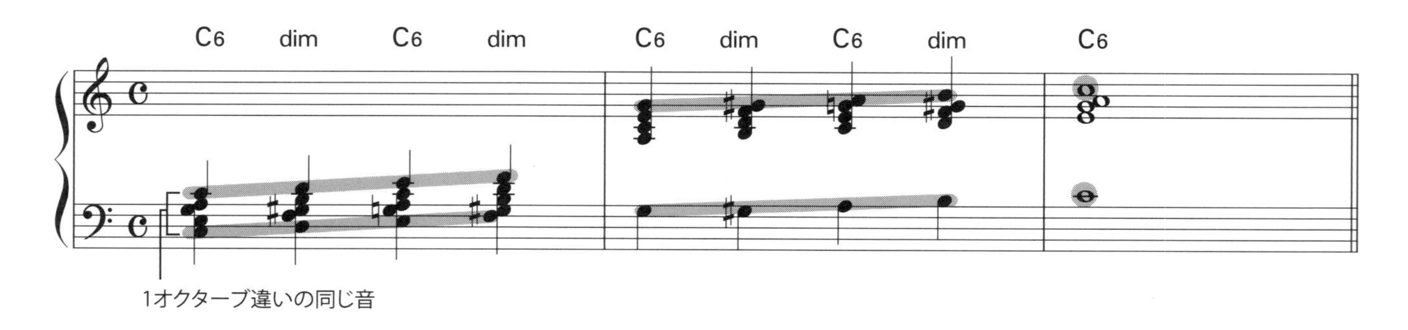

以上、ブロック・コードでメロディを演奏するにはこの他にも様々な演奏手法があります。各々理論書等で深く勉強してみてください。

○ Upper Structure Triad（アッパー・ストラクチャー・トライアド）

トゥ・ハンド・ヴォイシングの冒頭でも少し説明しましたが、ポリコードの中でもアッパー・ストラクチャー・トライアドといい、トゥ・ハンド・ヴォイシングでは右手にテンションの入った押さえ方をすることが多いです。ここでは、もっと簡単にできる方法としてレフトハンド・ヴォイシングの右手に「**トライアド（三和音）**」を重ねて弾きます。

譜例 21　アッパー・ストラクチャー・トライアド例①

・**メジャー・セブンス・コード**

右手に「**全音上のメジャー・トライアド**」を重ねることができます。ルートから数えて 9 度、♯11 度、13 度が入っています。

・**ドミナント・セブンス・コード**

「**全音上のメジャートライアド**」を重ねることができます。これもルートから数えて 9 度、♯11 度、13 度が入っています。

・**マイナー・セブンス・コード**

「**全音下のメジャー・トライアド**」が重ねることができます。これは、ルートから数えて 9 度、11 度が入っています。

さらにドミナント・セブンス・コードではたくさんのテンションがあるので、他にもいくつかのアッパー・ストラクチャー・トライアドができます。

譜例 22　アッパー・ストラクチャー・トライアド例②（ドミナント・セブンス）

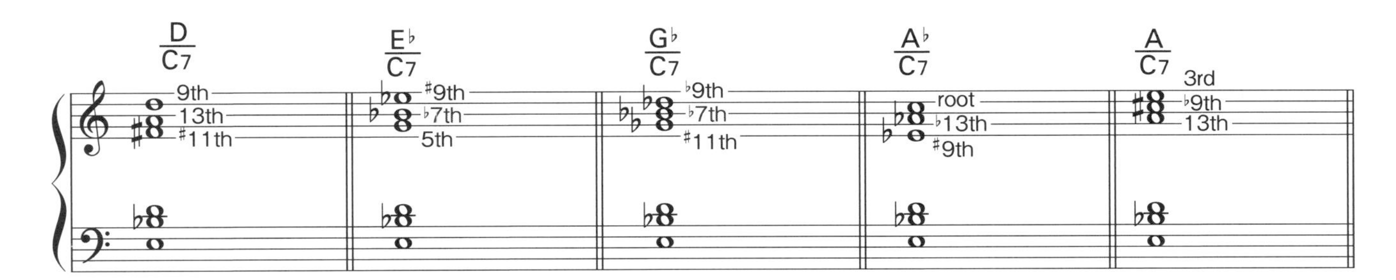

上記のドミナント・セブンのアッパー・ストラクチャー・トライアドは、覚えて弾けるようになると良いでしょう。この他にもたくさんの組み合わせがありますが、本書のポリコードのところを参考にしてください。

Blue Bossa

Kenny Dorham

今までレフトハンド・ヴォイシングやトゥ・ハンド・ヴォイシングを掲載してきましたが、それが全てではありません。ジャズの場合、弾いてみて良いと思えば、いろいろな音を組み合わせてどんどん弾いて欲しいのです。そのため、この本に無い押さえ方もたくさんあります。

この曲はジャズで最も演奏されることの多い有名なボサノバです。譜面はトリオスタイルをイメージしてアレンジしたもので、ベース音は抜いてあります。また、曲中のDm7(♭5)にはレフトハンド・ヴォイシングで記載されていない11thのテンションが入った押さえ方をしています。

ピアノ以外の楽器がソロをとった際のコンピングを記載したので、参考にしてください。

Dm7(♭9)
G7(♯9)
Cm7
D♭m7 Dm7
E♭m7
A♭7
D♭M7
Dm7(♭5)
G7
Cm7
Dm7(♭5)
G7
Comping
Cm7
Fm7
Dm7(♭5)
G7(♯9)
Cm7
E♭m7
A♭7
D♭M7
D♭M7
Dm7(♭5)
G7
Dm7(♭5)
G7
Cm7
Dm7(♭5)
G7

Speak Low

Kurt Weill

　次の曲もトリオスタイルをイメージしてアレンジしてあります。ゆったり演奏するバージョンもありますが、ここではテンポを速く♩＝200前後で演奏してください。キメの部分が多いため、譜例のコンピングもキリッとした調子で演奏しましょう。

　コンピングはテーマのAの部分のみ記載してあります。レフトハンド・ヴォイシングのカッコ（　）の部分は右手のメロディとぶつかりますので、左手の親指を鍵盤から浮かせて弾いてください。アドリブの時は全て押さえます。

E♭M7
D♭7(9)
C7
D.S.

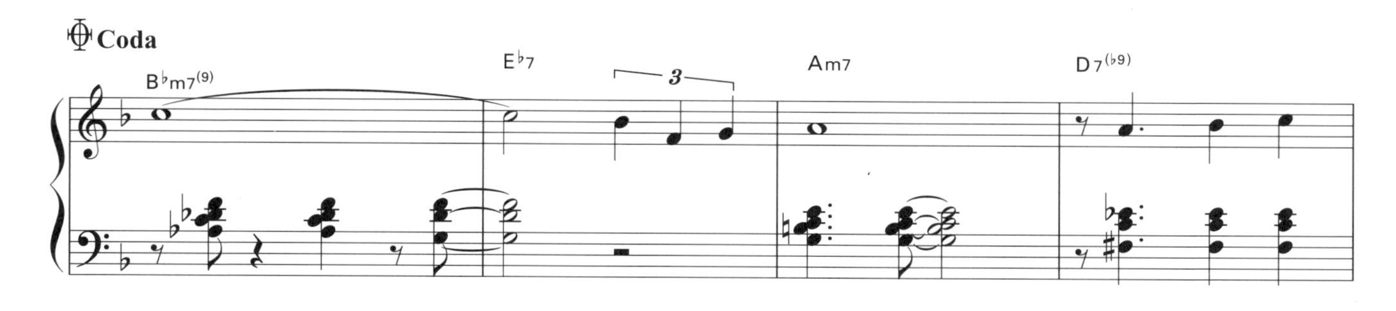
Coda
B♭m7(9)
E♭7
Am7
D7(♭9)

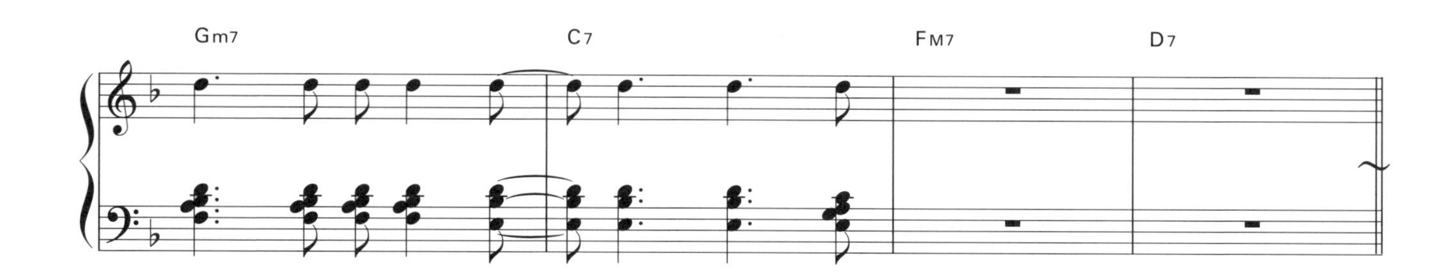
Gm7
C7
FM7
D7

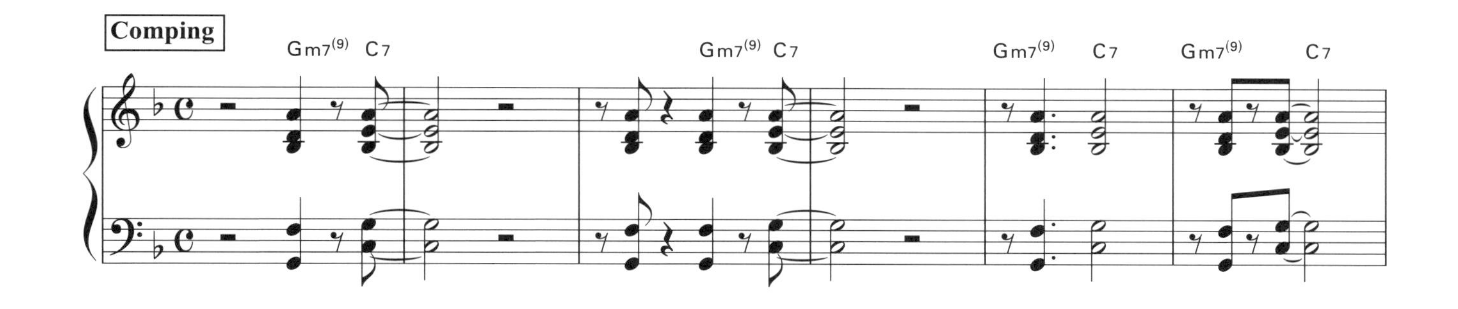
Comping
Gm7(9)
C7
Gm7(9)
C7
Gm7(9)
C7
Gm7(9)
C7

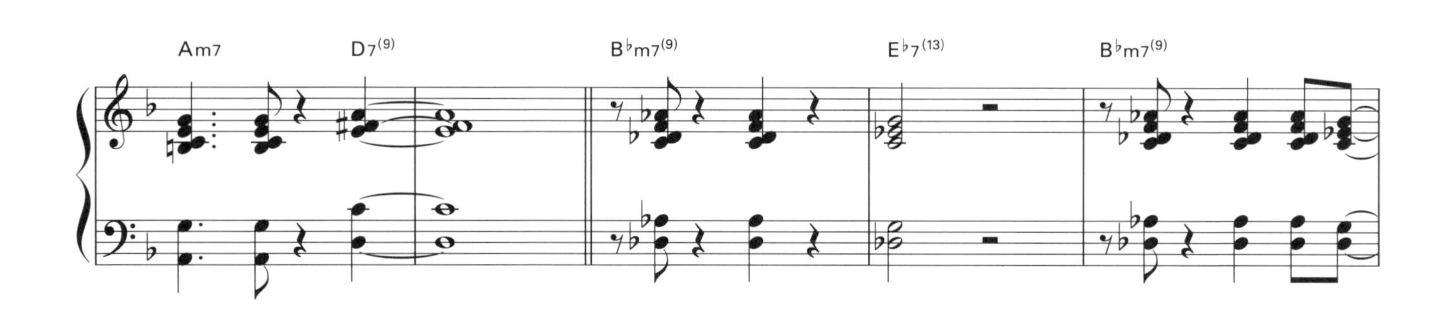
Am7
D7(9)
B♭m7(9)
E♭7(13)
B♭m7(9)

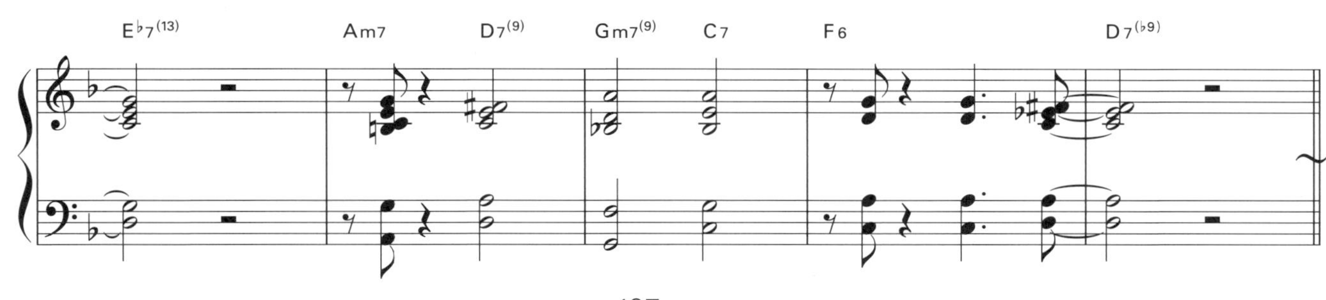
E♭7(13)
Am7
D7(9)
Gm7(9)
C7
F6
D7(♭9)

■終わりに

この本の文中でもご説明したように、この本はヴォイシングに重点を置いています。他の理論書と併用したり、ご自身でコードワークや演奏法等の勉強とともにお使いになることをお勧めします。

ジャズ・ピアニストはメロディを弾いたり、コンピングしたり、ハーモニーを奏でたり、リズムを打ったりと多くの役割があり、特に楽器の中でもピアノというものは難しい楽器です。少しでもこの本がジャズ・ピアノを学ぶ皆様の助けになることを願ってやみません。

ジャズは自由に演奏するという感覚がありますが、まったく自由にして良いものでもありません。ある程度の決まりごとを理解しながら自分のスタイルを見つけて、素晴らしい演奏をしてください。

遠藤尚美

■ 著者プロフィール

遠藤 尚美（えんどうなおみ）

幼少よりピアノ教師の母のもとでピアノを始める。その後、数多くのコンクールや音楽会に出場。音楽大学入学と同時にクラシックからジャズまで幅広い音楽活動を始める一方、音楽制作も手掛ける。また、ピアノやキーボードの講師等も努め、アレンジ、執筆で多くの音楽出版物に携わる。その後、アメリカ・ボストンのバークリー音楽院に留学、ジャズ・ピアノを学ぶ。数多くのミュージシャンと共演を経て、ニューヨークへ移り活動を続ける。

帰国後、大学や専門学校の講師として、多くの生徒を音楽業界に輩出。最近では、プロダクションの所属アーティストのライブ用アレンジや音楽指導も行う。ピアノ指導者としては、国内・海外の音楽大学にトップの成績で生徒を入学させている。

ソロ、サポート他、ジャンルにとらわれないライブ活動を行っている。また、日本音楽教育学会会員でもある。

音楽大学ジャズ科を検討されている方や、ピアノ経験者でレッスン希望の方はメールにてお問合せください。都内のスタジオ、もしくはリモートレッスン致します。

メールアドレス…………………… naomipiano1@gmail.com
遠藤尚美 オフィシャルサイト … http://naomi-piano.com/

レフトハンド／トゥ・ハンド・ヴォイシングを網羅！ **ジャズ・ピアノを弾くための究極のコード・ブック** ＿＿定価（本体 1500 円＋税）

編著者――――遠藤尚美（えんどうなおみ）
編集者――――大塚信行
表紙デザイン――オングラフィクス
発行日――――2023 年 4 月 30 日
編集人――――真崎利夫
発行人――――竹村欣治
発売元――――株式会社自由現代社
〒 171-0033　東京都豊島区高田 3-10-10-5F
TEL03-5291-6221/FAX03-5291-2886
振替口座 00110-5-45925

ホームページ――http://www.j-gendai.co.jp

JASRAC の承認に依り許諾証紙張付免除

JASRAC　出 2301978-301
（許諾番号の対象は、当該出版物中、当協会が許諾することのできる出版物に限られます。）

ISBN978-4-7982-2602-6